KATHLEEN TESSARO

Elégance

Buch

»Elégance. Von Geneviève Antoine Dariaux«. Vorsichtig zieht Louise Canova den verstaubten Band aus dem Regal. Auf einem Streifzug durch Londons Antiquariate ist sie auf dieses Buch gestoßen. Es scheint eine Art Nachschlagewerk zu sein, das von A bis Z geordnet Ratschläge zu jeglicher Art von Stilproblem enthält. Louise ist fasziniert. Und schon nach den ersten Seiten wird ihr klar: Elegant – ist sie nicht. In einer Radikalkur entrümpelt sie ihren Kleiderschrank und bringt alles auf den Müll. Dann nimmt sie einen Zettel, schreibt mit rotem Leuchtstift darauf: »Lass dich nicht von etwas verführen, das nicht erstklassig ist«, und klebt ihn in die Innenseite ihrer Schranktür. Die Lektüre zeigt Wirkung. Nach und nach lässt Louise das hässliche Entlein hinter sich und verwandelt sich in einen stolzen Schwan. Doch Schönheit allein ist noch kein Garant für Glück. So spricht Madame Dariaux, und sie hat weit mehr zu bieten als ein paar Schönheitstipps. Wahre Eleganz erfordert nämlich auch Disziplin, ehrliche Selbstbetrachtung und die Entwicklung des Charakters. Und sie kann nur um den Preis zahlreicher Irrtümer erlangt werden. Also macht sich Louise daran, die Folgen vergangener Irrtümer aus ihrem Leben zu entfernen ...

Autorin

Kathleen Tessaro ist in Pittsburgh, Pennsylvania, geboren, machte eine Ausbildung zur Tänzerin und Schauspielerin und ging später nach London. Sie schrieb etliche Erzählungen, bis sie in einem Antiquariat auf eine Ausgabe von »Elégance« stieß, jenen Stilratgeber, den Geneviève Antoine Dariaux, die ehemalige Directrice von Nina Ricci in Paris, in den sechziger Jahren verfasste. Von diesem Buch inspiriert entstand Kathleen Tessaros enthusiastisch gefeierter Debütroman »Elégance«. Die Autorin lebt mit ihrem Mann und ihrem Kind in London.

Von Kathleen Tessaro außerdem lieferbar:
Für immer dein. Roman (46196)

Kathleen Tessaro

Elégance

Roman

Aus dem Amerikanischen
von Karin Diemerling

GOLDMANN

Die Originalausgabe erschien 2003 unter dem Titel
»Elégance«
bei HarperCollins, London

Umwelthinweis:
Alle bedruckten Materialien dieses Taschenbuches
sind chlorfrei und umweltschonend.

Einmalige Sonderausgabe Februar 2007

Umschlaggestaltung: Design Team München
Umschlagillustration: Natascha Römer/Agentur Die Kleinert
Druck und Bindung: GGP Media GmbH, Pößneck
Printed in Germany
ISBN 978-3-442-46369-5

www.goldmann-verlag.de

Für meinen geliebten Mann Jimmie
und meine Freundin und Mentorin, Jill.

Danksagung

Vor einigen Jahren wollte es der glückliche Zufall, dass ich in einem Antiquariat auf ein außergewöhnliches Buch mit dem Titel »Elégance« von Geneviève Antoine Dariaux stieß. Jahre später, als ich beschloss, selbst ein Buch zu schreiben, wurde es zur wichtigsten Inspirationsquelle für diesen Roman.

Mit der freundlichen Erlaubnis der Autorin konnte ich eine Auswahl der Originalkapitel verwenden und habe sie an meine Geschichte angepasst. Der Stil jedoch und vor allem die ausgezeichneten Ratschläge gehen ganz auf Madame Antoine Dariaux zurück.

Ich möchte ihr meinen tiefen Dank für ihren Beitrag zu diesem Buch aussprechen und auch dafür, dass sie während der letzten zweieinhalb Jahre meine Muse und die Autorität für alle Fragen der Eleganz gewesen ist. Persönlich ist sie, das möchte ich an dieser Stelle betonen, noch liebenswürdiger und bezaubernder, als ihre klugen Worte und weisen Ratschläge erkennen lassen.

An einem eiskalten Februarabend stehen mein Mann und ich vor der National Portrait Gallery am Trafalgar Square.

»Da sind wir«, sagt er. Aber keiner von uns bewegt sich vorwärts.

»Hör mal«, versucht er zu verhandeln, »wenn es ganz furchtbar ist, gehen wir einfach wieder. Wir bleiben auf einen Drink und verschwinden dann. Wir können ja ein Codewort vereinbaren – Kartoffel zum Beispiel. Wenn du gehen möchtest, baust du das Wort Kartoffel in einen Satz ein, dann weiß ich Bescheid. Okay?«

»Ich könnte dir auch einfach *sagen*, dass ich gehen möchte«, erwidere ich.

Er runzelt die Stirn. »Louise, ich weiß, dass du keine Lust dazu hast, aber du könntest wenigstens ein bisschen Entgegenkommen zeigen? Sie ist meine Mutter, Herrgott noch mal, und ich habe versprochen, dass wir kommen. Es passiert schließlich nicht jeden Tag, dass man Teil einer großen Fotoausstellung ist. Außerdem hat sie dich wirklich gern. Sie sagt ständig, dass wir drei uns mal wieder treffen sollten.«

Wir drei.

Ich seufze und starre auf meine Füße. Am liebsten würde ich es sofort sagen: Kartoffel. Kartoffel, Kartoffel, Kartoffel.

Ich weiß, es ist ein elendes Klischee, seine Schwiegermutter zu hassen, und ich verabscheue Klischees. Aber wenn die Schwiegermutter ein ehemaliges Mannequin aus den fünfziger Jahren ist und ein Talent dafür hat, einen bei jeder Begegnung wie einen kompletten Trottel dastehen zu lassen, kommt einem nur ein Wort in den Sinn. Und das Wort heißt Kartoffel.

Er legt den Arm um mich. »Das ist doch wirklich keine große Sache, Schäfchen.«

Ich wünschte, er würde mich nicht Schäfchen nennen.

Doch in jeder Ehe gibt es Dinge, die man sich eben gefallen lässt, wenn schon nicht aus Liebe, dann zumindest, um seine Ruhe zu haben. Außerdem haben wir Geld für ein Taxi ausgegeben, er hat sich rasiert, und ich trage das lange, graue Kleid, das ich normalerweise in einer Plastikhülle von der Reinigung aufbewahre. Es ist zu spät, um umzukehren.

Ich hebe den Kopf und zwinge mich zu einem Lächeln. »Also gut, gehen wir.« Wir passieren die beiden riesenhaften Sicherheitsbeamten und treten ein.

Ich lege meinen braunen Wollmantel ab und reiche ihn der Garderobenfrau, wobei ich diskret mit einer Hand über meinen Bauch streiche und eine deutliche Wölbung fühle. Zu viel Pasta heute Abend. Ein Trostessen. Essen, um mich zu trösten. Warum ausgerechnet heute Abend? Ich versuche, den Bauch einzuziehen, aber das ist zu anstrengend, also lasse ich es wieder sein.

Ich strecke meine Hand aus, und er nimmt sie, worauf wir zusammen die kühle, weiße Welt der Galerie des zwanzigsten Jahrhunderts betreten. Stimmengewirr schlägt uns entgegen, als wir über den hellen Marmorboden schreiten. Junge Männer und Frauen in gestärkten weißen Hemden tänzeln vorbei, Tabletts mit Champagner balancierend, und in einem Alkoven zupft ein Jazztrio den raffinierten Rhythmus von »Mackie Messer«.

Atmen, sage ich mir, immer schön durchatmen.

Und dann sehe ich sie, die Fotografien. Lange Reihen faszinierend schöner Schwarzweißporträts und Modeaufnahmen, eine Sammlung der Arbeiten des berühmten Fotografen Horst P. Horst aus den dreißiger bis zu den späten sechziger Jahren, sind an den klinisch weißen Wänden aufgehängt, glatt und silbrig schimmernd auf ihrem Hochglanzpapier. Makellose, unnahbare Gesichter blicken mich an, und ich sehne mich danach zu verweilen, mich in der Welt dieser Bilder zu verlieren.

Aber mein Mann fasst mich an der Schulter, schiebt mich weiter und winkt seiner Mutter zu, Mona, die in einer Gruppe modisch gekleideter älterer Damen an der Bar steht.

»Hallo!«, ruft er, plötzlich ganz angeregt und blendend gelaunt. Der müde, schweigsame Mann aus dem Taxi hat sich in einen charmanten Salonlöwen verwandelt.

Mona erspäht uns und winkt uns mit einer verhaltenen, geradezu königlichen Geste herbei. Wir zwängen uns seitlich durch die Menge und weichen dabei vollen Gläsern und brennenden Zigaretten aus. Als wir in ihre Reichweite kommen, setze ich eine Miene auf, die hoffentlich als Lächeln durchgeht.

Sie sieht immer noch phantastisch, geradezu übermenschlich gut aus. Ihre vollen, silbergrauen Haare sind zu einem kunstvollen Knoten hochgesteckt, der ihre hohen Wangenknochen betont und ihren Augen etwas Katzenhaftes verleiht. Sie hält sich absolut gerade, als hätte sie ihre gesamte Kindheit an ein Brett genagelt verbracht, und ihr schwarzer Hosenanzug verrät die lässige Eleganz der Schneiderkunst von Donna Karan. Die Frauen um sie herum sind alle aus demselben edlen Holz geschnitzt, und ich hege den Verdacht, dass wir es hier mit einer Zusammenkunft in die Jahre gekommener Models zu tun haben.

»Hallo, Liebling!« Mona hängt sich bei ihrem Sohn ein und küsst ihn auf beide Wangen. »Ich freue mich ja so, dass du kommen konntest.«

»Wir hätten das auf keinen Fall verpassen wollen, stimmt's, Louise?«

»Auf keinen Fall!« Es kommt einen Tick zu eifrig heraus, um ehrlich zu klingen.

Sie begrüßt mich mit einem knappen Nicken und wendet sich

dann wieder ihrem Sohn zu. »Was macht das Stück, Liebling? Du musst völlig erschöpft sein! Ich habe mich neulich mit Gerald und Rita getroffen, und sie sagten, du wärst der beste Constantine, den sie je gesehen hätten. Habe ich euch das schon erzählt?«, fragt sie in die Runde ihrer Freundinnen. »Mein Sohn spielt in *Die Möwe* im National Theatre mit! Falls ihr Karten wollt, braucht ihr es mir nur zu sagen.«

Er hebt abwehrend die Hände. »Es ist total ausverkauft. Ich kann leider gar nichts tun.«

Schon schiebt sich schmollend die Unterlippe vor. »Noch nicht einmal für mich?«

»Na ja«, gibt er nach, »ich kann es versuchen.«

Sie zündet sich eine Zigarette an. »Braver Junge. Oh, ich habe euch noch gar nicht vorgestellt. Das ist Carmen, sie ist die mit den Elefanten an der Wand dort hinten, und das ist Dorian, deren Rücken ihr von dem berühmten Korsett-Foto kennt, und Penny hier war *das* Gesicht von 1959, nicht wahr, meine Liebe?«

Wir lachen alle, und Penny seufzt wehmütig und zieht eine Schachtel Dunhill aus ihrer Handtasche. »Das waren noch Zeiten. Gibst du mir Feuer, Mona?«

Mona reicht ihr ein goldenes, graviertes Feuerzeug, während mein Mann sich laut räuspert. »Mum, du hast doch versprochen aufzuhören.«

»Ach, Schätzchen, das ist doch die einzige Möglichkeit, schlank zu bleiben, stimmt's, Mädels?« Hinter einer dicken Qualmwolke nicken einhellig ihre Köpfe.

Dann passiert es – ich bin entdeckt.

»Und das muss Ihre Frau sein!«, flötet Penny, ihre Aufmerksamkeit auf mich richtend. Sie breitet die Arme aus und schüttelt ungläubig den Kopf, sodass es für einen schrecklichen Moment so aussieht, als solle ich mich ihr an den Hals werfen. Ich schwanke unbeholfen und will gerade einen Schritt auf sie zu machen, als sie plötzlich verzückt wieder in sich zusammensinkt.

»Sie sind ja bezauuubernd!«, säuselt sie und sieht die anderen Bestätigung heischend an. »Ist sie nicht einfach bezauuubernd?«

Ich stehe da und grinse idiotisch, während sie mich anstarren.

Mein Mann kommt mir zur Hilfe. »Kann ich den Damen noch etwas zu trinken holen?« Er versucht, den Barkeeper auf sich aufmerksam zu machen.

»Ach, du bist ein Schatz!« Mona streicht ihm mit einer Hand glättend übers Haar. »Champagner für alle!«

»Und du?«, fragt er mich.

»Oh ja, Champagner, warum nicht.«

Mona nimmt Besitz ergreifend meinen Arm und drückt ihn auf diese entwaffnende Weise – wie einst die beste Freundin, als man zehn war und das Herz dabei einen Sprung tat. Mein Herz tut auch jetzt einen Sprung bei dieser unerwarteten Zuneigungsbezeugung, und ich könnte mich dafür ohrfeigen. Schließlich kenne ich dieses Spiel und weiß, wie gefährlich es ist, sich von ihr umgarnen zu lassen, und sei es auch nur für eine Sekunde.

»So, Louise«, sagt sie mit ihrer erstaunlich kräftigen und tiefen Stimme, »nun erzähl mir mal, wie es dir geht. Ich will *alles* wissen.«

»Also …« Meine Gedanken rasen, und verzweifelt durchkämme ich mein Leben nach etwas Berichtenswertem. Die anderen Frauen sehen mich erwartungsvoll an. »Alles läuft gut, Mona … wirklich gut.«

»Und deine Eltern? Wie ist das Wetter in Pittsburgh? Louise stammt aus Pittsburgh«, verkündet sie etwas gedämpfter.

»Es geht ihnen gut, danke.«

Sie nickt. Ich fühle mich wie die Teilnehmerin an einer Nachmittagsquizshow, und wie jede gute Quizshowmoderatorin gibt mir Mona ein Stichwort, wenn ich nicht mehr weiterweiß.

»Arbeitest du eigentlich im Moment?«

Sie spricht mit dieser bestimmten Betonung vom Arbeiten, so wie alle Leute im Showbusiness, denn wenn man es mit dem

Schauspielgeschäft zu tun hat, ist es schließlich ein himmelweiter Unterschied zwischen »arbeiten« und nur irgendeinem vorübergehenden Job nachgehen.

Ich weiß das sehr gut, aber ich weigere mich mitzuspielen.

»Ja, ich bin immer noch bei der Phoenix Theatre Company.«

»Ist es eine Bühnenrolle? Unsere Louise hält sich nämlich auch für eine kleine Schauspielerin«, fügt sie erklärend hinzu.

»Ich war ja auch Schauspielerin«, wehre ich mich. Jedes Mal gelingt es ihr, mich auflaufen zu lassen. Ich kann noch so sehr aufpassen, sie legt mich jedes Mal herein. »Ich meine, auch wenn ich schon einige Zeit nicht mehr auf der Bühne gestanden habe. Nein, es ist keine Bühnenrolle, ich arbeite im Foyer, an der Kasse.«

»Verstehe«, lächelt sie, als würde sie noch eine andere Bedeutung heraushören, die mir nicht bewusst ist. Dann stellt Dorian die gefürchtetste Frage von allen.

»Haben wir Sie denn schon in einer Rolle gesehen?«

»Na ja, ich habe natürlich den einen oder anderen Werbespot gemacht.« Ich versuche, gleichgültig zu klingen, und zucke mit den Achseln, wie um zu sagen: Wer hat das nicht?

»Tatsächlich?« Sie zieht eine Augenbraue hoch, spielt die Beeindruckte.

»Was denn für Werbespots?«

Mist.

»Also ...« Ich denke fieberhaft nach. »Da war diese Lotteriekampagne von Reader's Digest. In der könnten Sie mich gesehen haben.«

Sie sieht mich verständnislos an.

»Sie wissen schon, wo sie alle in einem Heißluftballon über England fliegen, Sekt trinken und nach den Gewinnern suchen. Ich war die auf der linken Seite, die die Karte hält und auf Luton zeigt.«

»Aha«, kommentiert sie höflich. »Klingt lustig.«

»Und nun arbeitest du also an der Kasse.« Mona zieht einen schönen, sauberen Schlussstrich unter das Ganze.

»Ja, ich habe zwar einige Eisen im Feuer, sozusagen, aber im Moment ist das mein Job.« Ich möchte meinen Arm jetzt unbedingt wieder haben.

Sie drückt ihn noch einmal leicht. »Es ist halt ein schwieriger Beruf, Darling. Gut, wenn man seine Grenzen kennt. Ich rate jungen Frauen immer, die Schauspielerei zu meiden wie die Pest. Tatsache ist nämlich, dass sie mehr Disziplin und Opferbereitschaft erfordert, als die meisten jungen Frauen heutzutage aufzubringen bereit sind. Hast du schon mein Foto gesehen?«

Keep smiling, sage ich mir. Immer schön lächeln, dann kommt sie nie darauf, dass du sie unter die Erde wünschst. »Nein, ich hatte noch keine Gelegenheit, mich umzusehen, wir sind ja gerade erst gekommen.«

»Hier, erlaube mir.« Sie zieht mich zu einem großen Porträt von ihr aus den fünfziger Jahren.

Sie ist unglaublich jung darauf, fast nicht wiederzuerkennen, abgesehen von den charakteristischen mandelförmigen Augen und den berühmten Wangenknochen, denen die Zeit nichts anhaben konnte. Sie steht mit dem Rücken an eine klassische Säule gelehnt, das Gesicht leicht zur Kamera gewandt, halb im Schatten, halb im Licht. Ihre hellen Haare fallen in apart frisierten Locken über ihre Schultern, und sie trägt ein schulterfreies Kleid aus eng anliegenden Schichten von fließendem Seidenchiffon. Die Unterschrift lautet »*Vogue*, 1956«.

»Was meinst du?«, fragt sie und beobachtet mich genau.

»Ich finde es wunderschön«, antworte ich ehrlich.

»Du hast Geschmack.« Sie lächelt.

Ein Pressefotograf erkennt sie und bittet sie, ein Foto machen zu dürfen.

»Tja, das ist wohl mein Schicksal«, lacht sie huldvoll, und ich mache mich schnell davon, während sie posiert.

Ich sehe mich in der Menschenmenge nach meinem Mann um. Endlich entdecke ich ihn, wie er lachend mit einer Gruppe von Leuten in einer Ecke steht. Er hat zwei Gläser Champagner in den Händen, und als ich auf ihn zugehe, blickt er in meine Richtung.

Ich lächle, worauf er etwas zu den Leuten sagt und mir entgegengeht, ehe ich mich dazugesellen kann.

»Wer sind die?«, frage ich, während er mir ein Glas reicht.

»Niemand Besonderes, nur Leute von einem dieser Theaterclubs. Sie haben mich in dem Stück gesehen.« Er führt mich zurück zu den Fotos. »Wie kommst du mit Mum klar?«

»Oh, gut«, lüge ich. »Ganz prima.« Ich drehe mich um, aber die Leute sind verschwunden, verschluckt von der hin und her wandernden Menge. »Wolltest du mich absichtlich nicht vorstellen?«

Er lacht und tätschelt meinen Hintern, was ich nicht ausstehen kann, zumal er es immer nur in der Öffentlichkeit zu tun scheint. »Aber nein, sei nicht so empfindlich. Offen gestanden fand ich sie ein bisschen, wie soll ich sagen, überschwänglich. Ich will doch nicht, dass sie meine charmante Frau langweilen.«

»Ach, wer mag das wohl sein?« Es kommt schärfer heraus als beabsichtigt.

Er tätschelt wieder meinen Hintern und geht nicht auf die Provokation ein.

Wir bleiben vor dem Bild einer rauchenden Frau stehen, deren Augen von der breiten Krempe ihres Hutes verborgen werden. In einer dunklen, verlassenen Straße steht sie wartend in einem Hauseingang. Die Aufnahme muss kurz nach dem zweiten Weltkrieg gemacht worden sein. Es liegt etwas Beunruhigendes in dem Gegensatz zwischen der in Trümmern liegenden Umgebung und der tadellosen Perfektion ihres maßgeschneiderten Kostüms.

»Also, das nenne ich Stil«, seufzt mein Mann.

Auf einmal ist mir furchtbar heiß, und ich fühle mich überwältigt von dem Gedränge, dem Zigarettenrauch und dem Lärm zu vieler und zu lebhafter Unterhaltungen. Mona winkt uns zu, aber ich lasse meinen Mann allein hinübergehen und bahne mir einen Weg in einen kleineren, weniger überfüllten Nebenraum. In der Mitte steht eine niedrige Holzbank. Ich setze mich und schließe die Augen.

Es ist dumm, so verkrampft zu sein, sage ich mir. In einer Stunde wird alles vorbei sein, Mona wird ihren glanzvollen Auftritt gehabt haben, und wir können uns beruhigt auf den Heimweg machen. Ich sollte mich entspannen. Den Abend genießen. Ich öffne die Augen und atme tief durch.

An den Wänden hängen lauter Porträtaufnahmen – Picasso, Coco Chanel, Katherine Hepburn, Cary Grant – Reihen um Reihen sorgfältig zurechtgemachter, berühmter Gesichter. Die Augen sind dunkler und durchdringender als normale Augen, die Nasen gerader und edler. Ich lasse mich in eine Art meditativen Zustand gleiten, wie verzaubert von dem Anblick eines solchen Übermaßes an Schönheit.

Dann entdecke ich das Porträt einer Frau, die ich nicht kenne, eine Frau mit glänzenden dunklen Haaren, die durch einen Mittelscheitel geteilt und in dichten Locken um ihr Gesicht gelegt sind. Ihre Züge sind klar und sehr eigen: hohe Wangenknochen, der Mund wie ein Amorbogen geformt, die dunklen Augen strahlend vor Intelligenz. Sie sitzt etwas nach vorn gebeugt, hat eine Wange in die Hand geschmiegt und macht den Eindruck, als würden wir sie gerade beim interessantesten Gespräch ihres Lebens überraschen. Sie hat ein schlichtes, diagonal geschnittenes Etuikleid aus hellen Satinstoff an, der sich schimmernd von dem stumpfen Material des Sitzpolsters abhebt, und ihr einziger Schmuck ist eine einreihige Kette aus ebenmäßigen Perlen. Ihr Gesicht ist nicht das berühmteste im Raum und auch nicht das attraktivste, aber aus irgendeinem Grund zweifellos das faszinierendste. Ich stehe auf und stelle mich davor. Die Bildunterschrift lautete: »Geneviève Dariaux, Paris 1934.«

Leider bleibe ich nicht lange allein. »Da sind Sie ja! Mona hat uns ausgeschickt, Sie zu suchen.« Penny kommt am Arm meines wenig entzückten Gatten hereingeschlendert.

Ruhig bleiben, rede ich mir gut zu und trinke einen dringend benötigten Schluck Champagner. »Hallo Penny, ich sehe mir nur die Ausstellung an.«

Sie beugt sich vor und droht mir spielerisch mit dem Finger. »Sie sind sehr unartig, Louise, wissen Sie das, sehr, sehr unartig!« Dann zwinkert sie meinem Mann zu. »Ich verstehe nicht, wie Sie Ihre Frau Alkohol trinken lassen können. Bei Ihnen ist ja einer schlimmer als der andere!«

Mein Mann und ich wechseln ratlose Blicke. Wovon redet sie?

Penny lehnt sich noch weiter vor und senkt die Stimme zu einem Bühnenflüstern. »Ich muss sagen, Sie sehen toll aus. Und das hier«, fährt sie fort und reibt den Stoff meines Kleides prüfend zwischen Zeigefinger und Daumen, »ist gar nicht so schlecht. Die meisten dieser Kleider wirken ja wie unförmige Zelte, aber dieses finde ich wirklich ganz niedlich. Bei meiner Tochter ist es im Juni so weit, und sie sucht verzweifelt nach etwas wie diesem, in dem sie einfach herumschlurfen kann.«

Ich merke, wie mir das Blut aus dem Gesicht weicht.

Sie strahlt uns beide an. »Sie müssen ja sooo glücklich sein.«

Ich schlucke schwer. »Ich bin nicht schwanger.«

Verwirrt runzelt sie die Stirn. »Wie bitte?«

»Ich bin nicht schwanger«, wiederhole ich lauter.

Mein Mann lacht nervös. »Sie werden die Erste sein, die davon erfährt, das verspreche ich Ihnen.«

»Nein, ich denke, das werde ich sein«, sage ich, worauf er wieder lacht, beinahe schon hysterisch.

Penny glotzt mich immer noch verwundert an. »Aber dieses Kleid… es tut mir Leid, aber es ist so…«

Ich wende mich an meinen Mann. »Schatz?«

Er scheint etwas sehr Faszinierendes auf dem Fußboden entdeckt zu haben. »Hm?«

»Kartoffel.«

Keine Ahnung, was ich von ihm erwartet habe, vielleicht, dass er mich verteidigt oder zumindest einen solidarischen Gesichtsausdruck herzeigt. Aber er starrt einfach nur weiter auf seine Schuhe.

»Okay.«

Ich drehe mich um und gehe. Es ist, als stünde ich neben mir, wäre nicht länger Herrin meines Körpers, aber irgendwie schaffe ich es bis in die Sicherheit der Damentoilette. Zwei junge Frauen frischen gerade ihr Make-up auf, als ich hereinkomme, also marschiere ich direkt auf eine freie Kabine zu und verriegele die Tür. Ich lehne mich mit dem Rücken an die kühle Metalltür und schließe die Augen. An Demütigung ist noch niemand gestorben, sage ich mir. Sonst wäre ich schon seit Jahren tot.

Endlich verschwinden die beiden. Ich schließe die Tür auf und stelle mich vor den Spiegel. Wie jede normale Frau sehe ich jeden Tag in den Spiegel, beim Zähneputzen, wenn ich mir das Gesicht wasche oder die Haare kämme. Allerdings neige ich dazu, mich nur ausschnittsweise zu betrachten, und vermeide es, die einzelnen Teile zusammenzufügen. Ich weiß nicht genau warum, es kommt mir nur irgendwie sicherer vor.

Doch an diesem Abend zwinge ich mich, das Gesamtbild wahrzunehmen, und auf einmal stelle ich fest, wie die Stückchen und Teile sich zu einer Person zusammensetzen, die mir nicht vertraut ist und die ich nie sein wollte.

Meine Haare brauchen einen neuen Schnitt, und ich sollte sie unbedingt färben, um die vorzeitig grau gewordenen Strähnen loszuwerden. Sehr fein und aschblond liegen sie kraftlos um meinen Kopf und werden von einer falschen Schildpattspange streng zur Seite gehalten. Mein von Natur aus blasses Gesicht ist unnatürlich weiß. Nicht elfenbein- oder alabasterfarben, sondern eher vollkommen farblos wie bei einem Tiefseegeschöpf, das noch nie der Sonne begegnet ist. Vor diesem Hintergrund wirkt der knallrote Lippenstift, den ich in dem Versuch aufgetragen habe, mondän auszusehen, einfach nur grell und macht meinen Mund zu groß, eine klaffende Wunde im unteren Drittel meines Gesichts. Die Wärme der Menschenmenge hat mich zum Schwitzen gebracht, sodass Nase und Wangen glänzen und gerötet sind, aber ich habe keinen Puder dabei.

Mein Lieblingskleid hat trotz der Reinigung jegliche Form verloren und, wo wir nun schon mal ehrlich sind, selbst der ursprüngliche, sackartige Schnitt war vielleicht vor fünf Jahren einmal Mode, ist jetzt aber eindeutig passé. Ich weiß noch, wie sexy und selbstbewusst ich mich darin fühlte, als es die Konturen meines Körpers weich umfloss und eine nymphenartige Sinnlichkeit andeutete. Doch jetzt, da ich zehn Pfund mehr wiege, ist die Wirkung nicht mehr dieselbe. Zu allem Überfluss lassen die flachen, praktischen Spangenschuhe mit Klettverschluss meine Knöchel aussehen wie zwei kräftige Baumstämme. Es sind abgestoßene Treter für jeden Tag, mindestens zwei Jahre alt und viel zu ausgelatscht, um noch außerhalb der Wohnung getragen zu werden.

Gezwungenermaßen muss ich eingestehen, dass mein ganzes Erscheinungsbild tatsächlich »schwanger« schreit. Oder genauer gesagt: »Besser geht's nicht unter diesen anderen Umständen.«

Entsetzt starre ich mein Spiegelbild an. Nein, das bin ich nicht wirklich, das ist alles nur ein schrecklicher Irrtum, ein Bermudadreieck aus Frisurenkatastrophe plus Kleiderkatastrophe plus Hässliche-Hippieschuhe-Katastrophe. Ich muss mich beruhigen und wieder zu mir selbst finden.

Ich probiere etwas aus.

»Hallo, ich heiße Louise Canova. Ich bin zweiunddreißig Jahre alt und *nicht* schwanger.«

In der leeren Toilette hallt meine Stimme wider.

Es funktioniert nicht. Mein Herz rast, und ich gerate in Panik. Also mache ich die Augen zu und befehle mir, mich zu konzentrieren und positive Gedanken herbeizurufen, doch stattdessen überschwemmen tausend schimmernde Gesichter in Schwarzweiß meinen Kopf. Es ist, als gehörte ich noch nicht einmal derselben Spezies an.

Plötzlich geht die Tür hinter mir auf, und Mona kommt herein.

Dreifach verfluchte Kartoffel.

Sie lehnt sich divenhaft gegen das Waschbecken. »Louise, ich habe gerade gehört, was passiert ist. Sie hat es bestimmt nicht so gemeint, und außerdem ist sie blind wie eine Fledermaus.«

Warum muss er ihr immer gleich alles petzen? »Danke Mona, nett von dir.«

»Aber wenn du möchtest« – sie stellt sich hinter mich und streicht meine Haare mit zwei sorgfältig manikürten Fingern aus meinem Gesicht –, »kann ich dir meinen Frisör empfehlen, er hat ausgesprochen *akzeptable* Preise.«

Mein Mann wartet auf mich, als ich herauskomme. Er reicht mir meinen Mantel, und dann verlassen wir schweigend die Party und finden uns an derselben Stelle am Trafalgar Square wieder wie vor noch nicht einmal einer halben Stunde. Während er sich nach einem Taxi umsieht, holt er ein Päckchen Zigaretten aus der Tasche und zündet sich eine an.

»Was machst du da?«, frage ich.

»Rauchen«, sagt er. Mein Mann raucht nicht.

Ich sage nichts weiter.

Das gelbe Licht eines Taxis kommt aus der Ferne auf uns zugerauscht, und ich winke wie wild. Es ist inzwischen sehr neblig geworden. Das Taxi hält, und wir steigen ein. Mein Mann lässt sich schwer gegen den Rücksitz fallen und beugt sich dann wieder vor, um das Fenster herunterzukurbeln.

Auf einmal will ich ihn zum Lachen bringen, will ihn in die Arme nehmen oder vielmehr von ihm in die Arme genommen werden. Was zählt es schon, wie ich aussehe oder was andere von mir denken. Er liebt mich noch immer. Ich strecke meine Hand aus und lege sie auf die seine.

»Liebling? Findest du… findest du wirklich, dass ich okay aussehe?«

Er nimmt meine Hand und drückt sie. »Hör zu, Schäfchen, du siehst ganz prima aus. So, wie du immer aussiehst. Hör nicht auf sie. Sie ist wahrscheinlich bloß neidisch, weil du jung und verheiratet bist.«

»Ja«, stimme ich mit hohl klingender Stimme zu, obwohl das jetzt nicht gerade die Flut von Komplimenten war, auf die ich gehofft hatte.

Er drückt wieder meine Hand und küsst mich auf die Stirn. »Außerdem weißt du doch, dass ich mir aus diesem ganzen Blödsinn nichts mache.«

Das Taxi rast durch die Dunkelheit, und als ich dort sitze und mir der kalte Wind ins Gesicht bläst, kommt mir ein überraschender Gedanke.

Aber ich. Ich mache mir was draus.

Was ist Eleganz?
Eleganz ist eine Form von Harmonie, die der Schönheit gleicht, mit dem Unterschied, dass Letztere ein Geschenk der Natur ist und Erstere ein Ergebnis der Kunst. Wenn Sie mir gestatten, ein so hochtrabendes Wort für eine solch geringe Kunst zu verwenden, möchte ich sagen, dass es meine Mission im Leben ist, unscheinbare Frauen in elegante Damen zu verwandeln.

Geneviève Antoine Dariaux

Ein schmales graues Bändchen mit dem Titel *Elégance* steht eingezwängt zwischen einem dicken, offensichtlich unberührten Buch über die französische Monarchie und einer eselsohrigen Taschenbuchausgabe von D. H. Lawrences *Liebende Frauen*. Größer und dünner als die anderen Bücher im Regal, erhebt es sich mit herablassender Autorität über seine bescheidene Umgebung, und die geprägten Buchstaben seines Titels glänzen auf dem silbrigen Satineinband wie Goldmünzen unter der Wasseroberfläche eines munteren Bächleins.

Mein Mann behauptet, ich sei krankhaft besessen von Antiquariaten und würde überhaupt zu viel Zeit mit Tagträumereien verbringen. Aber entweder hat man Verständnis für die Lust, in eng gestellten Reihen staubiger Regale nach verborgenen Schätzen zu suchen, oder man hat es eben nicht. Es ist eine unerklärliche Leidenschaft, die an eine Art Geisteskrankheit grenzt.

Jedenfalls sind Antiquariate nichts für schwache Gemüter. Dort herrscht Chaos, sie sind launisch und frustrierend und werden von eigenen Naturgesetzen regiert, an denen, wie an der Schwerkraft, im Grunde nicht zu rütteln ist. Taschenbuchausgaben der Werke von D. H. Lawrence machen meiner Schätzung nach nicht weniger als 55 Prozent des Bestands in jedem Laden aus. Das antiquarische Naturgesetz diktiert außerdem, dass die übrigen 45 Prozent mindestens zwei Regalreihen literaturwissenschaftlicher Abhandlungen über *Paradise Lost* umfassen und dass es einen Kellerraum gibt, der ganz der Militärgeschichte gewidmet ist und immer von einem Mann um die siebzig heimgesucht wird. (Persönliche Studien haben ergeben, dass es sich stets um denselben Mann handelt. Egal, wie schnell man sich auch von einer Buchhandlung zur nächsten bewegt, er ist immer schon da. Er hat etwas über den Krieg vergessen, das in keinem Buch steht, ist aber wie eine Gestalt aus der griechischen Mythologie dazu verdammt, von Keller zu Keller zu wandern und gedruckte Erinnerungen an die besten oder schlimmsten Tage seines Lebens durchzusehen.)

Moderne Buchhandlungen können mit diesen exzentrischen Eigenschaften nicht konkurrieren. Sie haben feste Öffnungszeiten und Zentralheizung, und das Personal besteht aus milchgesichtigen jungen Leuten in schwarzen T-Shirts. Es mangelt ihnen an Kellerräumen und gefallenen griechischen Helden in muffigen Tweedanzügen. Man findet dort weder Hunde und Katzen, die wie Hausgeister neben altertümlichen Heizöfen liegen, noch den berauschenden Geruch von Moder und Schimmel, bei dem ungeklärt ist, ob er eher von den unordentlichen Bücherstapeln oder vom Inhaber selbst ausgeht. Einen Laden der Waterstone's-Kette betritt man als einfacher Kunde; Antiquariate jedoch sind wahre Pilgerstätten, und die Auskunft »vergriffen« ist der Ruf zu den Waffen für all jene, die nach dem Heiligen Gral aus Papier und Druckerschwärze suchen.

Ich greife hinauf und ziehe das Buch vorsichtig aus dem Regal. Dann setze ich mich auf einen Stapel Militärgeschichte (die Bücher neigen dazu, wegzurutschen, wenn man nicht aufpasst) und schlage die Titelseite auf.

Elégance

Von Geneviève Antoine Dariaux

verkündet sie in schnörkeliger Schrift, und darunter:

Ein umfassender Ratgeber für Frauen, die bei jeder Gelegenheit gut und passend gekleidet sein wollen.

Dariaux – den Namen kenne ich doch! Könnte es sich um dieselbe Frau handeln wie auf dem Foto? Als ich das Buch durchblättere, steigt ein schwacher Duft nach Jasminparfüm von seinen vergilbten Seiten auf. Es ist 1964 erschienen und scheint eine Art Nachschlagewerk zu sein, das alphabetisch geordnete Kapitel über jede Art von Modeproblem enthält. So etwas habe ich noch nie gesehen. Auf der Suche nach einem Bild der Autorin blättere ich weiter, und auf dem Umschlagrücken werde ich schließlich fündig.

Auf dem Foto ist sie etwa Ende fünfzig, hat klassische, ebenmäßige Gesichtszüge und dick mit Haarspray überzogene weiße Haare – eine Margaret-Thatcher-Frisur, noch bevor diese zu ihrer komischen Berühmtheit gelangte. Aber es sind dieselben schwarzen, intelligenten Augen, die mich anblicken. Ich erkenne den charakteristischen, gebieterischen Zug um den Mund wieder; und da, schimmernd über der eng anliegenden schwarzen Strickjacke, die sie trägt, ist auch ihr Markenzeichen, die perfekte, einreihige Perlenkette. *Madame Georges Antoine Dariaux* lautet die Bildunterschrift. Allerdings blickt sie nicht mit der betörenden Offenheit des früheren Porträts direkt in die Kamera, sondern eher darüber hinaus, als fände sie es zu unhöflich, den Betrachter herausfordernd anzusehen. Da sie nun älter ist, zeigt sie mehr Diskretion, denn die ist schließlich ein Eckpfeiler der Eleganz.

Neugierig blättere ich zurück zum Vorwort.

Eleganz ist selten geworden in unserer modernen Welt, vor allem weil sie Genauigkeit, Liebe zum Detail und die sorgfältige Entwicklung eines feinen Geschmacks in allen Fragen von Benehmen und Stil erfordert. Kurzum, wahre Eleganz fällt den meisten Frauen nicht leicht, und daran wird sich auch in Zukunft nichts ändern.

In meiner dreißigjährigen Laufbahn als Directrice des Modesalons Nina Ricci in Paris habe ich mein Leben der Beratung unserer Kundinnen gewidmet und helfe ihnen, das auszuwählen, was ihnen am besten steht. Manche davon sind exquisit schöne Frauen und haben meine Hilfe im Grunde nicht nötig. Ich betrachte und bewundere sie, wie man ein Kunstwerk bewundert, aber es sind nicht diese Kundinnen, die mir am meisten am Herzen liegen. Nein, am liebsten habe ich die, die weder über die nötige Zeit noch die Erfahrung verfügen, um die Kunst des Gutangezogenseins zu beherrschen. Diese Frauen sind es, für die ich mein Wissen einsetze und meine Phantasie anstrenge.

Nun, liebe Leserin, hätten Sie Lust, sich von mir an die Hand nehmen zu lassen? Wenn Sie mir ein wenig Vertrauen schenken, kann ich Ihnen einige praktische Ratschläge geben, wie Sie das Beste aus sich machen – nämlich durch Eleganz, Ihre eigene, persönliche Eleganz.

Endlich habe ich meinen Heiligen Gral gefunden.

Obwohl es erst vier Uhr nachmittags ist, dämmert es schon, als ich die Buchhandlung verlasse. Ich schlängele mich durch die

Straßen, gehe die Bell Street entlang, über Marble Arch und durch St. James's bis nach Westminster, wobei ich die ganze Zeit mein magisches Päckchen an mich gedrückt halte.

Big Ben läutet im Hintergrund, als ich die Haustür aufstoße und vom Lärm des Staubsaugers begrüßt werde.

Mein Mann ist zu Hause.

Irgendetwas an der ermüdenden Unaufhörlichkeit von Hausarbeit scheint ihn stets aufs Neue herauszufordern. (Leute, die ihn nur als aufsteigenden Stern der Londoner Theaterszene kennen, wissen nichts von diesen noch viel erstaunlicheren Talenten.) Jeden Tag sieht man ihn tapfer und mit frischer Entschlossenheit gegen Feindesheere aus Schmutz, Staub, Unordnung und Verfall ankämpfen. Genial, wie er ist, kann er jedes Chaos in eine saubere, bewohnbare Umgebung verwandeln, und das gewöhnlich in weniger als einer halben Stunde.

Er hört mich nicht, als ich hereinkomme, also stecke ich den Kopf ins Wohnzimmer, wo er energisch den Staubsauger über das Parkett schiebt (er behauptet, *sehen* zu können, wie sich der Staub darauf ansammelt, so bemerkenswert sensibel ist er in diesen Dingen), und rufe: »Hallo!«

Er schaltet das Gerät aus und stützt die Arme mit der männlichen Lässigkeit eines Fernsehcowboys, der sich an einen Zaun lehnt, auf das Rohr. Der Mann ist in seinem Element: Er bringt die Welt in Ordnung.

»Selber hallo. Was hast du getrieben?«

»Ach, nichts Besonderes«, schwindele ich und verstecke die braune Papiertüte hinter meinem Rücken. Angesichts seines pausenlosen Programms zur Heimverschönerung kommt es mir wie Verrat vor, einen Nachmittag mit dem Herumstöbern in alten Buchläden zu vertrödeln.

»Hast du den Lampenschirm zurückgebracht?«

»Äh, ja. Aber ich konnte keinen besseren finden, also haben sie mir einen Gutschein gegeben.«

Er seufzt, und betrübt sehen wir beide zu der Lampe aus hellem Marmor hin, die Mona uns vor einem Monat geschenkt hat.

In jeder Ehe gibt es bestimmte, starke Bindungen. Viel bedeutender als das Ehegelöbnis, sind es diese im Alltag wirkenden, ungenannten Kräfte, die eine Ehe zusammenhalten, Tag ein, Tag aus, Jahr für Jahr, durch endlose Prüfungen und Widrigkeiten hindurch. Bei manchen Paaren ist es das Streben nach gesellschaftlichem Aufstieg, bei anderen sind es die Kinder. In unserem Fall genügt die Suche nach dem idealen Lampenschirm.

Meinen Mann und mich verbindet die totale, unablässige Hingabe an die Einrichtung und Verschönerung unseres Heims, und diese Lampe ist der straffällig gewordene, drogensüchtige Teenager, der unseren häuslichen Frieden zu stören droht, indem er sich weigert, mit einem fertigen Lampenschirm aus einem Geschäft mit bezahlbaren Preisen zusammenzupassen. Das Ding ist furchtbar schwer, man kann es kaum anheben, geschweige denn durch London schleppen. Also sind wir zu einem sisyphusartigen Schicksal verdammt und müssen bis in alle Ewigkeit Lampenschirme kaufen, die wir am nächsten Tag zurücktragen.

Mein Mann schüttelt den Kopf. »Wir werden zu Harrods gehen müssen«, sagt er ernst.

Harrods ist immer die letzte Möglichkeit. Doch dort wird es keine »bezahlbaren« Lampenschirme geben.

»Aber weißt du was?«, fügt er hinzu, während seine Miene sich aufhellt. »Wir können zusammen hingehen und einen Ausflug daraus machen, wenn du möchtest.«

»Klar«, sage ich lächelnd.

Der Lampenschirm-Tag – er wird sicher so toll werden wie der große Gartenspalier-Ausflug und der Nachmittag der Duschwanne. »Da muss ich doch dabei sein.«

»Prima.« Er reißt eines der Fenster auf und atmet genießerisch einen Schwall kühler Luft ein. »Es wird dich freuen zu hören, dass ich hier zu Hause deutlich mehr Erfolg hatte als du in der Stadt.«

»Tatsächlich?«

»Du weißt doch, dass die Tauben sich ständig in der Dachrinne über dem Schlafzimmerfenster niederlassen?«

»Ja…«, schwindele ich.

»Also, ich habe Stacheldraht um die Rinne gewickelt, und jetzt sind wir sie los!«

Ich versuche immer noch, mich an diese Tauben zu erinnern. »Gut gemacht!«

»Aber das ist noch nicht alles. Ich habe ein paar großartige Ideen, wie man den Gartenpfad entwässern kann. Heute Abend in der Pause werde ich die mal aufzeichnen. Vielleicht kann ich sie dir dann später zeigen?«

»Klingt super. Hör mal, ich werde jetzt nebenan ein bisschen was lesen. Du kannst ja zu mir hereinschauen, ehe du gehst, ja?«

Er nickt und lässt den Blick zufrieden durchs Wohnzimmer schweifen. »Allmählich nimmt es Gestalt an, Louie. Ich meine, die Wohnung sieht wirklich langsam nach etwas aus. Alles, was wir noch brauchen, ist dieser Lampenschirm.«

Resigniert beobachte ich, wie er den Staubsauger wieder anschaltet.

Immer fehlt noch ein Lampenschirm, ein Satz authentisch aussehender, pseudoantiker Kaminutensilien oder ein nicht verrutschender Läufer aus natürlichem Sackleinen. Wie Daisys grünes Licht in *Der große Gatsby* locken diese Dinge uns mit dem Versprechen eines endgültigen, anhaltenden Glücks und bleiben doch ewig unerreichbar.

Ich ziehe mich ins Schlafzimmer zurück, mache die Tür zu, streife die Schuhe ab und rolle mich auf dem Bett zusammen.

Das Bett ist riesig und besteht eigentlich aus zwei zusammengefügten Einzelbetten. »Verzahnt und verbunden«, nannte es der Verkäufer bei John Lewis. Wir brauchen so ein großes Bett, damit wir uns nachts nicht stören, denn mein Mann zuckt im Schlaf wie ein Hund, und ich brauche absolute Ruhe.

»Sind Sie sicher, dass Sie in *einem* Bett schlafen wollen?«, hatte der Verkäufer gefragt, als wir ihm unsere Wünsche schilderten. Mein Mann blieb hartnäckig. »Wir sind frisch verheiratet«, hatte er dem unverschämten Kerl hochmütig beschieden und ein wildes, stürmisches Sexleben impliziert, für das gerade mal die Fläche eines extra solide gebauten Doppelbettes ausreicht. So zuckt er nun irgendwo westlich von mir vor sich hin, während ich eine halbe Meile weiter östlich schlafe wie ein Stein.

Ich schlüpfe unter die Decke und hole das zierliche Bändchen aus seiner braunen Papiertüte. Ich weiß, dass ich am Beginn von etwas sehr Großem, etwas Umwälzendem stehe. Das ist es, wonach ich gesucht habe. Ich schlage das erste Kapitel auf.

Und bin im nächsten Moment eingeschlafen.

Als ich aufwache, ist er schon ins Theater gegangen. Auf dem Küchentisch liegt ein Zettel. »Hast geschnarcht, wollte dich nicht wecken.« Er hat wirklich einen Sinn für präzise Mitteilungen, das muss man ihm lassen.

Ich fühle mich schlecht.

Es ist nämlich so, dass ich viel zu viel schlafe – ich wache spät auf, mache Nachmittagsschläfchen, gehe früh zu Bett. Ich lebe mit einem Bein in einem dunklen, warmen Tümpel der Bewusstlosigkeit, jederzeit bereit, ins Vergessen abzugleiten. Aber weil es etwas Asoziales hat, dieses ganze Schlafen, versuche ich, es zu verbergen.

Ich mache mir Toast (das nennt man wohl »kochen für eine Person«) und klettere wieder an Bord des Bettes. Dann beginne ich mit dem ersten Buchstaben im Alphabet, wobei ich mich bemühe, keine Butter auf die Seiten zu schmieren.

Accessoires

Man kann stets auf den Charakter einer Frau schließen, wenn man sich ansieht, wie viel Sorgfalt und Aufmerksamkeit sie den Details ihrer Kleidung widmet. Die zu einem Ensemble getragenen Accessoires – Handschuhe, Hut, Schuhe und Handtasche – gehören zu den wichtigsten Grundlagen einer eleganten Erscheinung. Ein bescheidenes Kleid oder Kostüm kann seine Wirkung verdreifachen, wenn es mit einem schicken Hut, einer schönen Tasche und passenden Handschuhen und Schuhen getragen wird, während das Modell eines Modeschöpfers viel von seinem Prestige verliert, wenn diese Dinge mit mangelnder Sorgfalt ausgewählt wurden. Unerlässlich ist eine vollständige Garnitur an Accessoires in Schwarz und, wenn möglich, eine weitere in Braun, dazu ein Paar beiger Schuhe und eine beige Strohhandtasche für den Sommer. Mit dieser Grundausstattung wirkt fast jede Kombination ansprechend.

Natürlich wäre es ideal, jede Garnitur an Accessoires in zwei verschiedenen Varianten zu besitzen, nämlich einer sportlichen und einer eleganten. In diesem Zusammenhang muss ich dem Missfallen Ausdruck geben, das ich stets empfinde, wenn ich eine Frau eine Krokodillederhandtasche zu vornehm-eleganter Kleidung tragen sehe, nur weil sie eine ungeheure Summe Geld dafür ausgegeben hat. Krokodilleder darf allein zu sportlicher Kleidung und legeren Reiseensembles getragen werden, das gilt für Schuhe genauso wie für Taschen, *und diesem hoch angesehenen Reptil sollte es überdies gestattet sein, sich jeden Nachmittag um fünf Uhr zurückzuziehen. In dieser wie in keiner anderen Sparte ist die Qualität entscheidend. Seien Sie streng mit sich selbst. Sparen Sie. Sparen Sie, wenn nötig, am Essen (glauben Sie mir, es wird Ihnen gut tun), aber nicht bei Handtaschen oder Schuhen. Lassen Sie sich nie von etwas verführen, das nicht erstklassig ist. Der Ausspruch »Ich kann es mir nicht leisten, Billiges zu kaufen« ist heute zutreffender denn je. Obwohl ich alles andere als reich bin, kaufe ich meine Handtaschen seit Jahren bei Hermès, Germaine Guerin und Roberta. Dagegen habe ich all die kleinen, billigen Modetaschen, die ich zuerst so unwiderstehlich fand, früher oder später ausnahmslos verschenkt. Das Gleiche gilt für Schuhe und Handschuhe.*

Mir ist bewusst, dass dies alles sehr streng und auch kostspielig klingt, aber Anstrengungen dieser Art sind der Schlüssel, das Sesam-öffne-dich, das die Tür zur Eleganz aufschließt.

Ich sehe zu meiner eigenen »Handtasche« hinunter, die in einem zerknüllten Haufen auf dem Boden liegt. Es ist ein dunkelblauer Rucksack von Gap, die Sorte, die Kekskrümel auf dem Boden auch dann magisch anzuziehen scheint, wenn man seit Monaten keine Kekse gegessen hat. Unnötig zu sagen, dass er mal eine Wäsche vertragen könnte.

Oder ein Glas Milch zu den Keksresten.

Ich frage mich, ob er als sportliche Tasche durchgehen könnte. Deutlich erinnere ich mich, wie ich ihn vor einigen Jahren in einer Kaufhausabteilung entdeckt habe, in der man alles wichtige für das neue Schuljahr erwerben konnte, und ganz glücklich war, weil ich all meine Handtaschendilemmas mit einem Schlag gelöst hatte. Es würde mir nie einfallen, mehr als eine Tasche zu kaufen, in mehr als einer Farbe oder einem Stil.

Die einzige andere Tasche, die ich besitze, ist eine zerknautschte Umhängetasche aus dunkelbraunem Leder, die ich vor vier Jahren im Schlussverkauf bei Hobbs erstanden habe. Das Leder ist so abgenutzt, dass der Rahmen der Tasche hindurchscheint, aber ich hänge zu sehr an ihr, um sie wegzuwerfen. Ich rede mir immer wieder ein, dass ich sie eines Tages reparieren lassen werde, obwohl sie schon längst aus der Mode gekommen ist.

Je länger ich darüber nachdenke, desto schwerer fällt es mir, auch nur eines meiner Accessoires zu benennen, das als einigermaßen schick, ganz zu schweigen von erstklassig, beschrieben werden könnte. Ganz sicher nicht die Sammlung brauner und grauer Baskenmützen, die ich ständig trage, und die so wahnsinnig praktisch sind, weil sie einem in den stürmischen Londoner Wintern nicht vom Kopf geweht werden und an den Tagen (es werden immer mehr), an denen ich meine Haare nicht gewaschen oder noch nicht einmal gekämmt habe, als »Notfallfrisur« dienen.

Dann merke ich, wie ich auf meine Füße starre oder vielmehr auf die viel getragenen beigen Leinen-Turnschuhe, die sie zieren. Es hat geregnet unterwegs, und diese Prachtstücke sind durchweicht. Außerdem ist der Stoff über einem großen Zeh ganz dünn geworden, und ich kann die grün-rot-gemusterten Weihnachtssocken darunter durchschimmern sehen, die meine Mutter mir geschickt hat. Ich wackle ein bisschen mit dem großen Zeh.

Meine Nase läuft, und als ich in den Taschen meines Regenmantels nach einem Papiertaschentuch suche, stoße ich auf das Paar nicht zusammenpassender schwarzer Handschuhe, das ich vor zwei Wochen auf dem Boden eines Kinos gefunden habe. Zu dem Zeitpunkt hielt ich es für einen tollen Fund, aber plötzlich wird sogar mir klar, dass ich den Einzelheiten meiner Kleidung offensichtlich *nicht* genug Sorgfalt und Aufmerksamkeit widme.

Eleganz mag im Detail liegen, aber leider kann ich mich in

meiner Situation nicht mit Details aufhalten. Dazu ist die Lage viel zu ernst. Hier ist drastisches Handeln gefragt. In einem noch nie da gewesenen Anfall von Enthusiasmus beschließe ich, meine Verwandlung mit einem gründlichen Ausmisten meines Kleiderschranks zu beginnen. Ich werde alles systematisch durchgehen und das aussortieren, was mir nicht steht. Dann werde ich genug Durchblick haben, um auf der Grundlage der übrig gebliebenen Sachen einen neuen, besseren Stil zu entwickeln.

Prima, auf geht's! Entschlossenen reiße ich die Tür des Kleiderschranks auf und falle fast in Ohnmacht vor Verzweiflung.

Ich besitze eine Stange voller Kleidungsstücke, die in über das ganze Land verstreuten Secondhandläden erworben wurden. Alles vor meinen Augen stellt einen faulen Kompromiss dar: Röcke, die in der Taille passen, aber weit ausgestellt sind wie die einer Volksmusikantin. Stapelweise kratzige oder hier und da mottenzerfressene Wollpullover, keiner davon in meiner Größe. Mäntel aus seltsamen Materialien und Jacketts ohne dazugehörige Hosen oder Röcke, die nur gekauft wurden, weil sie passen, was an sich schon bemerkenswert ist.

Aber all das ist nicht das Erschütterndste. Nein, was mich wirklich fertig macht, sind die Farben. Oder vielmehr der Mangel an solchen. Wann habe ich bloß beschlossen, dass Braun das neue Schwarz, Grau, Rot, Dunkelblau und jeder andere erdenkliche Farbton ist? Was würden wohl die »Colour me beautiful«-Girls davon halten? Oder der gute alte Freud?

Sehnsüchtig sehe ich zu dem in kühnem Purpurrot gestrichenen Wohnzimmer im Haus gegenüber hin, denn meine eigenen Wände sind magnolienrosa. Mattes Magnolienrosa, um genau zu sein. Das hier ist die Quittung, die erschreckende Folge, wenn man auf Nummer Sicher gehen will: Ich habe die Garderobe eines achtzigjährigen Iren. Mehr noch: eines achtzigjährigen Iren, dem sein Aussehen egal ist.

Doch so schnell gebe ich nicht auf.

Ich ziehe die Schublade mit meiner Unterwäsche auf und leere ihren ganzen Inhalt auf den Boden. Dann sehe ich die Berge von Strumpfhosen mit großen Laufmaschen und kleinen Laufmaschen durch (die einzigen zwei Sorten, die ich besitze), die ausgeleierten Unterhosen und die, bei denen das Gummiband herausschaut, sowie die BHs, die ich nie in die Waschmaschine hätte stecken dürfen und bei denen nun lebensgefährliche Drahtstücke herausstehen. Säuberlich sortiere ich alles in zwei Haufen mit Sachen zum Wegwerfen und zum Behalten.

So, fertig.

Ich gehe in die Küche, schnappe mir einen schwarzen Müllbeutel und stopfe ihn voll. Eine merkwürdige, unbekannte Energie durchströmt mich, und ehe ich mich's versehe, durchforste ich auch den Rest meiner Klamotten.

Stapel von hässlichen, farblosen und braunen Sachen verschwinden in aller Schnelle. Ich werfe Pullover, Jacketts und alle Volksmusik-Röcke weg. Her mit einem zweiten Müllbeutel und hinein mit den ausgelatschten Schuhen und den schmucken Schals. Jetzt die dunkelbraune Umhängetasche von Hobbs. Ich kann mir eine neue kaufen. Schweißperlen laufen mir übers Gesicht, und die leeren Metallbügel klingen in meinem Schrank aneinander wie ein Windspiel. Ich binde die Beutel zu und zerre sie hinaus zu den Mülltonnen an der Rückseite des Hauses. Es ist dunkel, und ich komme mir vor wie eine Verbrecherin, die die Beweise einer besonders blutrünstigen Tat verschwinden lässt.

Schließlich stehe ich vor meinem fast leeren Schrank und begutachte das Ergebnis meiner Arbeit. Eine blassrosa Hemdbluse schwingt an der Stange, ein einzelner schwarzer Rock, ein dunkelblaues, tailliertes Trägerkleid. Auf dem Fußboden vor mir liegt ein kleiner Haufen gerade noch tragbarer Unterwäsche.

Das ist es. Das ist die Grundlage meiner neuen Garderobe, meiner neuen Identität, meines neuen Lebens.

Ich nehme einen gelben Post-it-Zettel vom Schreibtisch in

der Ecke, schreibe mit rotem Leuchtstift etwas darauf und klebe ihn in einen Winkel meines Schrankspiegels.

Lass dich nie von etwas verführen, das nicht erstklassig ist, mahnt er mich.

Nein, nie wieder.

Ich sitze im Zug nach Brondesbury Park, auf dem Weg zu meiner Therapeutin. Das war eine Idee meines Mannes, weil er glaubt, dass mit mir etwas nicht stimmt.

Nach unserer Hochzeit wurde ich ständig von Albträumen geplagt. Ich wachte schreiend auf, überzeugt, dass ein fremder Mann am Fußende des Bettes steht. Das Zimmer sah genauso aus wie im Wachzustand, und dann war er plötzlich da und beugte sich über mich. Ich verjagte ihn, aber er kam jede Nacht wieder. Nach einer Weile gewöhnte sich mein Mann daran, bei meinen nächtlichen Schreien einfach weiterzuschlafen, aber als ich anfing, auch tagsüber zu weinen, und nicht mehr aufhören konnte, sprach er ein Machtwort. Er meinte, ich hätte zu viele Gefühle und müsse etwas dagegen unternehmen.

Wenn ich bei meiner Therapeutin ankomme, klingele ich und werde in ein Wartezimmer eingelassen, das eigentlich Teil eines Flurs ist, ausgestattet mit einem Stuhl und einem Couchtisch. Es gibt drei Zeitschriften; seit ich vor zwei Jahren mit der Therapie begonnen habe, sind es immer dieselben: eine Nummer von *House and Garden* aus dem Frühjahr 1997 und zwei Ausgaben von *National Geographic*. Ihren Inhalt kann ich auswendig hersagen. Trotzdem nehme ich *House and Garden* zur Hand und sehe mir wieder das Cottage an, das nur mit Hilfe von Ikeamöbeln und ein paar Töpfen Farbe in ein schwedisches Schmuckkästchen voller Antiquitäten verwandelt worden ist. Ich bin gerade dabei einzunicken, als die Tür endlich aufgeht und Mrs. P. mich hereinbittet.

Ich ziehe meinen Mantel aus und setze mich auf den Rand der Liege, ihre Version einer Psychiatercouch. Das Zimmer ist in gedämpften Farben gehalten und wirkt steril. Selbst die Landschaften an den Wänden strahlen eine unheimliche Stille aus, als wären sie von einem lobotomisierten Van Gogh gemalt – bloß keine wilden, leidenschaftlichen Pinselstriche. Ich stelle mir gern vor, dass sich hinter der Glastür, die ihre Praxis vom Rest des Hauses trennt, eine explosive Sammlung primitiver phallischer Kunst und gewagter moderner Möbel in schreienden Farben befindet. Die Chancen sind gering, aber ich klammere mich an diese Hoffnung.

Mrs. P. ist mittleren Alters und Deutsche. Wie meinem fehlt auch ihrem Kleidungsstil das gewisse Savoir-faire. Heute trägt sie einen cremefarbenen Rock mit Nylonkniestrümpfen, und wenn sie sich setzt, sehe ich, wo der Elastikbund in ihr Bein kneift und eine rote Rolle geschwollenen Fleisches direkt unter dem Knie bildet. Ihr deutscher Akzent macht das Ganze auch nicht besser. Jedes Mal, wenn sie mich etwas fragt, komme ich mir vor wie in der schlecht geschriebenen Verhörszene eines Films über den Zweiten Weltkrieg. Vielleicht ist das die Ursache unserer Kommunikationsprobleme – oder auch nicht.

Ich sitze also da, und sie mustert mich durch ihre eckigen Brillengläser hindurch.

Wir sind wieder in der Sackgasse angekommen, die Teil unseres wöchentlichen Rituals ist.

Ich grinse schuldbewusst.

»Ich glaube, ich möchte heute lieber sitzen«, sage ich.

Mrs. P. sieht mich unverwandt an. »Und warum möchten Sie das?«

»Ich will Sie sehen.«

»Und warum wollen Sie das?«, wiederholt sie. Immer wollen diese Leute wissen, warum. Mir scheint, der Unterschied zwischen einem Therapeuten und einem vierjährigen Kind ist nicht besonders groß.

»Ich möchte nicht allein sein. Ich fühle mich allein, wenn ich mich hinlege.«

»Aber Sie sind nicht allein«, betont sie. »Ich bin hier.«

»Ja, aber ich kann Sie nicht *sehen*.« Langsam werde ich ziemlich frustriert.

Sie schiebt ihre Brille höher auf die Nase. »Sie müssen also jemanden *sehen*, um sich nicht einsam zu fühlen?«

Sie übertreibt die Betonungen und gibt meine Worte an mich zurück, wie das so Therapeutenart ist. Aber ich lasse mich nicht einschüchtern. »Nein, nicht immer. Aber wenn ich mit Ihnen reden soll, möchte ich Sie lieber dabei ansehen.« Damit rutsche ich auf der Liege nach hinten, damit ich mich an die Wand lehnen kann.

Ich zupfe an den Knötchen in der weißen Chenilletagesdecke herum (ich bin sehr vertraut mit diesen Knötchen). Drei oder vier Minuten verstreichen schweigend.

»Sie vertrauen mir nicht«, sagt sie endlich.

»Nein, ich vertraue Ihnen nicht«, bestätige ich, nicht weil es wirklich stimmt, sondern weil sie es für wahr hält, und sie ist schließlich meine Therapeutin.

»Ich denke, Sie brauchen mehr Sitzungen«, seufzt sie.

Immer, wenn ich nicht tue, was sie von mir verlangt, brauche ich mehr Sitzungen. Es hat schon ganze Monate gegeben, in denen ich jeden Tag kommen musste. Normalerweise schaffen wir es nur bis zu diesem Punkt; zwei Jahre lang haben wir darüber debattiert, ob ich auf der Liege sitzen darf oder nicht. Aber heute habe ich ihr etwas zu erzählen.

»Ich habe gestern ein Buch gekauft. Es heißt *Elégance*.«

»Ist es ein Roman?«

»Nein, es ist eine Art Ratgeber, der einem sagt, wie man eine elegante Frau werden kann.«

Sie hebt eine Augenbraue. »Und was bedeutet es für Sie, eine ›elegante Frau‹ zu werden?«

»Schick zu sein, kultiviert, aber mir Raffinesse. Wie Audrey Hepburn oder Grace Kelly.«

»Und warum ist das wichtig für Sie?«

Auf einmal fühle ich mich frivol und übermütig, wie ein weibliches Mitglied der Kommunistischen Partei, das dabei ertappt wurde, die *Vogue* zu lesen. »Na ja, ich weiß nicht, ob es wirklich wichtig ist, aber es ist ein erstrebenswertes Ziel, finden Sie nicht?« Dabei fällt mein Blick auf ihre beigefarbenen, orthopädischen Sandalen.

Nein, vermutlich nicht.

Ich probiere es anders. »Was ich meine, ist, diese Frauen waren immer wie aus dem Ei gepellt, nie unordentlich oder ungepflegt. Überall, wo man sie sah, waren sie perfekt zurechtgemacht und tadellos gekleidet.«

»Und das möchten Sie auch sein, ›wie aus dem Ei gepellt, nie unordentlich oder ungepflegt‹?«

Ich überlege einen Moment. »Ja«, antworte ich dann, »ich würde für mein Leben gern gepflegt und schick sein und nicht immer wie eine Vogelscheuche herumlaufen.«

»Verstehe«, nickt sie. »Sie sind nicht gepflegt, das heißt, Sie sind ungepflegt. Nicht schick, das bedeutet unmodern. Und dazu noch eine Vogelscheuche. Sie halten sich also für unattraktiv.«

Bei ihr klingt alles noch viel schlimmer, als es ist.

Aber sie hat nicht ganz Unrecht.

»Nein, ich fühle mich nicht sehr attraktiv«, gebe ich zu und winde mich innerlich dabei. »Um ehrlich zu sein, ich fühle mich wie das Gegenteil von attraktiv. Als ob es nicht darauf ankommt, wie ich aussehe.«

Sie blinzelt mich über ihre Brille hinweg an. »Und warum kommt es nicht darauf an, wie Sie aussehen?«

Eine alles verschlingende Welle der Müdigkeit rollt auf mich zu.

»Weil… ich weiß nicht… weil es einfach nicht darauf ankommt.« Vergeblich versuche ich, ein Gähnen zu unterdrücken.

»Aber Ihr Mann bemerkt Sie doch sicher«, beharrt sie.

Ich weiß nicht, was sie mit »bemerken« meint. Ist das eine Art von Euphemismus? »Bemerkt« ihr Mann sie in ihren Kniestrümpfen und diesem Rock?

»Nein, er ist nicht so«, erkläre ich und verdränge die unwillkommene Vorstellung, wie sie einander »bemerken«. »Er interessiert sich nicht für solche Dinge.« Meine Augenlider befinden sich nun auf Halbmast und sind furchtbar schwer.

»Was meinen Sie mit ›solchen Dingen‹?«

»Ich weiß nicht … Körper, Aussehen, Kleider.«

»Und was gibt Ihnen das für ein Gefühl?«, insistiert sie. »Dass er sich nicht für Ihren Körper, Ihr Aussehen oder Ihre Kleidung interessiert?«

Ich denke nach. »Ein müdes«, antworte ich. »Es macht mich müde. Aber warum soll er sich auch dafür interessieren? Er liebt mich, wie ich bin, nicht wegen meines Aussehens.« Ich sinke immer tiefer auf die Liege, wie ein Ballon, dem man die Luft herauslässt.

»Ja, aber Liebe ist nicht nur ein Gefühl«, fährt sie unbeirrt fort. »Oder eine Vorstellung. Es ist vollkommen natürlich, dass es auch eine körperliche Seite dabei gibt. Sie sind jung. Sie *sind* attraktiv. Und Sie … schlafen gleich ein, habe ich Recht?«

Ich richte mich mit einem Ruck auf. »Nein, nein, alles in Ordnung. Bin nur ein bisschen schläfrig. Spät geworden gestern Abend.« Ich weiß nicht, warum ich mir die Mühe mache zu lügen. Vielleicht stimmt es wirklich, was sie gesagt hat: Ich vertraue ihr nicht.

»Nun, jedenfalls ist die Zeit für heute um.«

Kaum hat sie das gesagt, werde ich wieder munter.

Ich gehe direkt zu dem Zeitungsladen an der Ecke und kaufe zwei Kit Kat, die ich schnell hintereinander verdrücke, während ich auf den Zug warte. Ich werde diesen Therapiekram nie richtig kapieren. Im Grunde kann ich es kaum erwarten, dass ich geheilt bin und irgendein Zeugnis bekomme, um es meinem Mann zu präsentieren.

Eine körperlose Stimme verkündet über Lautsprecher, dass aufgrund von Problemen mit der Signalanlage der nächste Zug in südliche Richtung erst in zwölf Minuten kommt. Ich setze mich auf eine Bank in der Ecke und nehme *Elégance* aus der Tasche. Ein Windstoß fährt in die Seiten und blättert eine Stelle im Vorwort auf.

Schon als kleines Mädchen legte ich großen Wert darauf, gut angezogen zu sein, ein etwas frühreifer Ehrgeiz, der von meiner Mutter noch ermutigt wurde, da sie selbst ausgesprochen modebewusst war. Wir gingen oft zusammen zur Schneiderin und wählten Stoffkombinationen und Schnitte aus, die unsere Kleider und Kostüme einzigartig machten und unmöglich zu kopieren.

Ich denke an meine eigene Mutter, die es hasste, einkaufen zu gehen, sich schick zu machen oder sich auch nur im Spiegel zu betrachten. Sie hatte nicht nur keinen Sinn für Eleganz, sondern hielt, wie ich glaube, alles, was damit zusammenhing, für eine Art eitles Streben. Es widersprach den ästhetischen Vorstellungen ihrer strengen katholischen Erziehung und gehörte zur Welt der Filmstars, Debütantinnen und geschiedenen Frauen.

Mit ihrem blassen, bebrillten Gesicht und den kurzen, dunklen Haaren, die sie sich selbst schnitt, lief sie am liebsten in Birkenstock-Sandalen und schlichten, weiten Hosen herum, vielleicht weil Mode in der männerdominierten Welt der Wissenschaft, in der sie brillierte, von geringem praktischen Nutzen war. Doch wie aus einem Lehrbuch der Freudschen Schule übertrug sie ihre ungelebten Träume und Ambitionen auf mich und meine Schwester. Ihr größter Wunsch war es, dass wir Balletttänzerinnen würden, jede ein Muster an Anmut und Disziplin, und zu diesem Zweck übten wir täglich stundenlang nach der Schule. Sie verwöhnte uns mit exzentrischen Einkaufsausflügen, die umso unwirklicher schienen, da wir fast nie richtige Kinderkleider gekauft bekamen. Es war, als würde sie uns zum Einkaufen für ihr unterdrücktes Ich mitnehmen.

Es ist Samstagmorgen. Meine Mutter hat mich vom Balettunterricht abgeholt, und wir gehen ins Kaufhaus *Kaufmann* in Pittsburgh. Ich bin ungefähr zwölf, trage aber schon hochhackige Schuhe, solche mit dicken Keilabsätzen aus Krepp, und einen Jeans-Wickelrock wie mein Idol Farah Fawcett in *Drei Engel für Charlie*. Wie alle Mädchen in der Ballettschule will ich wie eine Primaballerina aussehen. Wir klatschen uns pfundweise Make-up ins Gesicht, dazu dicken Eyeliner und Wimperntusche, und rollen mit den Augen wie ein Stummfilmstar auf LSD. Wir sind sterbende Schwäne mit unseren übertriebenen Posen, lächerlichen Aufmachungen und streng zurückgebundenen Haaren. Es kommt uns nie in den Sinn, dass ein Bühnen-Make-up, das bis hin zur letzten Reihe der Metropolitan Opera wirkt, auf der Straße nicht ganz passend sein könnte.

Meine Mutter und ich gehen zur Abteilung für Abendgarderobe. Es ist halb elf Uhr morgens, und wir sehen uns Paillettenstoffe und Taftröcke an. Sie soll zu einer festlichen Weihnachtsfeier mit meinem Vater gehen, also suchen wir nach einem Abendkleid für sie, aber sie erträgt es nicht, sich im Spiegel anzusehen oder etwas anzuprobieren. Ich schleppe Abendkleid für Abendkleid in die Umkleidekabine, wo sie zusammengesunken in BH und Hüfthalter auf einem Hocker sitzt und den Kopf in die Hände stützt. »Zieh du sie an«, sagt sie, und ich gehorche, posiere und stolziere herum wie eine zwergenhafte Ausgabe von Maria Callas. Meine Mutter wirkt wie ein dünnes, geschorenes Gespenst neben meiner Travestie-Nummer. »Du bist so schlank«, sagt sie, als ich mich in ein rosafarbenes, paillettenbesticktes Etuikleid zwänge, »dir steht einfach alles.«

Wir bringen Stunden damit zu, durch ein Meer von Seide und Satin zu waten, und am Ende kauft sie mir für sündhaft viel Geld ein schwarzes Paillettentop und eine cremefarbene Jacke aus Marabuseide, die ich über meiner Schuluniform trage, obwohl ich dafür einen Monat lang nachsitzen muss.

Für sich kauft meine Mutter nichts.

Nach dem Kleiderkauf gehen wir zur Süßwarenabteilung und kaufen eine Pfundschachtel Godiva-Pralinen, für die Heimfahrt im Auto. Zu Mittag essen meine Mutter und ich nicht, das macht nämlich dick. Stattdessen sitzen wir nebeneinander im Auto, sehen uns nicht an und stopfen uns Pralinen in den Mund.

Als wir schließlich zu Hause ankommen, ist die Erregung des Einkaufsbummels verflogen. Vollkommen verschwunden. Mom tobt plötzlich vor Wut, und ich habe Angst und schäme mich. Sie steigt aus, knallt die Autotür zu und marschiert durch die Garage ins Haus, wo sie meinen Bruder anschreit. Sie schreit aus nichtigem Anlass, weil ein Handtuch schlecht zusammengelegt ist oder der Fernseher läuft. Sie schreit, weil sie unzufrieden mit sich ist, weil sie dreihundert Dollar in Abendkleidung für eine Zwölfjährige investiert hat, weil sie so fuchsteufelswild ist, dass sie sich nicht beherrschen kann. Sie wirft mit etwas um sich, verfehlt meinen Bruder jedoch.

Ich höre, wie sie nach oben stürmt und die Schlafzimmertür zuknallt. Als ich mit den Tüten aus dem Auto steige, nehme ich die leere Pralinenschachtel mit. Es ist wichtig, dass niemand sie sieht. Dann gehe ich oder watschle vielmehr wie eine echte Ballerina ins Haus. Mein Bruder sitzt dort und weint, Glas- und Plastikscherben um sich verstreut, die einmal eine Uhr waren. Er sieht mich an mit meinen *Kaufmann*-Tüten und der Godiva-Schachtel, und ich weiß, dass er mich hasst. Ich werfe den Kopf zurück und gehe weiter. Ich bin ein schlechter Mensch. Ich bin ein sehr schlechter Mensch.

Meine Mutter geht nicht zu der Weihnachtsfeier. Sie hat

einen heftigen Streit mit meinem Vater und verbarrikadiert sich für den Rest des Abends in ihrem Zimmer.

Ich klappe das Buch zu, stehe auf und gehe zum Ende des Bahnsteigs. Dort, wo der Zement in Gras und Geröll übergeht, drehe ich mich um und erbreche die beiden Kit-Kat-Riegel.

Langsam zieht die Dämmerung herauf, und während ich meine Finger an einem sauberen Papiertaschentuch abwische, bemerke ich, dass die Vögel singen, wie sie es oft an Frühlingsabenden tun. Sie klingen unglaublich hoffnungsvoll.

Auf einmal kommt mir der Gedanke, dass meine Mutter und ich etwas gemeinsam haben könnten.

Vielleicht entstammen wir beide einer langen Ahnenreihe von Frauen, die sich alle wie Vogelscheuchen gefühlt haben.

Beauty

Seit Menschengedenken streben Frauen nach Schönheit, mit der Leidenschaft und der Entschlossenheit eines Menelaos, der Helena nach Troja verfolgt, und oft mit ähnlich gewaltsamen Konsequenzen. Und wer wollte es ihnen verbieten? Schönsein ist schon immer damit gleichgesetzt worden, dass einem die Welt zu Füßen liegt, und welches Mädchen möchte das nicht?
Betrüblicherweise können jedoch nur Gott und die Natur eine schöne Frau erschaffen, und um ganz ehrlich zu sein, fallen die meisten von uns nicht in diese exklusive Kategorie. Sie finden, ich urteile zu hart? Mag sein. Aber ich hänge der Philosophie an, dass es besser ist, sich möglichst früh mit sich selbst und vor allem mit seinen unerfreulicheren Seiten auseinander zu setzen und dann seinen Frieden damit zu machen, als Jahre mit ruheloser Selbstquälerei zu verschwenden, unerreichbaren Zielen und Erwartungen hinterherzujagen. Außerdem ist Schönheit noch lange keine Garantie für ein glückliches Leben. Ich habe viele schöne Frauen gekannt, deren Mangel an Eleganz und guter Erziehung sie so hoffnungslos unattraktiv machte, dass es einfacher und weniger peinlich für sie gewesen wäre, wenn sie als Mauerblümchen geboren worden wären. Eine Frau muss einen starken Charakter haben, wenn ihr die zwiespältige Macht, überall Aufmerksamkeit zu erregen, nicht zu Kopfe steigen soll. Und es gibt nichts Tragischeres als eine schlecht gealterte Schönheit,

die nie ihren Geist oder ihre Phantasie anstrengen musste, um ihre Begleiter zu amüsieren, oder die sich immer auf ihre makellose Figur verlassen hat statt auf die Eleganz ihrer Erscheinung. Solche Frauen sind langweilig in Gesellschaft und bekommen fast unweigerlich ein sehr unvorteilhaftes »Champagnerkinn«.

Während Schönheit in ihrer rein körperlichen Form allein ein Geschenk der Natur ist, sind Eleganz, Anmut und Stil sehr viel gerechter verteilt. Ein wenig Disziplin und ein gutes Auge, vereint mit einer großzügigen Portion Humor und etwas Anstrengung, sind alles, was man braucht, um diese bewundernswerten Eigenschaften zu erlangen. Ein unscheinbares Mädchen, das ein bisschen Zeit mit ehrlicher Selbstbetrachtung verbringt und sich mit Eifer der Entwicklung seines Verstandes und seines Charakters widmet, wird bald feststellen, dass es das hässliche Entlein hinter sich gelassen hat und zu einem stolzen Schwan herangereift ist. Diese Zeit, die es mit sich allein und ohne die Ablenkungen der Welt verbracht hat, wird es stark machen, die erlernte Disziplin wird ihm helfen, mit Anmut und Courage älter zu werden, und vor allem wird es Mitgefühl für andere besitzen, was eine Frau stets anziehend für die Menschen in ihrer Umgebung macht.

Während ich einen Schluck Tee trinke, greife ich nach den Post-it-Zetteln und dem Stift auf meinem Nachttisch. Von allen Freuden dieser Welt muss es eine der exquisitesten sein, morgens im Bett bei einer dampfenden Tasse Tee zu lesen. Ich klopfe die Kissen in meinem Rücken bequemer zurecht und lehne mich dagegen.

Schönsein. Es gibt Tage, an denen ich mich einigermaßen attraktiv fühle, aber bin ich schön oder könnte ich es je sein? Gehöre ich etwa zu jenen Frauen, die lieber ihren »unerfreulicheren Seiten« ins Gesicht sehen sollten?

Das ist keine Frage, über die eine Frau vor neun Uhr morgens nachdenken sollte, wenn ihr der Kopf noch schwer vom Schlaf ist und sie ihr geliebtes, verwaschenes Snoopy-Nachthemd trägt (ich konnte mich nicht überwinden, es wegzuwerfen). Daher verdränge ich sie aus meinen Gedanken und reiße entschlossen einen weiteren Zettel ab. »Schönheit ist keine Garantie für Glück«, schreibe ich darauf, »bemühe dich lieber um Eleganz, Anmut und Stil«, und klebe ihn neben den anderen an den Schrankspiegel. Mein Mann, der sich gerade anzieht, um ein Stück für eine Radiosendung der BBC zu lesen, seufzt entnervt.

»Ich hoffe doch sehr, dass wir nicht zu einem von diesen ach so fröhlichen religiösen Haushalten werden, wo überall kleine inspirierende Sprüche herumhängen.« Er greift nach einem Paar dunkelblauer Chinos und einem viel getragenen Oxfordhemd, das seine Mutter ihm vor zwei Jahren zu Weihnachten geschenkt hat. »Ich möchte nicht, dass es bei uns aussieht wie im Versammlungsraum der Sonntagsschule einer Kirche.«

»Was weißt du denn schon über Versammlungsräume von Sonntagsschulen?«, pariere ich. »Außerdem siehst du sie gar nicht mehr, wenn du den Kleiderschrank zumachst.«

»Trotzdem«, nörgelt er und schlüpft in ausgelatschte Mokassins, »ich finde, das reicht jetzt. Ich will nicht, dass mir morgens beim Anziehen lauter Slogans ins Gesicht springen wie »Ich bin mir selbst genug« und »Auch das wird vergehen« oder was derzeit an Selbsthilfegruppenjargon kursiert.«

»In Ordnung«, sage ich, hauptsächlich, um das Gespräch zu beenden. »Ich behalte sie für mich.«

Dann fällt mir ein, dass jetzt, wo er den ganzen Tag außer Haus sein wird, die ideale Gelegenheit wäre, meine Mitgliedschaft in unserem Fitnessstudio um die Ecke zu erneuern. Ich bücke mich und suche unter dem Bett nach meiner alten Sporttasche, die zwar staubbedeckt ist, aber immerhin schon ein Paar zerknautschte Turnschuhe enthält.

Ausgezeichnet.

Aber mein Mann ist noch nicht fertig. Er nimmt den letzten Zettel ab und studiert ihn. »›Schönheit ist keine Garantie für Glück – bemühe dich lieber um Eleganz, Anmut und Stil.‹ Was soll das werden, Louie? Du wirst mir doch nicht plötzlich komisch, oder? Wie läuft's denn bei deiner Therapeutin?«

Ich bin sicher, dass ich irgendwo noch eine Jogginghose habe, und es muss einen passenden Socken zu dem hier geben. Ich durchwühle den Wäschekorb.

»Nein, ich werde nicht komisch«, versichere ich ihm, während ich in Bergen von schmutzigen Klamotten krame, »und bei meiner Therapeutin läuft alles gut. Ich versuche nur, das Beste aus mir zu machen. Und zwar ganz allein für mich.«

Er sieht skeptisch drein, also nehme ich einen neuen Anlauf. »Ich meine, ich möchte, dass du stolz auf mich bist.«

Sein Gesichtsausdruck wird weicher. »Aber Schäfchen, ich bin doch schon stolz auf dich. Du bist ein gutes Mädchen«, sagt er, küsst mich auf die Stirn und tätschelt meinen Kopf. »Du bist ein sehr gutes Mädchen und ein gutes Schäfchen.«

»Danke«, sage ich und lächle ihn an. »Aber würde es dir etwas ausmachen, mich nicht immer Schäfchen zu nennen?«

Er sieht mich an, als hätte ich ihn ins Gesicht geschlagen. »Ich soll dich nicht mehr Schäfchen nennen? Was stört dich denn daran?«

»Na ja, ich weiß, dass du es als Kosewort meinst, aber es klingt ein bisschen dumm. Niedlich, aber tollpatschig. Können wir nicht etwas anderes nehmen? Du könntest mich Süße nennen oder mein Engel oder ... ich weiß nicht, wie wär's mit ›meine Schöne‹?«

Er runzelt die Stirn.

»Okay, was ist mit ›Hübsche‹? Meine Hübsche? Das klingt doch nett, oder?«

»Ich habe dich schon immer Schäfchen genannt. Du *bist* mein Schäfchen«, entgegnet er fest.

»Ja, schon, aber einen Spitznamen kann man doch auch ändern, oder?« Ich versuche, ihn zu besänftigen, indem ich meine Arme um ihn schlinge, aber er weicht mir aus und zieht sein Jackett von der Lehne des Schlafzimmerstuhls.

»Du kannst nicht einfach einen neuen Spitznamen erfinden, nur weil dir danach ist. Schließlich bin ich derjenige, der ihn benutzen muss. Und ›meine Hübsche‹ hört sich nach einem Piraten in einer Schmierenkomödie an.«

»Na schön. Ich möchte doch einfach nur einen attraktiveren Spitznamen haben. Was weiß ich – wenn du mich schon nach einem Tier nennen möchtest, dann vielleicht Zuckermaus? Das ist neutral und zärtlich.«

»Ich bin doch keine alternde Südstaatenschönheit, Louise.« Er seufzt, presst die Finger an die Schläfen und schließt die Augen, um sich zu konzentrieren. »Okay«, sagt er dann, »wie wär's mit Schweinchen? Das ist mein letztes Angebot.«

»Schweinchen!«

»Ich bin Engländer, das wusstest du doch, als du mich geheiratet hast. Ich kann meine Frau nicht Zuckermaus oder Zuckerbaby oder mein Schätzelchen nennen oder was es sonst noch an international anerkannten Kosenamen gibt.«

»Aber Schweinchen kannst du mich nennen?«

»Na ja, nicht einfach Schweinchen, sondern mein kleines Schweinchen.« Er grinst. »Das finde ich süß.«

Jetzt mache *ich* ein skeptisches Gesicht.

Er zuckt die Achseln. »Im Übrigen habe ich jetzt keine Zeit für so etwas. Ich muss los.« Er geht hinaus in den Flur und schnappt sich sein Skript von dem kleinen runden Tisch bei der Tür. Dann beugt er sich vor, um mir einen schnellen Kuss auf die Stirn zu drücken. »Wir sehen uns heute Abend, wenn ich zurückkomme, Schweinchen.«

Die Tür fällt ins Schloss.

Ich gehe zurück ins Schlafzimmer und starre auf die staubige

Sporttasche und die zerdrückten alten Turnschuhe. Warum soll ich mir all die Mühe machen, wenn ich dann immer noch nicht schön bin und das Schmeichelhafteste, was meinem Mann zu mir einfällt, ›Schweinchen‹ ist?

Der Sirenengesang der Daunendecke umschmeichelt mich, lockt mich zurück ins Bett, weg vom Fitnessstudio und diesem sinnlosen Streben nach Selbstverbesserung. Schließlich habe ich diese paar wenigen kostbaren Stunden, um mich in meinen geliebten Zustand totaler Vergessenheit zu versetzen, ehe mein Mann wieder nach Hause kommt. Meine Atmung verlangsamt sich, und meine Augenlider werden schwer.

Doch dann sehe ich ihn, den kleinen gelben Zettel, den mein Mann vorhin betrachtet hat und der nun wie ein gefangener Schmetterling neben meinem Kissen liegt. »Schönheit ist keine Garantie für Glück – strebe lieber nach Eleganz, Anmut und Stil.« Ich nehme ihn und klebe ihn wieder an den Spiegel.

»Ich bin kein Schäfchen«, sage ich zu meinem Spiegelbild. »Und auch kein Schweinchen.«

Darauf greife ich nach meiner Sporttasche und verlasse so schnell wie möglich das Schlafzimmer.

Solange ich es noch kann.

Comme-il-faut

Die Forderung nach Bequemlichkeit hat jeden Bereich des modernen Lebens durchdrungen und ist zu einem der kategorischen Imperative unserer Zeit geworden. Wir können nicht die kleinste Einschränkung mehr ertragen, weder körperlich noch moralisch, und viele der Details, die noch vor einigen Jahren als ein Zeichen der Eleganz angesehen wurden, werden heute aus Gründen der Bequemlichkeit verdammt. Weg mit den steifen Kragen, gestärkten Hemden, ausladenden Hüten und schweren Haarknoten! Die einzig Unverbesserlichen, die noch Widerstand leisten, sind Damenschuhe.
Wenn Frauen jedoch vierundzwanzig Stunden am Tag und zwölf Monate im Jahr vor allem auf Bequemlichkeit aus sind, werden sie irgendwann feststellen, dass sie zu Sklavinnen von Kreppsohlen, Kunstfasern, vorverdauten Mahlzeiten, Pauschalreisen, funktioneller Uniformität und einer allgemeinen Verkümmerung geworden sind. Wird die Bequemlichkeit zum Selbstzweck, ist sie die Todfeindin der Eleganz.

Es ist Viertel nach sieben am Samstagmorgen, und ich mache mich für die Arbeit fertig. Auch wenn ich immer noch ein wenig an meinen Traum von der Schauspielerei hänge, verdiene ich in der wirklichen Welt mein Geld damit, dass ich Eintrittskarten an der Kasse eines kleinen, selbst finanzierten Schauspielhauses in Charing Cross verkaufe.

Mein Mann schläft noch auf der anderen Seite des Bettes, und ich kleide mich im Dunkeln an. In meinem Schrank gibt es nicht mehr viel Auswahl, also ziehe ich das dunkelblaue Trägerkleid an und die hellrosa Hemdbluse. Das Kleid ist ganz auf Figur geschnitten und sehr eng, weshalb ich es seit Jahren nicht mehr getragen habe. Als ich den Reißverschluss zuziehe, richtet sich meine Wirbelsäule auf, eingehüllt in das starre, korsagenartige Oberteil. Ich versuche, meine normale schlaffe Haltung einzunehmen, und ersticke fast. Als Nächstes schlüpfe ich in die dunkelbraunen Pumps mit Stilettoabsatz, die ich bei meiner Hochzeit getragen habe. Es sind die einzigen hochhackigen Schuhe, die nach dem großen Ausmisten übrig geblieben sind, und plötzlich stakse ich in der Wohnung herum wie eine kleine Marilyn Monroe. Nach so vielen Tagen in billigen Turnschuhen und weiten Cargohosen ist das ein sehr ungewohntes Gefühl. Ich kämme meine Haare in einen Seitenscheitel, stecke sie mit einer Spange aus künstlichen Glitzersteinen zurück und lege zartroten Lippenstift auf. Als ich die Wohnung verlasse, erhasche ich im Flurspiegel einen Blick auf mich.

Wer ist diese Frau?

Ich bin spät dran, und womit ich nicht gerechnet habe, ist die enorme Einschränkung der Bewegungsfreiheit, die durch die Kombination eines langen, schmalen Rockes mit hohen Riemchenpumps entsteht. In diesem Ensemble kann man zwar in der Wohnung herumwanken, aber für längere Spaziergänge ist sie offensichtlich nicht gedacht. Je schneller ich zu gehen versuche, desto mehr ähnele ich einer Aufziehpuppe. Die einzige Möglichkeit, vorwärts zu kommen, ist, mein Gewicht in einer langsamen, rollenden Bewegung von einer Hüfte auf die andere zu verlagern. Das Kleid hat die Kontrolle übernommen und schreibt mir vor, wann ich zur Arbeit komme und wie. So stolziere ich unsicher und leicht schwankend meines Wegs.

Es ist etwas Besonderes an einer sich langsam bewegenden

Frau inmitten des dichten Stadtverkehrs. Alles verändert sich, und ich entdecke, dass die freiwillige langsame Bewegung etwas sehr Machtvolles ist. Sie hat nichts mit dem Dahinschleichen aus Gebrechlichkeit oder Niedergeschlagenheit zu tun. Das Kleid sorgt dafür, dass ich kerzengerade gehe, und verleiht mir eine herablassende Würde, als wäre ich über so kleinliche Sorgen, wie pünktlich zur Arbeit zu kommen, erhaben. Ich scheine aus purer Lust durch die Straßen zu gehen und nicht, weil ich es muss. In dem Meer der vorbeihetzenden Fußgänger um mich herum bin ich eine majestätische Erscheinung.

Wenn man schon so langsam geht, kann man genauso gut auch lächeln. Und dann wird es wirklich interessant: Taxifahrer gehen vom Gas, obwohl sie Grün haben, nur um mich über die Straße zu lassen. Die Bobbys vor den Houses of Parliament sagen »Guten Morgen« und tippen sich an den Helm. Und die Touristen, die sich immer so nervtötend mit ihren Kameras vor Big Ben drängen, treten höflich beiseite, als würden sie sich auf einmal in einem großen Wohnzimmer befinden und hätten gerade festgestellt, dass es meines ist.

Ja, die Welt ist mein Wohnzimmer, und ich bin die charmante Gastgeberin, die hindurchschlendert, um sich davon zu überzeugen, dass alle gut versorgt sind.

Ich sehe mich um. Das ist ein weiterer Vorteil der langsamen Fortbewegung – man hat ausreichend Zeit, den Blick schweifen zu lassen. Die Luft ist frisch und kühl, der Sonnenschein klar und überaus wohlwollend. Während ich tief durchatme – na ja, so tief, wie das Kleid es eben gestattet – erfüllt mich ein neues, ungewohntes Bewusstsein.

Alles ist gut. Alles ist wirklich gut.

Als ich ins Theaterfoyer spaziere, klopft mein Herz heftig, und meine Wangen sind gerötet. Mein Blick fällt auf die Hand, die gegen die Messingplatte an der Tür des Kassenhäuschens drückt. Es ist meine. Sie wirkt klein, zart und hübsch. Einen Augenblick lang bin ich nicht sicher, ob sie wirklich mir gehört. Aber das tut sie. Und sie ist klein, zart und hübsch.

Colin ist schon da und wartet auf mich. Ich habe den Schlüssel zur Theaterkasse.

»Hallo, was ist denn mit dir passiert?«, ruft er und küsst mich auf beide Wangen.

Ich grinse schelmisch. »Ich weiß gar nicht, was Sie meinen, Mr. Riley.« Dann schließe ich die Tür auf und knipse die Lichter an.

»Na, was wohl! Setzen wir Kaffee auf, und dann will ich alles hören.«

Etwas Erstaunliches ist passiert. Ich bin nicht mehr unsichtbar.

Colin ist mein bester Freund. Er weiß zwar nichts davon, ist es aber trotzdem. Ständig schimpft er mit mir, weil ich so unnahbar und distanziert sei, aber in Wahrheit weiß er mehr über mich als mein Mann und meine Therapeutin zusammen. Er ist bekehrter West-End-Mime und hat einmal bei *Cats* getanzt, bis ein Bänderriss ihn zwang, Abschied von seinen Tagen in Ganzkörpertrikots zu nehmen. Zwar kann er immer noch beeindruckende Pirouetten drehen, wenn er will, gibt sich jetzt aber damit zufrieden, in seinem Gemeindezentrum Sitzaerobic für Senioren zu unterrichten (was er toll findet, weil sie ihn »junger Mann« nennen), und stundenweise mit mir an der Kasse zu sitzen. Wir haben nicht nur unsere Liebe zum Tanz und zum Theater gemeinsam, sondern auch die katholische Erziehung. Offenbar haben uns die gleichen sadistischen Nonnen auf beiden Seiten des Atlantiks mit dem Lineal auf die Fingerknöchel geschlagen.

»Du hast dich also fein gemacht heute! Was steckt dahinter? Eine Affäre?« Er untersucht automatisch das Innere des Wasserkochers auf sich ausbreitende Kalkablagerungen. Zweimal die Woche wird der Bürowasserkocher entkalkt, und wenn Colin Langeweile hat, werden auch noch die Kaffeebecher mit einem

Spezialreiniger desinfiziert. Unser Kaffee sprudelt in der Regel lustig vor sich hin und löst die Verfärbungen an den Zähnen.

»Wohl kaum.« Ich schalte meinen Computer ein.

Colin holt eine kleine Plastiktüte aus seinem Rucksack, entnimmt ihr zwei gut verpackte Tupperdosen und schiebt sie in den Kühlschrank.

»Na, was gibt's heute zu Mittag, Colin?«

Das ist noch so einer von seinen Fimmeln – im Supermarkt kann er den Lebensmitteln nicht widerstehen, die wegen der fast abgelaufenen Haltbarkeitsfrist im Preis reduziert sind. Folglich bietet sein Mittagessen immer die abenteuerlichsten Geschmackserlebnisse, bestimmt vom Angebot in der Sonderpreisabteilung bei *Tesco*.

»Heute gibt es ein ausgezeichnetes Stück gegrilltes Lamm, das gerade erst über sein Haltbarkeitsdatum geschlittert ist, aber heute Morgen noch gut gerochen hat, und einen kleinen Salat aus gegrillter Paprika, Senfkohl und neuen Kartoffeln, wenn der Senfkohl auch nicht mehr so taufrisch ist, wie es mir lieb wäre. Aber man kann nicht alles haben.«

Colin ist ein guter Koch, aber man muss einen Magen wie ein Pferd haben, um eine Essenseinladung bei ihm zu überstehen.

»Also«, sagt er und mustert mich von Kopf bis Fuß, »was geht ab? Du siehst toll aus. Kaffee oder Tee?«

»Kaffee, bitte, und nicht so viel Spülmittel. Es gibt nichts zu erzählen, wirklich. Ich habe einfach meinen Schrank ausgeräumt, und das ist alles, was übrig geblieben ist. Gefällt's dir?«

»Und ob, Ouise.« (Er nennt mich immer Ouise, weil Louise ja so lang und so kompliziert ist.) »Wird aber auch mal Zeit. Ich habe mir schon Sorgen um dein Sexleben gemacht. Was sagt denn der Göttergatte dazu?«

»Er hat mich heute noch nicht gesehen, hat noch geschlafen. Außerdem weißt du doch, dass ich kein Sexleben habe. Ich bin verheiratet.«

»Ts, an deiner Stelle würde ich mir eine Extrapackung Kondome kaufen, Darling, und mich darauf einstellen, ein paar Tage lang o-beinig herumzulaufen. Er wird denken, es ist Weihnachten!«

»Colin Riley, sei nicht so unmöglich! Denk daran, das liebe Jesuskind kann dich hören!« Ich lache, aber tief im Innern fühle ich mich komisch, beinahe, als wäre mir übel. Ich weiß nicht, ob ich mich je wieder auf dieses Thema einlassen will.

Aber das ist auch so etwas Gefährliches am Katholischsein – wir glauben an Wunder.

Als ich an diesem Abend nach Hause komme, beschließe ich, einen Versuch zu wagen. Schließlich ist das letzte Mal schon ziemlich lange her. Die Wohnung ist leer, aber dann sehe ich, wie mein Mann mit Gummihandschuhen hinten im Garten herumwirtschaftet. Ich schleiche mich ins Bad, kämme mein Haar und erneuere das Make-up. Es kommt nicht oft vor, dass ich so etwas tue. Nur noch selten versuche ich überhaupt, interessant für ihn zu sein. Ich bin nicht sicher, was ich jetzt tun, wie ich es anfangen soll, also gehe ich ins Wohnzimmer und hocke mich auf den Rand des Sofas.

Und fühle mich wie im Wartezimmer eines Arztes.

Mein Mann und ich zerbrechen uns ständig den Kopf über diesen Raum, es ist schon zu einer Obsession geworden. Wir verbringen zahllose Stunden damit, alles umzustellen, damit er warm, gemütlich und einladend wirkt. Wir fertigen Zeichnungen an, skizzieren Pläne, schneiden kleine, maßstabgetreue Papiermodelle aus und schieben sie mit der Konzentration zweier Weltklasse-Schachspieler auf dem Papier herum. Aber das Ergebnis ist immer dasselbe. Der Wind heult um das Sofa herum, und ein Ozean aus Parkett erstreckt sich zwischen dem grünen Sessel und dem Couchtisch. (Ich habe Gäste schon eine Bauchlandung machen sehen, als sie nach ihrer Teetasse greifen wollten.) Der Esstisch lauert finster in der Ecke wie ein Folterinstrument aus der Zeit der Spanischen Inquisition. (So manche qualvolle Dinnerparty hat dies bestätigt.)

Ich nehme eine Zeitung zur Hand und blättere gerade darin herum, als er von draußen hereinkommt.

»Hallo!«, ruft er.

»Hallo, ich bin hier!« Meine Kehle ist so zusammengeschnürt, dass es piepsiger herauskommt als normal.

Er steckt den Kopf zur Tür herein und hat immer noch die Gummihandschuhe an, mit denen er jetzt den Papierkorb aus dem Schlafzimmer hält.

»Louise«, hebt er an.

»Ja?« Ich stehe langsam auf, damit er die volle Pracht meines figurbetonenden Kleides sehen kann, und lächle ihn neckisch an. Es ist riskant. Entweder sehe ich aus wie die reinste Sexgöttin oder wie Jack Nicholson in *Shining*.

Mein Mann steht da wie gelähmt. Er wirkt süß und verwirrt in seiner verwaschenen, ausgebeulten Jogginghose. Ich muss kichern und mache einen Schritt auf ihn zu. »Ja«, wiederhole ich jetzt sanft, so als würde ich ihm eine Antwort geben, statt zu fragen.

Wir stehen uns jetzt direkt gegenüber, nur der Papierkorb ist zwischen uns. Ich kann die feuchte Wärme seiner Haare riechen und den sauberen, frischen Duft unseres Weichspülers an seinem Sweatshirt. Ich sehe ihm tief in die Augen, und für einen Moment verschiebt sich alles und wird weicher, schmilzt dahin. Mein Lächeln kommt jetzt von Herzen, und ich weiß, dass ich nicht wie Jack Nicholson aussehe. Ich hebe die Hand, meine hübsche, zarte Hand, und will über die sanfte Wölbung seiner Wange streicheln, als ich plötzlich etwas bemerke, das mich innehalten lässt.

Meine Hand kommt näher, und er erstarrt. Er steht einfach nur vor mir, aber irgendwie, ohne sich auch nur einen Millimeter zu bewegen, beginnt er zurückzuweichen. Ein neuer Ausdruck taucht auf seinem Gesicht auf und verhärtet seine Züge zu einer

Maske der Verschlossenheit. Es ist der Ausdruck eines Kindes, das eine schmerzhafte, aber unvermeidliche körperliche Züchtigung über sich ergehen lassen muss, ein spontaner Ausdruck vollkommener Resignation.

Ich trete verwundert einen Schritt zurück, eine Hand noch in der Luft wie eine Puppe. Mein Mann blickt überrascht auf, und unsere Blicke begegnen sich. Die Luft um uns wird dick vor Scham und Demütigung, unerträglich.

Mein Mann erholt sich als Erster und setzt eine empörte Miene auf, wobei er den Papierkorb in die Höhe hält.

»Louise, was ist das?«

Ich sehe hinein, aber es fällt mir schwer, den Inhalt wirklich zu sehen. »Abfall.« Was Besseres fällt mir nicht ein.

Er greift in den Korb, holt eine leere Schachtel Druckerpapier heraus und schwenkt sie vor meiner Nase. »Und das hier?«

Jetzt hat er mich wirklich in die Enge gedrängt. »Noch mehr Abfall?«

Er verdreht die Augen und seufzt den Seufzer aller Seufzer. Den »Muss ich das noch mal für die Geistesschwachen unter uns wiederholen?« Seufzer. »Also gut, sieh mal.« Er stopft die zerdrückte Schachtel wieder in den Papierkorb. »So, was siehst du jetzt?«

Meine Augen füllen sich mit Tränen, aber ich halte sie zurück. »Ich sehe eine Schachtel in einem Papierkorb.«

»Nein, Louise, was du siehst, ist eine Schachtel, die den *gesamten* Korb füllt. Jeden Quadratzentimeter.«

»Na und? Es ist ein Papierkorb. Leer ihn aus!« Ich verachte ihn. Auf keinen Fall werde ich vor ihm weinen. Niemals.

»Ach ja, und an wem bleibt das wieder hängen? An mir natürlich.«

»Nicht notwendigerweise.«

»Ach, ich bitte dich.« Er verdreht wieder die Augen. Ich habe eine jüdische Gluckenmutter geheiratet.

»Du musst das nicht tun. Du musst nicht den selbst ernannten Müllmann spielen. Wir würden auch so überleben.«

»Du verstehst einfach nicht, worum es geht, oder? Alles, was ich möchte, ist, dass du bitte den Mülleimer in der Küche benutzt, wenn du besonders großen Abfall wegzuwerfen hast. In Ordnung? Können wir uns darauf einigen?«

»Besonders großer Abfall.«

»Ja. Und tu nicht so blöd, du weißt genau, was ich meine.«

»Natürlich.« Mir ist kalt. Ich will unter die Decke kriechen und schlafen.

»Sind wir uns einig?«

»Ja, großen Abfall in großen Mülleimer. Verstanden.«

»Das ist doch nicht zu viel verlangt.«

»Nein, sicher nicht.«

Er wendet sich zum Gehen, bleibt aber an der Tür stehen. »Dieses Kleid…«, beginnt er.

»Ja?« Das Blut schießt mir ins Gesicht, und ich wünschte, ich wäre nicht so blass, so durchscheinend.

»Es ist… ich will nur sagen, du siehst sehr hübsch aus.«

Über den Ozean des Parketts hinweg starre ich ihn an. »Danke.«

»Aber wenn du dir etwas Passenderes anziehen würdest, könnten wir vielleicht damit anfangen, den Gartenpfad vom Unkraut zu befreien. Ich finde, das ist eine Arbeit, die wir gemeinsam erledigen sollten.«

Er zögert, wartet auf eine Antwort.

Es gibt nichts zu sagen.

»Also dann, wenn du so weit bist«.

Er dreht sich um und geht wieder in den Garten.

Ich bin allein.

An diesem Abend bleibe ich lange auf und suche in den Seiten von *Elégance* nach Ratschlägen und Hinweisen. Es muss einen

Ausweg aus dieser Situation geben. Jemand, der so klug und erfahren ist wie Madame Dariaux, muss mir einen Tipp geben können. Ich bin sicher, ziemlich sicher, dass es nicht immer so gewesen ist. Wenn ich nur den springenden Punkt finden könnte, den entscheidenden Moment, in dem ich nach links statt nach rechts hätte gehen oder Ja statt Nein hätte sagen sollen, dann würde ich verstehen, was ich falsch gemacht habe.

Der Rest wäre leicht.

Ich würde einfach alles rückgängig machen.

Debütantinnen

Kleine Töchter sind verständlicherweise der ganze Stolz ihrer Mütter, doch leider oft auch das Spiegelbild deren eigener, uneleganter Aufmachung. Wenn man solch ein armes Kind sieht, beschwert mit Ringellocken, Bändern, Handtäschchen, Schirmchen und Ohrringen, oder wie es Schuhe mit Kreppsohlen zu einem Samtkleidchen trägt, kann man davon ausgehen, dass die Mutter keinen Funken Geschmack besitzt.
Es ist ein ernsthaftes Handicap, so aufzuwachsen, denn ein Kind muss schon eine sehr starke Persönlichkeit haben, um sich von den schlechten Gewohnheiten zu befreien, die ihm in jungen Jahren beigebracht wurden. Je schlichter ein Mädchen gekleidet ist – Pullover und Röcke im Winter, Baumwollkleidchen im Empirestil im Sommer –, desto schicker kommt es daher. Es ist nie zu früh, um zu lernen, dass Zurückhaltung und Einfachheit die Grundlagen der Eleganz sind.

Als ich etwa neun Jahre alt war, wurde ich aus meiner katholischen Grundschule genommen und auf eine private Mädchenschule geschickt. Dort lernte ich Lisa Finegold kennen, die anderthalb Jahre lang meine beste Freundin und mein lebenslanges modisches Vorbild sein sollte. Ihre Mutter Nancy stammte aus New York, was sie allein schon schick und weltgewandt machte in meinen Augen. Sie war dünn wie ein Bleistift, hatte lange braune Haare, fein geschnittene Gesichtszüge und bewegte sich, als bestünde sie aus teurem Porzellan.

Meine eigene Mutter experimentierte in diesem Jahr zu meiner großen Schmach mit Unisexkleidung. Sie hatte ein Buch über das kommunistische China gelesen und war so beeindruckt von dem spartanischen Lebensstil dort, dass sie ihn nachahmte und einen ganzen Monat lang jeden Tag denselben rot karierten Hosenanzug trug. (Das war in den Siebzigern.) Während Nancy Finegold nie in etwas anderem als Pumps mit Pfennigabsätzen aus dem Haus ging, trieb meine Mutter uns regelmäßig zu langen, anstrengenden Wanderungen in die Wälder, wozu sie plumpe, selbst genähte Mokassins und eines ihrer geliebten T-Shirts mit dem Logo einer Naturschutzorganisation trug. Ich hoffte so sehr, dass sie sich die Haare wachsen ließ oder zumindest die alte Perücke ausgrub, die sie sich in den Sechzigern mal zugelegt hatte, aber sie weigerte sich hartnäckig, ihre schon zum Markenzeichen gewordene Stoppelfrisur aufzugeben. »So etwas ist doch nicht wichtig«, sagte sie. Ich hingegen wünschte mir insgeheim, sie wäre auch aus New York und aus feinem Porzellan.

Lisa hatte ihr eigenes Zimmer mit einem großen, volantverzierten Himmelbett wie aus *Vom Winde verweht*. Darauf lagen Spitzenkissen, auf denen man nicht schlief, weil sie nur zur Dekoration da waren. Eine Reihe wunderschöner Porzellanpuppen saß sorgfältig angeordnet auf dem Kaminsims, und in einer Ecke stand eine Vitrine aus Mahagoni und Glas, die ihre Sammlung an Porzellanfigürchen enthielt.

Dann waren da Lisas Kleider, die ihre Mutter bei ausgiebigen Einkaufsausflügen nach New York erstand. Die meisten durften nur gereinigt werden und hingen auf seidenbezogenen Bügeln ordentlich im Schrank. Alles war frisch gebügelt, sauber und, was ich am erstaunlichsten fand, in der passenden Größe. Sie besaß kein einziges abgelegtes Stück.

Bevor ich Lisa traf, waren alle meine Freundinnen genau wie ich. Wir teilten unsere Zimmer widerwillig mit unseren Geschwistern und zogen unsichtbare Grenzlinien durch die Mitte des

Fußbodens – nicht unähnlich den Frontlinien im Bürgerkrieg – in dem vergeblichen Versuch, etwas Unabhängigkeit und eine eigene Identität zu gewinnen. Wir schliefen in Etagenbetten auf Kissen, die man sich unter den Kopf legte, die man voll sabbern konnte und die in die Waschmaschine gesteckt wurden, wenn man krank war. Selbst die Möbel waren aus strapazierfähigen, abwaschbaren Materialien und so stabil, dass man ohne Bedenken auf sie drauf oder von ihnen herunterspringen konnte. Unsere Sammlungen bestanden aus Lebendigem: Spinnen, Schnecken, Käfern und Würmern. Sie wurden in Marmeladengläsern und Pappschachteln ausgestellt, die wir in der kühlen Erde unter der Verandatreppe zum Garten aufbewahrten. Es galt, viele Mutproben in Gärten oder Hinterhöfen zu bestehen, wozu unter anderem gehörte, nach einem Gewitter riesige Nacktschnecken anzufassen und einzusammeln.

In der Schulpause drehten Lisa und ich Arm in Arm endlose Runden um den Schulhof (Lisa tobte nie herum oder spielte Fangen oder sonst etwas, bei dem man ins Schwitzen kam), und ich überschüttete sie mit Fragen nach weiteren Einzelheiten über ihren Tagesablauf. Regelmäßig malte ich mir aus, wie meine Eltern bei einem schrecklichen Autounfall ums Leben kämen und wie ich auf dem Höhepunkt meines untröstlichen Kummers von den Finegolds adoptiert und Lisas Schwester würde.

Als Lisa mich zum ersten mal zum Spielen zu sich nach Hause einlud, hatte ich das Gefühl, eine Traumwelt zu betreten. Die Haushälterin, die mir die Tür öffnete, trug eine Schürze, genau wie Alice bei den Bradys in *Drei Mädchen und drei Jungen*. Sie kochte uns das Mittagessen, das nicht nur warm war, sondern auch aus Spaghetti mit selbst gemachter Soße bestand. Obendrein gab es Tapiokapudding zum Nachtisch, schön süß und klumpig und, wie Lisa behauptete, mit Froschlaich gemacht, weshalb sie ihn nicht anrührte und ich zwei Portionen bekam.

Danach gingen wir hinauf in Lisas Zimmer und setzten uns aufs

Bett. Das Bett war so perfekt dekoriert, dass wir uns aus Angst, etwas durcheinaner zu bringen, nichts zu berühren trauten, sondern uns nur auf die Kante statt in die Mitte setzten. Lisa strich die Falten ihres Rocks glatt und sah gelangweilt aus. (Das war ihre anziehendste Eigenschaft – ihre ausdauernde Fähigkeit, Langeweile zu empfinden.)

»Lass uns doch mit den Puppen spielen«, schlug ich vor und betrachtete dabei sehnsüchtig ihre schöne Sammlung. Für mich war es bereits beschlossene Sache, welche davon Ballerinas und welche vom Teufel besessen sein sollten. *Der Exorzist* lief in jenem Jahr in den Kinos, und obwohl wir noch zu jung waren, um den Film sehen zu dürfen, waren mein Bruder, meine Schwester und ich völlig fasziniert von dem Gedanken, besessen zu sein, grünes Zeug zu kotzen und in beängstigenden Stimmen zu sprechen. Außerdem ergab das einen schönen Gegensatz zu der Balettmanie.

»Wir könnten die mit den dunklen Haaren vom Teufel besessen sein lassen, und die blonden sind die Ballerinas, was meinst du?«

Es entstand ein kurzes Schweigen, während Lisa mich ansah, als wäre ich übergeschnappt.

»Oder umgekehrt?« Ich war da ganz flexibel.

»Man *spielt* doch nicht mit ihnen«, sagte sie. »Sie sind nur zum *Anschauen* da.«

Ich wollte sie fragen, warum, aber mein Wunsch, sie zu beeindrucken, verbot es mir, ihr zu gestehen, dass mir der Umgang mit Porzellanpuppen nicht vertraut war.

»Ach so, natürlich. Okay, dann lass uns doch eine Miniaturwelt unter dem Bett bauen. Wir können die Figürchen aus der Vitrine holen, und wenn wir ein bisschen grünes Papier finden, können wir einen Teich machen, und wir können den Nachttisch nehmen und sie in die Welt der Riesen schicken …«

Ich merkte an ihrem gequälten Gesichtsausdruck, dass sie nicht gerade begeistert war.

»Louise …«, fing sie an, unterbrach sich jedoch gleich wieder.

Lisa war genauso wenig in der Lage, mir ihre Welt zu erklären, wie ich in der Lage war, sie zu verstehen. Sie hatte so etwas ja auch noch nie nötig gehabt. Schließlich sagte sie wie ein Kind, das etwas aus dem auswendig gelernten Katechismus herunterbetet: »Manche Dinge sind nur zum Anschauen da, nicht zum Anfassen.«

»Oh.« Ich verstand überhaupt nichts.

Sie lächelte mich an, also lächelte ich zurück. Wir saßen dort und lächelten uns an, und jede hielt die andere für verrückt.

»Ich weiß was«, sagte sie irgendwann. »Lass uns rauf auf den Dachboden gehen und dem Hund Babykleider anziehen.«

Einige Dinge sind zum Glück von wahrhaft kulturübergreifender Gültigkeit.

Dann luden mich die Finegolds eines Tages ein, mit ihnen in ein Restaurant zu gehen. Zu diesem feierlichen Anlass trug ich mein bestes Kleid, das meine Großmutter Irene nach meinen genauen Angaben geschneidert hatte. Wir hatten den Schnitt und den Stoff zusammen ausgesucht, einen festen, weißen Baumwolldruck mit leuchtend roten und blauen Blumen, und sie nähte kleine Flügelärmel mit Spitzenbesatz daran und smokte die Vorderseite des Oberteils dann mit der Hand.

Ich nahm das Kleid auf einem Bügel mit in die Schule und hängte es in meinen Spind. Manchmal zeigte ich es einem der anderen Mädchen, aber für Lisa sollte es eine Überraschung sein, denn ich war sicher, dass sie von selbst vorschlagen würde, mich als Schwester zu adoptieren, sobald sie mich darin sah.

Nach der Schule gingen wir zu ihr nach Hause und spielten, was an diesem Tag hieß, dass wir die Porzellanfigürchen aus der Vitrine nahmen, sie betrachteten und dann wieder exakt an ihren alten Platz zurückstellten. Nach einer Weile hörten wir jemanden ins Haus kommen, und Lisa sagte: »Es ist Zeit, uns fertig zu machen.« Wir zogen unsere Kleider an, kämmten uns gegenseitig die Haare und gingen nach unten. Lisa sagte nichts zu meinem Kleid, und ich sagte nichts zu ihrem, das aus schwarzem Samt war und eine cremefarbene Schärpe hatte. Wir waren uns stillschweigend einig, dass wir beide umwerfend aussahen.

In der Küche trafen wir auf Dr. Finegold, der Tapiokapudding direkt aus der Schüssel im Kühlschrank aß. Groß und schlank, mit schwarzen, gewellten Haaren, einem romantischen Schnurrbart und sanften, braunen Augen, war er mit Abstand der schönste Mann, den ich je gesehen hatte. Er besaß eine riesige Zucht von Wasserschildkröten, die er in verschiedenen Tanks und Plastikbecken im Keller hielt, was ich toll fand, Lisa dagegen nur eklig. Am liebsten aber spielte er Klavier.

»Daddy, das sollst du doch nicht tun«, tadelte Lisa ihn halbherzig. (Selbst ihre Eltern waren nichts als ein kleines Ärgernis für sie.)

»Das bleibt unser Geheimnis«, sagte er und warf den Löffel ins Spülbecken. »Soll ich euch Mädchen was vorspielen?«

Wir gingen ins Wohnzimmer, wo er zu spielen anfing. Ich tanzte um das Klavier herum, und wir lachten und spornten uns gegenseitig an. Ich drehte eine Pirouette, und er rief: »Weiter so, noch eine!« Dann spielte er einen langen Lauf, und ich klatschte, damit er es noch einmal tat. Lisa war nicht gut im Tanzen, was mit ihrer Abneigung gegen jegliche körperliche Betätigung zusammenhing, also stand sie neben dem Klavier, schmollte und langweilte sich. Dr. Finegold sang »Mona Lisa«, was ich superkomisch fand, aber Lisa ignorierte ihn. Alles in allem hatten wir sehr viel Spaß.

Wir hörten Nancy nicht hereinkommen, aber auf einmal war sie da, und Dr. Finegold hörte auf zu spielen. Ich stand strahlend und keuchend im Zimmer, völlig außer Atem. Das war der Moment: Ich hatte gerade vier Pirouetten gedreht und trug das schönste Kleid der Welt. Wenn sie je den Wunsch haben sollten, mich zu adoptieren, dann jetzt.

Nancy Finegold stand schweigend in der Tür. »Ich denke, ihr Mädchen solltet euch jetzt fertig machen«, sagte sie endlich.

»Wir sind doch fertig, Mama.« Lisas Stimme klang ungewöhnlich leise.

Ihre Mutter wandte sich an mich. »Willst du das anziehen?«

Ich nickte. War das eine Fangfrage?

Sie kehrte mir den Rücken zu und sprach mit Lisa. »Hast du nicht etwas, das sie sich ausborgen könnte?«

Ich merkte, wie ich erstarrte – wie es einem eben geht, wenn jemand über einen spricht, als wäre man ein Möbelstück.

»Nan!«, rief Dr. Finegold dazwischen.

Sie bedachte ihn mit einem abfälligen Blick. »Sei nicht so dramatisch, Mel.« Dann beugte sie sich über mich, um mein Kleid genauer in Augenschein zu nehmen, und lächelte süß. »Dieses Kleid ist ganz hübsch, Louise, aber Lisa hat eines, das noch besser passt.«

»Mom!« Das Entsetzen auf Lisas Gesicht war nicht zu übersehen, offensichtlich war sie noch nie aufgefordert worden, etwas mit jemand anderem zu teilen.

Nancy Finegold gab sich als Genie umringt von Dummköpfen. Sie seufzte entnervt und verdrehte die Augen in der Erwachsenenversion von Lisas bevorzugter Mimik. »Na schön, dann nicht. Wie wäre es mit einer Strickjacke?«

Dr. Finegold verließ den Raum, während Lisa niedergeschlagen zu Boden sah.

In ihrem langen Nerzmantel und den schmalen, hochhackigen Pumps wirkte Nanny zu dünn und zu schwankend, um längere Zeit aufrecht stehen zu können. Ihre großen braunen Augen durchsuchten den Raum nach einem Zeichen der Bestätigung oder des Nachgebens, und als sie keines fand, öffnete sie den Mund, um etwas zu sagen, aber es kam nichts heraus. Sie klappte ihn wieder zu und erinnerte mich dabei dermaßen an die Puppe eines Bauchredners, dass ich einen bangen Moment lang glaubte, laut lachen zu müssen. Sie rang ihre schönen gepflegten Hände und ließ sie dann herabfallen, wobei die Goldarmreifen klimperten, als hätte der Puppenspieler plötzlich die Fäden losgelassen.

Ich konnte es nicht mehr ertragen. »Okay, ich ziehe eine Strickjacke drüber«, erbot ich mich.

Sie starrte mich einen Augenblick an, lächelte dann triumphierend und gab Lisa einen Schubs. »Los, lauf nach oben und hol mir eine von deinen blauen Strickjacken.«

Lisa löste sich von uns mit der Geschwindigkeit einer meiner Riesennacktschnecken.

Jetzt waren wir beide allein. Ich sah sie an, aber sie erwiderte den Blick nicht, sondern kniete nieder und zog meine Kniestrümpfe hoch, deren Ränder sie auf den Millimeter genau gleich umschlug. Ich roch ihr Parfum, ihr Haarspray und den moschusartigen, beinahe an Aluminium erinnernden Geruch ihres Pelzmantels, als sie mit der Hand meine Haare glattstrich. Monatelang hatte ich mir gewünscht, von ihr berührt zu werden, auf sie zuzulaufen und meine Arme um sie zu schlingen, meinen Kopf an ihrer Schulter zu vergraben und ihr zu sagen, wie sehr ich sie liebte. Jetzt endlich schenkte sie mir ihre ganze Aufmerksamkeit, und ich konnte mich nicht bewegen.

Manche Dinge sind nur zum Anschauen da, nicht zum Anfassen. Nancy Finegold gehörte dazu.

Wir fuhren zum Essen ins Restaurant, und ich trug die Strickjacke.

Später holte mein Vater mich in unserem alten braunen Familienkombi ab, und als ich auf den Beifahrersitz sprang, fühlte ich mich frei und sehr, sehr erwachsen.

»Wie war's denn, Schatz?«, fragte er. »Hat ihnen dein Kleid gefallen?«

»Ich glaube, sie haben es nicht verstanden, Dad.«

Er lachte. »Was gibt es dabei zu verstehen?«

»Alles«, sagte ich.

Absolut alles.

In freudiger Erwartung

Die Zeit, in der eine Frau ein Kind erwartet, ist zugegebenermaßen nicht die günstigste für elegantes Auftreten. Unreine Haut, eine sich ausdehnende Mitte und eine Silhouette, die gegen Ende immer unförmiger wird, ergeben einen nicht immer erfreulichen Anblick im Spiegel. Doch da fast jede Frau diese Erfahrung früher oder später durchlebt, ist es das Klügste, die Situation gutmütig zu akzeptieren und das Beste daraus zu machen.
Eine gute Methode ist es, nur wenige Stücke an Umstandsgarderobe zu kaufen und dieselben Kleider immer wieder zu tragen, bis man sie nicht mehr sehen kann. So wird man sie hinterher ohne das leiseste Bedauern weggeben. Kommen Sie vor allem nicht auf die Idee, die Sachen enger machen zu lassen, wenn Sie ihre normale Figur wiedererlangt haben. Die Kleider, die Sie während dieser langen Monate getragen haben, werden Sie für den Rest Ihres Lebens anwidern.

Mein Mann und ich haben Freunde zu Besuch, ein Paar, das wir lange nicht gesehen haben. Wir haben sie lange nicht gesehen, weil sie Kinder bekommen haben, Zwillingsmädchen. Mein Mann und ich können nicht gut mit Kindern umgehen, und wie sehr wir es auch zu verbergen versuchen, das Entsetzen steht uns ins Gesicht geschrieben. Ich starre die Kleinen an, als würde ich gleich in Ohnmacht fallen, und er ist ständig auf der Hut und fuchtelt mit einem Wischlappen herum, als wäre er im Einsatz, um Giftmüll zu beseitigen. Sehr bald bekommt das Paar das Gefühl, das keimfreie Heiligtum unseres Wohnzimmers entweiht zu haben, und beschließt schon nach einer Dreiviertelstunde in unserer Gesellschaft, dass die Zwillinge jetzt nach Hause müssen, um ihr Schläfchen zu halten. Alle sind erleichtert, sogar die Babys, die erst neun Monate alt sind. Ihre Gesichter entspannen sich sichtlich, als sie wieder ins Auto verfrachtet werden.

Alle unsere Freunde haben mittlerweile Kinder, wir sind die einzige Ausnahme. Sie haben aufgehört, uns Fragen zu stellen und mit wissendem Lächeln zu sagen: »Eines Tages werdet ihr auch eine Familie gründen wollen.« Inzwischen ist es offensichtlich, dass nur höhere Gewalt uns zu Eltern machen könnte. Wir winken ihnen nach, als sie davonfahren, und gehen zurück in unser unfruchtbares Heim mit dem staubfreien Wohnzimmer und einem Bett so groß wie Kansas.

»Gott sei Dank, das hätten wir hinter uns«, sagt mein Mann und bückt sich, um etwas vom Fußboden aufzuheben: ein hellblaues Babysöckchen, noch warm und nach Baby riechend. Er gibt es mir, und weil ich nicht weiß, wohin damit, werfe ich es weg.

»Ja«, stimme ich zu, »Gott sei Dank.«

Zum ersten Mal war ich mit sechzehn schwanger, und damals gab es noch keine Schwangerschaftstests aus der Apotheke. Ich musste einen Arzt aufsuchen, damit er mir sagte, was ich schon wusste. Man muss nicht schon einmal schwanger gewesen sein, um zu erkennen, dass etwas Seltsames mit einem geschieht. Ich übergab mich morgens und auch den ganzen Tag über und begann, merkwürdige Absonderungen an meinem Körper zu bemerken, die ich noch nie gehabt hatte. Alles roch anders, schmeckte falsch, und ich mochte keine Pizza mehr. Zum ersten Mal in meinem Leben war ich gezwungen, auf meinen Körper zu achten. Ich war von etwas Fremdem besessen wie in *Die Körperfresser kommen*, und es würde nicht von selbst weggehen.

Zu unserem Hausarzt konnte ich nicht gehen – nicht zu demselben Mann, der mich gegen Windpocken geimpft und mein Wachstum an einer Messtafel mit grinsenden Zeichentrickfiguren kontrolliert hatte. Ich war krank, aber ich musste es verbergen. Allerdings war ich damals schon daran gewöhnt, alle wichtigen Dinge, die mich betrafen, zu verbergen.

Ich war es gewohnt zu verbergen, dass ich mich nach jeder Mahlzeit erbrach, dass ich nach oben ins Gästebad ging und mir den Finger in den Hals steckte. Ich war es gewohnt, die kleinen schwarzen Speedpillen zu verbergen, die ich jeden Morgen nahm und von Sarah Blatz kaufte, einem dicken, rothaarigen Mädchen, das im Hockeyteam spielte und sie von ihrem Arzt zur Gewichtsabnahme verschrieben bekam. Und ich war es gewohnt, vor meinen Eltern zu verbergen, wohin ich abends ging, was ich tat und vor allem mit wem.

Meine Freundin Mary brachte mich zu ihrer Ärztin, deren Praxis in einem anderen Stadtteil lag. Auch bei ihr hing eine Messtafel an der Wand, aber sie hatte mich noch nie gemessen, also war das kein Problem.

Mary hatte Angst, weil sie es nicht gewohnt war, Sachen zu verbergen, oder doch höchstens die ganz normalen Dinge verschwieg, wie etwa, dass sie mit ihrem Freund geschlafen hatte, mit dem sie schon seit anderthalb Jahren ging, oder dass sie am letzten Samstag auf der Party einer Freundin betrunken gewesen war und deshalb bei ihr hatte übernachten müssen.

Ich hatte keinen Freund; ich war schwanger von einem Typ, der nie wieder etwas von sich hören lassen würde, und ich war jeden Samstagabend betrunken.

Nach der Schule fuhr mich Mary zur Ärztin, und zwar in dem silbernen Cadillac ihrer Mutter, dessen Hupe die Erkennungsmelodie aus *Der Pate* spielte. Hin und wieder drückte sie auf die Hupe, und wir lachten laut, aber mehr aus Höflichkeit. Es war klar, dass sie mich aufmuntern wollte, und ich war ihr dankbar dafür.

Die Ärztin nahm eine Blutprobe und untersuchte mich, während ich in meinem kurzen Papierkittel auf der zerknitterten Papierunterlage saß, die den Untersuchungstisch bedeckte. Die Praxis lag im siebten Stock eines modernen Hochhauses, von dem aus man den strömenden Verkehr zum Einkaufszentrum unten überblickte. Ich konzentrierte mich auf den blassblauen Himmel, während sie meine Brüste abtastete und betrübt den Kopf schüttelte.

»Die fühlen sich ganz nach einer Schwangerschaft an«, verkündete sie. »Wir bekommen das Testergebnis erst morgen zurück, aber ich kann Ihnen schon jetzt sagen, dass Sie schwanger sind.«

Ich weiß, dachte ich nur. Ich weiß.

Mary wollte, dass ich mich ihrer Mutter anvertraute, weil sie dasselbe tun würde. Aber ich wusste, dass ich den Rest allein durchstehen musste. Ich machte einen Termin aus, würde aber noch einen Monat auf die Abtreibung warten müssen.

Meinen Eltern erzählte ich, ich hätte ein Magengeschwür, was sie ohne mit der Wimper zu zucken schluckten. Jeden Morgen gegen halb fünf musste ich mich übergeben. Und jeden Morgen wachte mein Vater um Viertel nach vier auf und machte mir zur Beruhigung meines Magens eine kleine Schüssel Haferbrei, die er mir ans Bett stellte. Dann tastete er sich in seinem roten Bademantel im Dunkeln wieder nach oben, um noch anderthalb Stündchen Schlaf zu bekommen. Er fragte mich nie, ob er das tun sollte, er tat es einfach. Wie so vieles bei uns zu Hause, gingen auch liebevolle Taten schweigend vonstatten. Ich überlegte damals, ob er dasselbe tun würde, wenn er die Wahrheit wüsste. Heute würde ich diese Frage mit Ja beantworten.

Meine Haut wurde immer schlechter, und ich hatte ständig einen metallischen Geschmack im Mund. In meinem Schulspind bewahrte ich eine Riesendose Salzcracker auf, die ich pfundweise aß. Meine Ernährung bestand aus Salzcrackern, Kartoffelbrei und

Haferschleim, alles andere war viel zu geschmacksintensiv. Aber egal, wie viel oder wie wenig ich aß, mir wurde immer noch übel. Und egal, wie oft ich mich erbrach, ich war trotzdem hungrig. Ich machte mir mehr Sorgen darüber zuzunehmen, als über die Schwangerschaft.

Der Eingriff sollte zweihundertdreißig Dollar kosten. Meine Eltern gaben mir zweihundert Dollar in bar, nachdem ich sie davon überzeugt hatte, dass ich einen neuen Wintermantel brauchte, und den Rest bezahlte ich von meinem Taschengeld.

Schließlich kam der Tag, ein Samstagmorgen Anfang März. Ein nebliger Nieselregen empfing mich, als ich das Haus verließ.

Meinen Eltern erzählte ich, ich würde mit meiner Freundin Anne Einkaufen gehen, und dann fuhr ich allein zur Klinik und ließ mich aufnehmen. Es war noch früh, so gegen neun Uhr. Das Wartezimmer war mit geblümten Kissen, fröhlichen Drucken und hellen Pastelltönen dekoriert. Kleine Gruppen von Leuten saßen bereits darin – ein junges Paar, das Händchen hielt und miteinander flüsterte, und ein Mädchen mit seiner Familie. Man hatte offenbar versucht, das Wartezimmer so freundlich und normal wie möglich zu gestalten, aber trotzdem wollte niemand den anderen ins Gesicht sehen.

Zuerst musste man mit einer Beraterin sprechen, bevor man es tat. Nacheinander riefen sie uns auf, und zwar so, dass man keiner der anderen Frauen im Flur begegnete. Ich wurde in ein kleines Büro geführt, wo eine junge Frau mit kurzen braunen Haaren auf mich wartete. Ich weiß ihren Namen nicht mehr, oder als was sie sich vorstellte, aber ich kann mich noch an ihre bewusste, beinahe institutionalisierte Freundlichkeit erinnern. Und ich weiß, dass sie mich fragte, ob ich allein sei, und ich mit Ja antwortete.

Mein Mund war ganz trocken und klebrig, und das Büro war fast so klein wie eine Abstellkammer, ohne Fenster. Es gab einen Tisch und zwei Stühle und eine Tafel an der Wand mit einer grafischen Darstellung der weiblichen Anatomie. Selbst hier hatten sie sich bemüht, durch rosa gestrichene Wände alles normal und gesund erscheinen zu lassen. Es war wie ein Schönheitssalon für Abtreibungen. Keinerlei Geräusche von außen drangen herein, kein Verkehrslärm, keine gedämpften Gespräche. Es gab nur die Frau und mich.

»Ich werde Ihnen nun den Eingriff erklären und was Sie zu erwarten haben«, begann sie.

Ich nickte.

Sie holte ein rotes Plastikmodell einer aufgeschnittenen Gebärmutter heraus.

»Das ist das Modell einer Gebärmutter«, sagte sie.

Ich nickte wieder und fragte mich, woher sie es hatte, was für eine Firma so etwas herstellte und was sie wohl noch für andere Modelle in ihrem Katalog anboten.

Sie fing an zu reden und immer wieder auf das Modell zu zeigen. Ich konnte zwar ihre Stimme hören und sehen, wie sich ihre Hände bewegten, aber sonst hatte mein Verstand ausgesetzt. Ich starrte den Plastikuterus an und dachte, wie rot er war und dass ein echter wohl kaum so rot sein könnte.

»Entschuldigen Sie«, unterbrach ich sie nach einer Weile. »Ich muss mich übergeben.«

»Natürlich«, sagte sie.

Ich ging nach nebenan in eine kleine Kabine und erbrach mich. Es schien dort überall solche Kabinen zu geben, saubere kleine Räume voller kotzender Frauen. Als ich wiederkam, machte sie dort weiter, wo sie aufgehört hatte. Sie war offensichtlich daran gewöhnt, dass Leute mitten in ihrem Vortrag kotzen gingen.

»Bei dem Eingriff werden wir die Schleimhaut der Gebärmutter ausschaben und dadurch eine künstliche Fehlgeburt verursachen. Sie werden alle Symptome einer Fehlgeburt haben, starke Blutungen, Krämpfe und hormonelle Schwankungen. Dadurch werden Sie empfindlicher und etwas schwächer sein als normal.

Es ist wichtig, dass Sie sich hinterher ausruhen und sich ein paar Tage lang schonen. Kommt jemand Sie abholen?«

Ich starrte sie an.

»Sie sind allein hergefahren?«, fragte sie nach.

Im Zimmer war es vollkommen still. Sie war ungeschminkt, und ich versuchte, sie mir in einer Bar vorzustellen, wie sie sich lange nach Lokalschluss noch mit einem Fremden unterhielt. Es gelang mir nicht.

Sie wartete. Sie war ans Warten gewöhnt.

Ich machte den Mund auf, der nach Erbrochenem schmeckte. Dann schloss ich ihn wieder und versuchte zu schlucken.

»Möchten Sie ein Glas Wasser?«

Ich schüttelte den Kopf. Dann würde ich nur wieder brechen müssen.

»Sie müssen das nicht tun«, sagte sie schließlich.

Sie sah mich an mit ihrem frischen, sauberen Gesicht, dem Gesicht einer Mutter in einer Werbung für Kinderaspirin.

Ich fing an zu weinen, aber auch daran war sie gewöhnt.

Ich hasste mich selbst, weil ich wusste, dass wir alle hier es am Ende tun würden. Sie reichte mir ein Tempo. Zwanzig Minuten später würde sie einer anderen ein Taschentuch reichen, vielleicht dem Mädchen mit dem Freund.

»Vielleicht möchten Sie noch einmal darüber nachdenken«, schlug sie vor. Man hatte schließlich die freie Wahl.

»Nein.« Ich war fertig mit Weinen. »Ich habe mich entschieden.«

Es war genau so, wie sie gesagt hatte. Eine Stunde später lag ich auf der Krankenhausversion eines Fernsehsessels, trank gezuckerten Tee und aß Kekse.

Vier Stunden später lief ich mit meiner Freundin Anne durch die Geschäfte, um mir einen neuen Wintermantel zu kaufen, und verwendete dazu eine Kreditkarte, die ich meinen Eltern geklaut hatte.

»Dein Magengeschwür scheint besser zu sein«, bemerkte mein Vater eine Woche danach.

»Ja, Dad. Ich glaube, es ist verschwunden.«

Und es war verschwunden. Bis zum nächsten Mal.

An der Garderobe in der Diele meiner Eltern hängt ein Mantel. Es ist ein einreihiger, dunkelblauer Wintermantel mit klassischem Schnitt und in einwandfreiem Zustand. Er hängt schon seit Jahren dort, aber niemandem scheint das aufzufallen. Er ist nie getragen worden.

Femme fatale

Wären Frauen ganz ehrlich, würden sie zugeben, dass die Faszination von Pelzen nicht nur darauf zurückzuführen ist, dass sie so schön warm halten. Ein Pelz ist schließlich niemals nur ein Pelz, sondern mehr als jedes andere Kleidungsstück auch ein Symbol, und ein Nerzmantel ist das sprechendste Symbol von allen. Er steht für Erfolg, gesellschaftlichen Status und größten Luxus, sowohl, was den Mann angeht, der ihn gekauft hat, als auch die Frau, die ihn trägt. Jemand hat einmal gesagt – und da ist viel Wahres dran – dass der Besitz eines Nerzmantels die Eintrittskarte in die weibliche Version der Ehrenlegion verkörpere.

Pelze sind wichtige Meilensteine im Leben einer Frau und werden im Allgemeinen erst nach langem Überlegen und Vergleichen erworben. Treffen Sie Ihre Wahl also mit Sorgfalt, und denken Sie daran: Männer kommen und gehen, aber ein guter Pelzmantel ist etwas fürs Leben.

Es gibt eine Anekdote über eine berühmte Operndiva, die für eine Aufführung der *Tosca* an der New Yorker Met probt. Nach der Probe schickt sie ihre Garderobiere, ihre Sachen zu holen, und die arme Frau kommt mit einem schwarzen Wollmantel über dem Arm wieder.

Die Diva ist entsetzt. Sie wirft ihren Kopf zurück und fixiert die Garderobiere mit einem eisigen Blick. »Meine Liebe, Sie wissen doch genau, dass ich keine *Stoffmäntel* trage!«

Diven und Nerze haben viel gemeinsam. Man muss töten, um einen Nerzmantel herzustellen. Seine Schönheit ist schrecklich anzuschauen. Mit Diven ist es das Gleiche. Man muss zwar keine Diva sein, um einen Nerz zu tragen, aber es ist durchaus von Vorteil.

Ich bekam meinen ersten Nerzmantel mit neunzehn. Eine Freundin meiner Mutter schenkte ihn mir, deren eigene Mutter vor kurzem an Alzheimer gestorben war. Sie war eine kleine, zierliche Frau gewesen, und niemand in der Famile konnte den Mantel tragen. Oder wollte es.

Es war ein knöchellanger Nerz, glänzend, schwer und nach Moschus stinkend, wenn es regnete. Der Mantel war das politisch unkorrekteste Kleidungsstück, das man haben konnte, und dennoch besaß er Autorität und einen bedrohlichen Glamour. Die meisten Leute reagierten sehr heftig auf ihn, waren wütend, beleidigt, neidisch oder lüstern. Es war ein Mantel von fast biblischer Bedeutungskraft. Er verbarg nichts, kam niemandem entgegen. Wenn man ihn hasste, tat er nichts, um den Hass von sich abzulenken, und wenn man ihn liebte, war es ihm ebenfalls gleichgültig. Dasselbe Element, das ihn abstoßend machte, verlieh ihm auch seinen Glanz. Und er passte mir wie angegossen.

Das Problem mit einem solchen Kleidungsstück ist, dass es das Leben der Trägerin und ihre Persönlichkeit beherrschen kann. Wenn man sich seiner selbst nicht sicher ist, besteht leicht die Gefahr, zu einem Nerzmantel zu werden.

Ich hatte zu jener Zeit einen Freund. In der Highschool hatte er sich als Autodieb betätigt, und jetzt ging er zwei Jahre über mir auf die Schauspielschule. Er trug eine Jeansjacke, die schon manche Verfolgungsjagd durch die Polizei mitgemacht hatte und noch Blutflecken von seiner Verhaftung aufwies. Sie war total abgetragen und wurde an manchen Stellen nur noch durch ein paar Fäden zusammengehalten.

Wir sahen wie Geschwister aus, er und ich, wir hatten die gleichen hellblonden Haare und grünen Augen. Keiner von uns beiden kannte sich selbst oder wusste, wer er sein wollte, also wurden wir Schauspieler. Wir verbrachten die Abende damit, in einem rund um die Uhr geöffneten Diner namens »Chief's« zu essen, er in seiner abgewetzten Jeansjacke und ich in meinem Nerz. Wir rauchten Zigaretten, tranken Bier zu unseren Rühreiern und debattierten über jambische Pentameter und darüber, ob Pinter ein Genie oder bloß ein Aufschneider war. Wir würden große Schauspieler werden, berühmt und reich. Wir dachten uns Geschichten über uns selbst aus, trugen Kostüme, spielten immer neue Szenen. Waren selbst unsere Lieblingsfiguren.

Nur dass ich immer der Nerz und er immer die Jeansjacke war. Wir trugen Sie, als wir uns trafen, als wir uns trennten, und trotz all des Trinkens, Vögelns und Streitens konnten wir sie einfach nicht ablegen.

In seinem Jahresabschlussprojekt spielte er den Romeo mit einem blauen Auge. Das hatte er sich bei einer Schlägerei mit einem Mann geholt, der mich während der Weihnachtsferien in einer Bar angemacht hatte. Es war drei Uhr morgens, und wir hatten seit sechs Uhr abends getrunken. Der Mann sagte etwas zu mir, das ich nicht richtig verstand, und dann waren wir alle plötzlich draußen in der eisigen Kälte.

Sie rollten mitten auf der Straße in dem verharschten Schnee herum und boxten und traten sich, dass das Blut hellrosa Pfützen zwischen den Flecken dunklen Streusands bildete. Eine Menschenmenge versammelte sich und feuerte sie mit lauten Rufen an, genau die Sorte Leute, die man um drei Uhr morgens auf der Straße anzutreffen erwartet.

Ich konnte es nicht leiden, wenn mir die Schau gestohlen wurde, also hüllte ich mich fest in den Nerzmantel und wankte auf meinen hohen Absätzen durch die Schneewehen zum Auto.

Wir machten gerade eine Nahaufnahme, nur der Nerz und ich, als ich meinen Freund humpelnd auf mich zurennen sah. Seine

Nase blutete, und seine Fingerknöchel waren aufgeschlagen. Der andere Kerl hatte einen Ring getragen, weshalb mein Freund eine Schnittwunde auf der einen Backe hatte.

»Du Fotze!«, schrie er. »Du dreckiges, fieses Miststück!«

Aha, eine David-Mamet-Szene.

JEANSJACKE: Ich verteidige hier deine Scheißehre, und du blöde Kuh läufst einfach weg!

NERZMANTEL: Steig ins Auto.

JEANSJACKE: Leck mich.

NERZMANTEL: Steig in das verdammte Auto.

JEANSJACKE: Ich hab gesagt, leck mich. Vielleicht hast du's nicht gehört, weil du es so scheißeilig hast wegzurennen!

NERZMANTEL: Ich hab dich nicht darum gebeten, dich mit ihm zu schlagen, oder?

JEANSJACKE: So was lässt sich kein Mann bieten.

NERZMANTEL: Aber es ging doch um mich!

JEANSJACKE: Kein Mann lässt sich so 'ne Scheiße bieten, kapiert? Du bist meine Freundin. Wenn ein Typ frech zu dir wird, wird er frech zu mir. Kapiert?

NERZMANTEL: Ach, leck mich doch.

JEANSJACKE: Leck dich doch selbst.

(Eine Pinter-Pause entsteht.)

JEANSJACKE: Du bist einfach weggegangen.

NERZMANTEL: Ich konnte nicht dabei zusehen, Baby. (Tränen quellen aus den Augen, Gin-Tränen, Drei-Uhr-morgens-Tränen.) Ich konnte einfach nicht zusehen, wie er dir wehtut. (Packt mich an den Schultern, wechselt schnell in den Tennessee-Williams-Stil über.)

JEANSJACKE: Du musst an mich glauben, Louie. Bitte. (Blutiger Kopf auf Nerzmantel.) Es ist wichtig, dass du an mich glaubst. (Leise) Ich brauche dich, Baby. Ich brauche dich.

(Vorhang)

Nur dass der Vorhang nie gefallen ist.

Wir trennten uns erschöpft, kurz bevor ich nach England ging. Mir wurde klar, dass ich keine Diva war, dass ich nicht das Durchhaltevermögen für die große Oper hatte. Und man kann nur begrenzt oft »Leck mich« zu jemandem sagen, bevor man anfängt, es wirklich zu meinen.

Ich hatte geglaubt, Leidenschaft, Drama und Liebe würden zusammengehören, jedes ein Beweis für die Existenz des anderen. Aber das Gegenteil ist der Fall: Drama und Leidenschaft sind bloß aufwändige Tarnungen für eine Liebe, die nie Wurzeln geschlagen hat.

Am Ende verschenkte ich den Nerzmantel an eine Freundin in New York. Es war ein schwerer Mantel, und ich war froh, ihn los zu sein. Doch kaum war er weg, merkte ich, dass mir etwas fehlte.

Ich dachte, ich könnte meinen Charakter so leicht wechseln wie den Mantel.

Aber seit dieser Zeit suche ich immer noch nach dem richtigen Modell.

Gelegenheitskäufe

Eine kluge Frau nimmt nie eine Freundin mit, wenn sie Garderobe einkaufen geht. Da die Freundin, ohne es direkt zu wollen, oft auch eine Rivalin ist, wird sie unbewusst all das schlecht machen, was Ihnen am besten steht. Selbst wenn es sich um die loyalste Freundin der Welt handelt, die Sie anhimmelt und sich von Herzen wünscht, dass Sie die Allerschönste sind, bleibe ich fest bei meiner Meinung: Gehen Sie immer allein einkaufen, und wenden Sie sich nur an die speziell geschulten Verkäuferinnen, wenn Sie einen Rat brauchen. Diese mögen zwar ein finanzielles Interesse an Ihnen haben, aber zumindest gibt es keine Verstrickungen auf der Gefühlsebene.
Besonders hüte man sich vor Freundinnen wie diesen:

1. *Die Freundin, die so sein möchte wie Sie, die sich auf den ersten Blick in dasselbe Kleid verliebt und Entschuldigungen vorbringt wie: »Ich hoffe, du hast nichts dagegen, Darling, aber wir gehen ja nicht oft zusammen aus, und wenn, dann können wir ja vorher immer noch telefonieren, damit wir es nicht zur selben Zeit anziehen…« etc. Sie sind wütend, wagen aber nicht, es zu zeigen, und bringen das Kleid am nächsten Tag zurück.*
2. *Die Freundin, die weniger Geld zur Verfügung hat als Sie und noch nicht einmal davon zu träumen wagt, sich dieselbe Art Kleidung zu kaufen (in Wahrheit träumt sie*

natürlich von nichts anderem). Vielleicht glauben Sie, Ihr einen Gefallen zu tun, indem Sie sie zum Einkaufen mitnehmen, doch ich persönlich nenne so etwas seelische Grausamkeit und finde es immer furchtbar peinlich zu beobachten, wie manche Frauen ihre beste Freundin die zweite Geige spielen lassen. Im Übrigen ist ihre Anwesenheit von keinerlei Nutzen für Sie, weil diese Sorte Freundin grundsätzlich alles gut findet, was Sie auswählen, und das mit noch größerem Enthusiasmus, wenn es etwas ist, dass Ihnen nicht besonders schmeichelt.

3. *Schließlich die Freundin, für die Kleider der ganze Lebensinhalt sind und bei der Sie Rat suchen wollen. Diese verwöhnte, selbstbewusste Frau wird die Verkäuferinnen ganz für sich beanspruchen, die natürlich sofort eine gute Kundin wittern. Auf einmal stellen Sie fest, dass niemand Sie beachtet, weil alle sich auf die Frage konzentrieren, was Ihrer Freundin am besten steht und nicht Ihnen.*

Moral von der Geschichte: Gehen Sie immer allein einkaufen. Frauen, die mit ihren Freundinnen Garderobe kaufen gehen, mögen beliebt sein, aber elegant sind sie gewiss nicht.

Ich bin auf dem Weg nach Notting Hill zu einer Freundin namens Nicki Sands, mit der ich zusammen etwas schreibe. Wir haben vor etwa einem Jahr damit begonnen, ein Drehbuch zu entwerfen, obwohl keine von uns beiden eine gelernte Autorin ist – was auch der Grund sein mag, weshalb wir mit dem Projekt nicht recht vorankommen. Wir treffen uns gewissenhaft zweimal die Woche und trödeln gemeinsam in einer Art beruflichen Sackgasse herum. Immerhin verschafft uns die Schreiberei bei peinlichen Fragen wie: »Und was machen Sie so?« ein nützliches Alibi.

In den späten Siebzigern und frühen Achtzigern war Nicki ein gefragtes Model; jetzt lebt sie mit einem Plattenproduzenten in einem riesigen Doppelhaus in Notting Hill. Die beiden empfinden offene Verachtung füreinander. Keiner von ihnen hat es nötig, für Geld zu arbeiten, also vertreiben sie sich die Zeit damit, von Zimmer zu Zimmer zu wandern und nach neuen Methoden zu suchen, sich gegenseitig zu quälen.

Gegen halb elf Uhr vormittags treffe ich ein und finde Nicki und Dan in ihrer Küche im Santa-Fe-Stil. Sie besitzen eine Espressomaschine, mit der keiner von beiden umgehen kann, und stehen mit leeren Tassen vor dem nachgemachten mexikanischen Lehmziegelofen und Zimmergrill.

Hin und wieder startet einer von ihnen einen neuen Versuch, an etwas zu trinken zu kommen, während der andere seine Kommentare dazu abgibt.

»Genau, den Kaffee da rein und dann den Knopf drehen… Nein! Nein, nein, nein!«

»Halt die Klappe!«

»Herrgott, du machst es schon wieder falsch!«

»Nein, mache ich nicht!«

»Dampf, da muss doch Dampf rauskommen!«

»Halt die Klappe. Was hast du denn nur dauernd?«

»Was ich habe? Ich kann dir sagen, was ich habe. Ich bin seit sechs Uhr auf und habe noch keine einzige Tasse Kaffee gehabt!«

Die Gebrauchsanweisung lesen gilt als Schummeln.

Nach einer Weile gibt Dan auf und macht sich einen Pulverkaffee. Der dreihundert Pfund schwere Triumph italienischer Technik hat wieder einmal gesiegt. Nicki und ich beschließen, woanders einen Kaffee trinken zu gehen und dort die weitere Entwicklung unserer Filmhandlung zu besprechen. Was wie immer damit endet, dass wir im »Tom's« sitzen, einem Café und Naturkostladen um die Ecke, und Nickis verkorkste Beziehung in allen Einzelheiten durchkauen.

»Er bildet sich ein, dass er jung aussieht!«, zischt sie mir zu und beugt sich scheinheilig über den Tisch, als ginge es ihr um Diskretion. »Neulich hat er doch zu mir gesagt: ›Ich glaube, ich sehe nicht einen Tag älter aus als fünfunddreißig.‹ Ich hätte mich beinahe an meinem Cappuccino verschluckt!« (Den müssen sie irgendwo außer Haus getrunken haben.)

Sie spricht zwar mit mir, aber ihre Augen sind ständig auf die Tür gerichtet. Es könnte ja eine hereinkommen, die dünner, hübscher oder schicker ist. Das passiert fast nie. Gerade will ich ihr anvertrauen, dass mein Mann und ich möglicherweise auch ein ernstes Problem haben, als sie plötzlich einen Schrei ausstößt, mich unsanft am Arm packt und halb vom Stuhl zerrt. »Mein Gott, Louise!«, schnauft sie. »Das ist die Handtasche, von der ich dir erzählt habe! Da!«

Ich lächle und nicke.

So etwas bin ich inzwischen von Nicki gewöhnt. Auch dass sie mich nicht wirklich beachtet.

Nicki gehört zu den Frauen, die immer nur eine Freundin zur selben Zeit haben. Diese Freundin verschleißt sie relativ schnell mit ihrem ständigen Bedürfnis nach Aufmerksamkeit, hat aber zu viel Angst vor Konkurrenz, um mehr als ein anderes weibliches Wesen in ihrem Leben zu dulden. Ich weiß das schon seit längerem, aber leider ist es noch nie meine Stärke gewesen, Freundschaften zu kultivieren – darum bleibe ich dann doch bei Nicki hängen. Zwar bin ich nicht ungesellig und verbringe gern ein Stündchen oder mehr mit lockerem Geplauder im Kreis von beliebig vielen Leuten, doch was mir nicht so liegt, ist diese ehrliche Selbstentblößung und die geteilten Geheimnisse, die das Fundament einer dauerhaften Frauenfreundschaft sind. Dabei sehne ich mich nach offenen, persönlichen Gesprächen und wünschte, mein Leben wäre nicht so ein Durcheinander. Jetzt ist nicht die richtige Zeit für Offenbarungen, denn wenn ich jemandem die Probleme anvertrauen würde, die mich beschäftigen, würde ich etwas gegen sie unternehmen müssen. Und dazu bin ich noch nicht bereit. Eines Tages, wenn ich alles besser auf die Reihe kriege, werde ich vielleicht einmal eine richtige Busenfreundin haben, eine, mit der ich wirklich reden kann.

Im Moment jedoch wird nicht von mir erwartet, mein Herz auszuschütten, denn Nicki verlangt nur, dass ich zur Stelle bin und hinter ihr hertrotte. Das ist mir auch ganz recht so. Es ist einfach und stellt keine großen Ansprüche an mich – wir reden über nichts Komplizierteres als neue Lippenstiftformeln und die Vorzüge von Pilates gegenüber Hatha-Yoga-Techniken, auch wenn ich mir solche Kurse gar nicht leisten kann. Außerdem haben diese wöchentlichen kleinen Fluchten einen Hauch von Glamour. Ich genieße es, mich in dem chaotischen Glanz und Reichtum von Nickis Welt zu sonnen, in der es Häuser zu mehreren Millionen Pfund, Gesichtscremes zu hundert Pfund und ökologische Caffelattes zu vier Pfund gibt, während ich mich an die beruhigende Gewissheit klammere, dass Nicki und Dan trotz ihres ganzen Geldes furchtbar unglücklich sind. Wenn man mit seinem eigenen Leben nicht zurechtkommt, gibt es nichts Tröstlicheres, als von Leidensgenossen umgeben zu sein.

Als wir so viel Koffein intus haben, dass uns die Tränen kommen, gehen wir zurück zu Nickis Haus und laden unsere Taschen in ihrem im marokkanischen Stil eingerichteten Wohnzimmer ab. Fast immer, wenn Nicki und Dan etwas verlieren, findet es sich irgendwann zwischen den Massen von Kelimkissen wieder, die diesen Raum bevölkern. Sogar die Vorhänge sind aus alten orientalischen Teppichen gefertigt worden, sodass man das Gefühl hat, von einer riesigen Teppichtasche verschluckt zu werden, wenn man dort sitzt.

Dann steigen wir hinauf in Nickis viktorianisches Arbeitszimmer, wo sie sich vor ihren Computer hockt, der auf einer einem antiken Toilettentisch nachempfundenen Konsole steht. Ich setze mich auf die Liege, eine schrecklich unbequeme Antiquität, die einst offenbar dazu gedacht war, die viktorianischen Damen zu einer wachen, aufrechten Haltung zu zwingen.

»Okay, gut.« Nicki schaltet den Computer ein, klickt in unsere Datei und geht zu der Stelle, wo wir aufgehört haben.

»Da haben wir's, Seite fünfzehn«, verkündet sie munter.

Egal, wie viel wir arbeiten oder wie oft wir uns treffen, wir sind immer auf Seite fünfzehn.

»Okay, wie weit waren wir?« Ich versuche, mich zu ein wenig kreativem Eifer aufzuraffen.

»Jan wollte Aaron gerade gestehen, warum sie von zu Hause weggegangen ist.«

»Ach ja, gut. Und wie wollten wir von da ab weitermachen?«

Nicki sieht die Notizen durch, die wir beim Kaffee gemacht haben.

»Weißt du, ich glaube, wir hatten noch nichts fest entschieden.«

»Gab es schon irgendwelche Ideen?«

Sie blättert wieder durch die Seiten. »Ich kann eigentlich nichts sehen, was eine konkrete *Idee* wäre.«

»Aha. Na gut. Was soll's.« Ich stemme mich von der durchhängenden Mitte der Liege hoch. »Also, machen wir ein Brainstorming.«

Im Zimmer wird es totenstill. Irgendwo in der Ferne bellt ein Hund. Nicki knabbert an einem ihrer Fingernägel.

Plötzlich dröhnt gleich der Stimme Gottes Dionne Warwick mit »Walk on by« durchs Haus. Nicki springt auf wie von der Tarantel gestochen.

»Verdammt, ich glaub's nicht, dass er das jetzt tut! Dieser Mistkerl!«

»Was tut?«, frage ich.

»Er spielt Dionne Warwick!«, kreischt sie. Sie reißt die Tür auf und brüllt nach oben: »Ich weiß, was du da machst, du Scheißkerl! Ich weiß, was du da machst!«

»Mein Gott, Nicki, was macht er denn?« Ich verstehe überhaupt nicht, was los ist.

»Er macht sein Fitnesstraining!«, schreit sie und verdreht die Augen. »Der Arsch wird als Nächstes wie verrückt auf diesem Laufband herumtrampeln.« Sie hält ihren Kopf zwischen den sorgfältig manikürten Händen. »Ich bekomme Stresskopfschmerzen. Ich fühle es schon, genau hier.« Sie zeigt auf ihre linke Schläfe. »So kann ich nicht arbeiten. Unmöglich. Macht es dir etwas aus? Ich muss unbedingt hier weg.«

Also gehen wir einkaufen.

Einkaufen mit Nicki erfordert viel Kondition. Es erfordert Geduld. Und große innere Stärke.

Alles ist bestens, solange wir uns auf Cafés und ihr Haus beschränken, aber sobald wir richtig ernsthaft Kleider einkaufen gehen, tut sich der breite Graben zwischen ihrem Leben und meinem gnadenlos auf. Auf einmal verflüchtigen sich all die freundschaftlichen Gemeinsamkeiten zweier glamoursüchtiger *Hello!*-Leserinnen, und ich werde mir schmerzlich des unüberwindlichen Standesunterschiedes zwischen uns bewusst.

Erstens ist sie hoch gewachsen und superschlank, hat lange Beine und eine äußerst ansehnliche Büste. Daher ist es, als ob man, na ja, eben mit einem Model shoppen geht.

Zweitens kauft sie bei Prada und Loewe, Harvey Nichols und Jo Malone, also in Läden, deren Preise mein mageres Budget weit übersteigen. Ich gebe dann meistens meine Columbo-Imitation und drücke mich in meinem Secondhand-Trenchcoat um die Umkleidekabinen bei Harvey Nichols herum, während sie in ihrer Unterwäsche durch den Laden stolziert und sich bergeweise Klamotten in allen möglichen Farben und Stilen schnappt. Das Verkaufspersonal liebt sie und betrachtet mich als eine Art schlecht gepflegtes Schoßhündchen.

Gelegentlich ermuntert Nicki mich, doch auch etwas anzuprobieren. In mein Gedächtnis haben sich schreckliche Momente eingegraben, in denen ich in einem unmöglich sitzenden Kleid vor einem Spiegel stehe, mit unrasierten Beinen und ausgelatschten Turnschuhen, nur um gleich darauf zu erleben, wie Nicki in dem gleichen Kleid (aber eine Größe kleiner) aus der Nachbarkabine kommt und, tja, wie ein Model aussieht.

Am meisten tun mir dann die Verkäuferinnen und Verkäufer Leid. Sie wenden die Augen ab und lächeln und lügen. Die Minuten dehnen sich zu Jahren, während sie verzweifelt versuchen, einer von uns beiden oder möglichst beiden etwas zu verkaufen.

Nicki runzelt die Stirn, schmollt und prüft überflüssigerweise, ob sich die Unterhose abzeichnet. Unterdessen schleiche ich rückwärts in die Kabine, um mich schnell wieder unter meinem Trenchcoat und der braunen Baskenmütze zu verstecken. Später helfe ich ihr, die Tüten zu tragen. Sie lächelt und tätschelt meinen Kopf, und ich muss mir auf der Heimfahrt im Auto das Gejammer anhören, wie schwer es ist, gut passende Sachen zu finden, wenn man Größe 36 hat und fast einsachtzig groß ist.

Es wäre barmherziger, wenn sie mich gleich erschießen würde.

So läuft es normalerweise zwischen uns ab, aber daran wird sich nun etwas ändern.

Dank Madame Dariaux trage ich bei unserem nächsten Treffen weder die braune Baskenmütze noch den alten Trench, denn ich war bereits einkaufen. Und zwar allein.

Ich habe gründlich darüber nachgedacht und mich innerlich darauf eingestellt. Normalerweise gestatte ich mir noch nicht einmal einen Schaufensterbummel, weil ich mir sage, dass ich sowieso kein Geld habe und es Selbstquälerei ist, sich hübsche Sachen anzusehen. Oder ich rede mir ein, dass ich zu dick bin und erst dann shoppen gehen werde, wenn ich größer und dünner bin (also wenn ich einsachtzig bin und Größe 36 habe). Aber seitdem ich das dunkelblaue Trägerkleid zur Arbeit getragen habe, lässt mich Colin nicht mehr in Ruhe und nennt mich nur noch »das Rasseweib«. Und dann, am letzten Samstag, ist etwas ganz Unglaubliches passiert.

Ich bin jemandem aufgefallen.

Einem Mann.

Ich hatte Mittagspause und einen Bärenhunger. Also war ich zu Prêt à Manger gelaufen und hatte mir einen Tunfischsalat und einen Brownie gekauft. Zurück im Theater, versteckte ich mich im Zuschauersaal, in einer der alten, mit Samt ausgekleideten Logen, um in Ruhe zu essen. ›Essen‹ trifft es allerdings nur unzureichend, denn ich schlang meine Mahlzeit herunter wie ein Raubtier seine Beute, gab sogar kleine, grunzende Geräusche von mir und beugte mich dicht über den Plastikbehälter, um so viel wie möglich in möglichst kurzer Zeit in mich hineinstopfen zu können. Solche Essenssitten erlaubt sich eine Frau nur, wenn sie allein ist, meistens vorm Fernseher und in einem Schlafanzug, aus dem sie den ganzen Tag noch nicht herausgekommen ist. Bloß, dass ich nicht allein war. Jemand beobachtete mich.

Ich kannte den Typ nicht. Er trug Jeans und ein verwaschenes blaues Sweatshirt, hatte dunkle, fast schwarze Haare und braune Augen mit schweren Lidern.

Er stand einfach da, die Hände in den Hosentaschen, und starrte mich an. Als ich ihn entdeckte, verschluckte ich mich fast an einer Kaper.

»Komischer Platz zum Essen«, sagte er lächelnd.

Oh nein, ein Bühnenarbeiter, dachte ich abschätzig. Einer von diesen Typen, die Kulissen bemalen und dabei ihre Hinternritze zur Schau stellen. Verpiss dich und lass mich in Ruhe.

»Wenn ich nach oben gehe, klauen sie mir meinen Brownie, und ich hab echt Hunger«, erklärte ich kurz angebunden und wandte mich wieder der totalen Vernichtung meines Festmahls zu. Aber er blieb einfach dort stehen, grub die Hände noch tiefer in seine Hosentaschen und schaukelte auf den Fersen vor und zurück.

»Sind Sie neu hier? Ich habe Sie noch nie gesehen«, fuhr er liebenswürdig fort.

»Nein. Ich arbeite an der Kasse.« Jeden dieser zwei kurzen Sätze beschloss ich in einem Ton, der besagte, dass das Gespräch für mich beendet war, doch er stand weiter herum und hielt mein Schweigen und meine Gleichgültigkeit aus. Ich stocherte lustlos in meinem Essen herum. Er hatte mich aus dem Tritt gebracht, ich war nun befangen und wurde mir der etwas peinlichen Tatsache bewusst, dass ich meinen Tunfischsalat mit einem Löffel aß.

Er stellte mir noch mehr Fragen, unter anderem über die Öffnungszeiten der Kasse und was ich von dem Ensemble hielt, aber die meiste Zeit glotzte er mich nur an. Ich verstand nicht, was das sollte, es machte mich nervös und verlegen. Schließlich warf ich den Rest meines Salats weg und entschuldigte mich. Sobald ich wieder an der Kasse saß, erzählte ich Colin schimpfend von meiner verdorbenen Mittagspause.

»Tja, mein kleines Rasseweib, was erwartest du?«, lachte er und schenkte mir eine Tasse stark gezuckerten Tee ein. »Du gefällst ihm eben.«

»Ich? Red keinen Quatsch, Col.«

»Sieh den Tatsachen ins Gesicht, Ouise. Der Mann steht auf dich. Übrigens ist er kein Bühnenarbeiter, sondern unser neuer Starregisseur, und er heißt Oliver Wendt. Knackiger Kerl, wenn du mich fragst.«

Mir war komisch zumute – leicht schwindelig, kribbelig, teenagerhaft.

»Er steht auf mich?«, wiederholte ich verdutzt.

Colin legte von hinten die Arme um mich. »Ja, Louise. Er steht auf dich. Gewöhn dich lieber daran.«

Als ich abends das Theater verließ, stand Oliver Wendt auf der Treppe vorm Eingang und rauchte eine Zigarette.

Für jemanden, der mir noch nie zuvor aufgefallen war, schien er plötzlich überall zu sein.

»Gute Nacht, Louise«, rief er mir hinterher.

Ich blieb stehen und drehte mich um. »Sie kennen meinen Namen?«

»Stimmt«, sagte er und trat die Zigarette mit dem Absatz aus. »Und ich heiße Oliver – jetzt kennen Sie auch meinen.« Er sah mir direkt in die Augen. Mein Herz klopfte so laut in meiner Brust, dass es einen Widerhall in der anscheinend leeren Höhle meines Gehirns gab. Ich ging weiter und lächelte in mich hinein.

»Gute Nacht, Oliver«, rief ich, und als meine Stimme hinter mir verwehte, war ich sicher, dass er ebenfalls lächelte.

Ich ging so langsam nach Hause, wie ich konnte, wollte noch möglichst lange das Glücksgefühl auskosten, das durch meinen Körper strömte. Und als ich neben meinem Mann im Bett lag, fiel ich ausnahmsweise einmal nicht gleich in einen komaartigen Schlaf.

Am Sonntag stand ich früh auf, lange bevor mein Mann das Bewusstsein wiedererlangte, und machte mich auf den Weg zur Oxford Street. Ich ging zu Top Shop und wanderte stundenlang durch den höhlenartigen Laden, gebannt von den Videobildschirmen, der pulsierenden Musik und der riesigen Auswahl an Klamotten.

Nachdem ich ungefähr die Hälfte davon anprobiert hatte, entschied ich mich für eine stahlgraue Hose mit weit geschnittenen Beinen und ein blassrosafarbenes, tailliertes Cardigan-Oberteil. Ermutigt von meinen Einkäufen, ging ich anschließend über die Straße zu Jones und kaufte ein paar schwarze, knöchelhohe Stiefeletten mit kleinem Absatz. Auf einmal, an einem einzigen Tag, hatte ich getan, was ich mir nie zuvor gestattet hatte. Die braune Baskenmütze und der Trenchcoat aus dem Secondhandladen waren verschwunden, und schmetterlingsgleich ging ich in all meinem Top-Shop-Glanz aus der braunen Verpuppung hervor.

Am Montag bin ich um zwölf mit Nicki bei »Tom's« verabredet. Ich komme ein bisschen zu spät, und Nicki ist schon da und schlürft ihren Caffelatte mit der Gier eines Junkies. Als sie aufsieht, winke ich ihr zu. Doch statt zurückzuwinken, runzelt sie nur die Stirn. Irgendetwas stimmt nicht an dem Bild, das sie sieht.

»Tut mir Leid, dass ich zu spät bin«, sage ich und lege meinen Mantel über den Stuhl zwischen uns. »Wartest du schon lange?«

Sie mustert mich, und ihre Augen registrieren jede Einzelheit meiner Erscheinung. »Du siehst anders aus«, lautet ihr Fazit.

»Ja«, sage ich, erfreut, dass es ihr aufgefallen ist.

»Diese Hose ist *neu*!« Das hört sich nicht wie eine Feststellung an, sondern wie ein empörter Vorwurf.

»Stimmt.« Ich ziehe mir einen Stuhl heran und wackle stolz mit den Hüften.

»Wann warst du denn einkaufen?«, bohrt sie.

»Am Sonntag.«

Ich setze mich, und ein junger Mann mit stachelig gegelten Haaren und einer Schürze eilt herbei, um meine Bestellung aufzunehmen.

»Was darf ich Ihnen bringen?« Er lächelt mich strahlend an. Sonst muss ich immer mit den Armen wedeln wie ein Verkehrspolizist, damit mich jemand bemerkt, daher ist das hier eine nette Abwechslung. Ich lächle zurück.

»Was können Sie denn heute empfehlen?«, frage ich.

»Also, da wäre die Tagessuppe, heute mit gegrillten roten Paprika und Avocado. Es ist eine kalte Suppe, aber«, sagt er augenzwinkernd, »Sie sehen mir aus wie jemand, der kalte Suppen mag.«

»Tatsächlich!«, kichere ich.

Nicki kann es nicht länger ertragen. »Wir haben keine Zeit für so etwas. Wir müssen arbeiten!«

»Ich kann Sie Ihnen sofort bringen«, bietet er an. So zuvorkommend.

»Das wäre toll, und einen Orangensaft bitte.«

»Aber gern. Frisch gepresst?«

»Natürlich.«

»Hätte ich mir denken können«, lächelt er.

»Entschuldigen Sie!« Nicki knallt ihre Tasse auf den Unterteller. »Ich habe schon vor zwanzig Minuten etwas bestellt!«

»Kommt sofort.« Er zwinkert mir noch einmal zu, ehe er davoneilt. Nicki ist stinkwütend.

»Der Service hier ist das Allerletzte. Und das Essen hat auch total nachgelassen. Mir reicht's jetzt. Komm.« Sie wirft eine Fünf-Pfund-Note auf den Tisch. »Gehen wir lieber zu Angelo's.« Sie zieht ihren schwarzen Dufflecoat von Prada über und stürmt die Treppe hinunter.

»Tut mir Leid«, sage ich zu dem igelhaarigen jungen Mann, während ich ihr hinterherrenne.

Nicki beruhigt sich langsam wieder auf der Straße. »Hör zu, lass uns doch einfach zu mir nach Hause gehen«, sagt sie. »Ich kann uns dort etwas zu essen machen.«

»Gut«, stimme ich zu, und wir laufen schweigend zu ihrem Haus.

Als wir hereinkommen, steht Dan in der Küche und sendet gerade ein Fax ab.

»Hallo, Louise. Du siehst toll aus! Hast du abgenommen?«

»Nein. Nur eine neue Hose gekauft.«

»Die ist echt süß. Dreh dich mal um.«

Ich mache eine kleine Pirouette, und Nicki rollt mit den Augen. Sie wirft ihren Mantel über einen Stuhl und drängt sich an uns vorbei.

»Meine Güte, Dan, es ist doch nur eine Hose«, zischt sie, während sie Sachen aus dem Kühlschrank auf die Arbeitsfläche schleudert.

»Wo hast du die her?«, fragt er weiter nach.

»Dan!« Sie wirft ein paar biologisch gezogene Strauchtomaten in eine Holzschüssel. »Das ist doch egal!«

»Von Top Shop«, antworte ich.

»Top Shop!« Er ist verblüfft. »Meine Töchter kaufen bei Top Shop ein.«

»Nein, das tun sie nicht.« Nicki knallt die Kühlschranktür zu. »Niemand, den du kennst, kauft bei Top Shop.«

»Oh doch. Was hat sie gekostet?«

»Nicht viel. Fünfunddreißig Pfund.«

»Das gibt's doch nicht!« Die Vorstellung, dass man ein Kleidungsstück für nur fünfunddreißig Pfund erwerben kann, ist ihm völlig neu.

»Dan, lass uns jetzt allein. Wir haben zu arbeiten«, befiehlt Nicki und weist ihm die Tür.

Aber er rührt sich nicht vom Fleck. »Warum kaufst du nicht bei Top Shop, Nicks?«

»Nenn mich nicht Nicks.« Sie hackt etwas derart wild mit einem Messer, dass die Stückchen durch die Gegend fliegen.

»Nein, wirklich«, beharrt er, »warum kaufst du nicht mal so eine süße Hose wie Louise?«

Mit erhobenem Messer wirbelt Nicki herum, die Augen zu zwei kleinen Schlitzen zusammengekniffen. »Weil ich es nicht nötig habe, bei Top Shop einzukaufen, deshalb. Ich kann es mir leisten, anständige Kleider von richtigen Designern zu kaufen. Wir versuchen alle, das Beste aus dem zu machen, was wir haben, und Louise schlägt sich wacker. Es ist nicht leicht, wenn man auf's Geld achten muss, und manche Figuren sind eben auch, sagen wir mal, schwieriger als andere.« Sie dreht sich um, und das Messer trifft krachend das Hackbrett.

Einen Moment lang herrscht betroffenes Schweigen. Dan starrt Nicki fassungslos an.

»Meine Güte, was bist du für ein gemeines Miststück«, sagt er dann.

Nicki dreht sich wieder um und sieht mich an. Ihre Augen sind tot wie die eines Hais. »Ich habe es nicht so gemeint. Ich wollte nur sagen …«

Dan wendet sich zum Gehen. »Es tut mir Leid, Louise. Tut mir wirklich Leid.«

»Wag es nicht, dich für mich zu entschuldigen!«, brüllt sie ihm nach.

Er ist weg, und in der Küche ist es still. »So.« Sie sieht mich lächelnd an, und als sie den Mund aufmacht, ist ihre Stimme süß wie Honig. »Möchtest du Tunfisch in deinen Salat?«

»Nein. Nein, danke«, ist alles, was ich herausbringe.

Sie hackt weiter. »Wie du willst.«

Nicki und ich kommen nie über Seite fünfzehn hinaus. Wir beschließen, dass wir unterschiedliche künstlerische Ansichten haben und uns in verschiedene Richtungen entwickeln. Zuvor ist uns das noch nie aufgefallen, aber jetzt springt es uns geradezu ins Auge.

Wenn man bedenkt, dass ich mich zweimal die Woche mit ihr getroffen habe, sollte ich sie eigentlich mehr vermissen.

Hausmänner

Es gibt drei verschiedene Sorten von Ehemännern:

1. *Den Blinden, der sagt: »Hast du ein neues Kostüm, Liebling?«, wenn er endlich das Ensemble bemerkt, das Sie schon seit zwei Jahren tragen. Es ist zwecklos, weitere Worte über ihn zu verlieren, also lassen wir ihn einfach in Ruhe. Wenigstens hat er einen Vorteil: Er redet Ihnen nicht in Ihren Kleidungsstil hinein.*
2. *Den idealen Gatten, dem alles auffällt und der sich wirklich für Ihre Kleidung interessiert, der Vorschläge macht, etwas von Mode versteht, gerne darüber redet, weiß, was Ihnen am besten steht und was Sie brauchen, und der Sie mehr bewundert als alle anderen Frauen auf der Welt. Falls Sie einen solchen Traummann Ihr Eigen nennen, halten Sie ihn unter allen Umständen fest. Diese Sorte ist ausgesprochen selten.*
3. *Den Diktator, der stets besser weiß als Sie, was kleidsam ist, und entscheidet, ob die aktuellen Modestile etwas taugen oder nicht, und in welches Geschäft oder zu welchem Schneider Sie gehen sollten. Die Modevorstellungen dieses Typus mögen in einzelnen Fällen zeitgemäß sein, aber viel öfter noch steht er so sehr unter dem Eindruck des Kleidungsstils seiner Mutter, dass sein Geschmack mindestens zwanzig Jahre hinterherhinkt.*

Zu welcher Sorte Ihr Mann auch gehört, ich möchte Ihnen raten, das Beste daraus zu machen und Ihre Erwartungen an ihn nicht zu hoch zu schrauben. Auch der liebevollste Gatte ist hin und wieder abgelenkt und vergesslich, trotz all Ihrer Bemühungen, ihn zu bezaubern. Wenn Sie klug sind, werden Sie das ohne Aufhebens übergehen. Es ist besser, seinen eigenen Stil zu entwickeln, als sich allzu sehr auf die Meinung anderer zu verlassen – selbst die des eigenen Ehemanns.

Meinem Mann, dem Blinden, bringe eine frische Tasse Tee.

Ich gehe durchs Wohzimmer und stelle die Tasse auf den kleinen runden Tisch neben ihm.

Er sieht auf.

»Du hast abgenommen«, sagt er.

Ich stehe da wie ein erstarrtes Kaninchen im Licht der Autoscheinwerfer. »Ja«, gebe ich zu.

Einen Augenblick lang glaube ich, dass er es tatsächlich bemerkt. Eine ausgedehnte Sekunde lang sieht es so aus, als würde ihm langsam, aber sicher auffallen, dass sich alles an mir verändert hat. Ich trage meine Haare anders. Ich habe mir mehrere neue Sachen zum Anziehen gekauft. Ich gehe jetzt regelmäßig ins Fitnessstudio. Seit Wochen arbeite ich an zahlreichen kleinen Verbesserungen und warte schweigend auf eine Reaktion von ihm.

Und jetzt, endlich ist es so weit, er hat es gemerkt.

Aber dann, im selben Moment, will ich es nicht mehr. Nach Jahren des Unsichtbarseins ist das aufflammende Scheinwerferlicht der Aufmerksamkeit meines Mannes mehr als ich ertragen kann. Es macht mich regelrecht wütend.

Und siehe da, ich habe Glück.

»Werd mir nicht zu dünn«, sagt er und verschwindet wieder hinter der Sonntagszeitung. Erleichtert atme ich auf. Ich bin in Sicherheit.

Dann nehme ich mir den Modeteil der *Sunday Times* und setze mich damit aufs Sofa. Moment mal, denke ich. Warum verspüre ich überhaupt Erleichterung? Warum mache ich mir all diese Mühe, mein Aussehen zu verändern, wenn ich nicht will, dass mein Mann es bemerkt?

Während es mir ganz gut gelingt, eine Zeitung lesende Frau zu imitieren, ordne ich in Wirklichkeit meine Gedanken.

Ich bin dabei, mich zu verändern, und zwar immer schneller. Es fing alles ganz harmlos an, aber jetzt ist es wie eine Lawine. Ich kann es nicht erklären – Dinge, die vor kurzem noch ganz normal und akzeptabel waren, finde ich auf einmal unerträglich. Zuerst waren es nur meine Kleider, doch inzwischen betrifft es jeden Lebensbereich, die Art, wie ich esse, schlafe, denke. Ich werfe der Gestalt, die sich auf der anderen Seite des Zimmers hinter der Mauer aus Druckerschwärze verbirgt, einen verstohlenen Blick zu. Die Frage ist: Kann ich es vor ihm verbergen? Will ich das überhaupt – und wenn ja, warum?

Da höre ich ihn in sich hineinlachen. »Diese Fernsehsendung, in der Clive mitspielt, wird total verrissen.«

Clive Foster ist der Erzrivale meines Mannes, und wir können ihn nicht ausstehen. Ich sage »wir«, weil genau so etwas zu den Bindemitteln gehört, die eine Beziehung zusammenhalten. Erfolgreiche Leute herunterzumachen, gibt einem ein Gefühl von Kameraderie, wie ein gemeinsames Hobby. Clive ist dabei eines unserer Lieblingsopfer. Erstens ist er äußerlich ein ähnlicher Typ wie mein Mann, was bedeutet, dass sie ständig um dieselben Rollen konkurrieren, und zweitens hat er beträchtlich mehr Erfolg. Als ob das nicht Grund genug wäre, stehen sie zurzeit auch noch jeden Abend gemeinsam auf der Bühne, in *Ernst sein ist alles* von Oscar Wilde. Mein Mann versucht die meiste Zeit über, ihn aus dem Rampenlicht zu drängen, und Clive revanchiert sich, indem er ihm seine Lacher abschneidet. Das ist eine üble Sache. Aber vor allem hassen wir Clive, weil er strebsam ist und seinen Beruf liebt und so jemand eine große Bedrohung für Leute wie uns darstellt.

Mein Mann lacht wieder. »Meine Güte! Er wird sogar extra erwähnt! ›Clive Foster ist eine schauderhafte Fehlbesetzung in der Rolle des Ellerby‹! Großartig.«

»Armer Clive«, murmele ich.

Armer Clive?

Ganz unerwartet empfinde ich Mitgefühl für Clive. Ja, für diesen Clive, der für uns immer die Verkörperung alles Bösen und Verabscheuungswürdigen gewesen ist. Auf einmal kommt es mir gar nicht mehr so abstoßend vor, sich für das, was man will, auf der Mitte der Bühne zu exponieren und Risiken einzugehen. Viel abstoßender ist es, wie wir uns hinter unserer sterilen Mittelmäßigkeit verstecken und Vergnügen am Misserfolg von jemandem finden, der wenigstens den Mut hatte, es zu versuchen.

Ich kann da nicht mehr mitmachen.

»Armer Clive«, wiederhole ich lauter.

Die Zeitung senkt sich, und mein Mann sieht mich an, als wäre ich verrückt. »Armer Clive? Spinnst du? Der Mann ist ein Widerling.«

An dieser Stelle stimme ich normalerweise in die Schimpfkanonade mit ein. Aber heute tue ich das nicht.

»Warum eigentlich?«

»Louise, was ist los mit dir? Du weißt genau, warum.« Die Zeitung hebt sich wieder.

Eine vollkommen irrationale Wut steigt in mir auf. Ich sollte es dabei bewenden lassen, sollte es ohne Aufhebens übergehen. Aber ich kann nicht. »Entschuldige, mir scheint entfallen zu sein, warum Clive eigentlich so widerlich ist.«

Keine Antwort.

Komm, lass gut sein, sage ich mir und nehme den Modeteil zum zweiten Mal auf – um ihn aus Gründen, die sich meiner Kontrolle entziehen, sogleich wieder abzulegen.

»Liegt es vielleicht daran, dass er nicht so ist, wie du ihn gern hättest? Dass er den Schneid hat, offen ehrgeizig zu sein?«

Die Zeitung bleibt, wo sie ist, und seine Stimme tönt dahinter hervor. »Das ist lächerlich. Auf diese Weise rede ich nicht mit dir.«

»Du redest nicht mit mir? Du *redest nicht*… du hast nicht das Recht zu bestimmen, über was wir reden und was nicht!«

Die Zeitung bleibt. »Ich brauche nicht mit dir zu reden, wenn du so unvernünftig bist.«

Ich spüre, wie mir das Blut ins Gesicht steigt; mein Herz klopft so laut, dass ich die nächsten Worte beinahe herausschreie, um es zu übertönen. »Ich bin nicht unvernünftig!«

Er schnaubt hinter der Zeitung. »Du solltest dich mal hören.«

Ich raste aus. Ehe ich mich's versehe, bin ich auf der anderen Seite des Zimmers und reiße ihm die Zeitung weg. Mein Mann starrt mich mit einer Mischung aus Entsetzen und Ungläubigkeit an. Als ich etwas sage, ist meine Stimme heiser, und ich bekomme kaum Luft. »Mach das ja nie wieder, mich einfach zu ignorieren! Eine Unterhaltung ist zu Ende, wenn wir beide mit Reden fertig sind. *Wir beide*!«

Ich zerknülle die Zeitung und reiße sie in kleine Fetzen. Er packt mich am Handgelenk. »Leck mich.« Ganz sachlich sagt er das. »Leck mich doch, Louise.«

Ich taumele zurück. Er nimmt sich den Rest der Zeitung und streicht ihn mit der Hand glatt, worauf ich mir den ganzen Teil schnappe und ihn durchs Zimmer schleudere. Jetzt wird er mich beachten.

»Wenn du nicht mit mir reden willst, warum hast du mich dann überhaupt geheiratet?«

Er sieht mich verächtlich an.

»Das nennst du reden? Ist es das, was du unter der Kunst der Konversation verstehst?« Jetzt lässt er den arroganten Engländer heraushängen. »Ich bin durchaus gewillt, auf eine ruhige, vernünftige Art und Weise mit dir zu sprechen.«

»Nein, das bist du nicht! Ich habe es gerade versucht, und du hast nur gesagt: ›Auf diese Weise rede ich nicht mit dir.‹ Wir reden nie miteinander, egal, auf welche Weise. Und wieso bestimmst *du* eigentlich, was ruhig und vernünftig ist? Warum können wir nicht mal ein unvernünftiges Gespräch führen? Warum können wir nicht sagen, was wir wollen?«

Er ist kühl und ruhig und sieht mich mit seinen blassblauen Augen durchdringend an. »Zum Beispiel?«

Langsam komme ich mir blöd vor. Doch dann platzt es aus mir heraus, wie aus dem Nichts. »Wir bumsen nie.«

Die Welt verliert die Form und schmilzt zusammen, wird zu einem Bild von Salvador Dalí. Ich habe den Gipfel der Absurdität erreicht. Er stößt ein verblüfftes Lachen aus. »Was hat das mit Clive oder seiner Fernsehserie zu tun?«

Ich bin verrückt, ich höre mich verrückt an, aber was ich sage, ist wahr. Ich wiederhole es.

»Wir bumsen nie.«

Er hört ganz plötzlich auf zu lachen, so wie Anthony Hopkins in seiner Rolle als Psychopath. »Na und? Viele Leute schlafen nicht dauernd miteinander.«

Mein Atem verlangsamt sich, ich werde ruhiger. Spreche noch eine Wahrheit aus. »Du fühlst dich nicht von mir angezogen.«

Er denkt nach. »Du bist eine sehr attraktive Frau, Louise, wenn du dich nicht gerade wie eine Megäre aufführst.« Dann zuckt er die Achseln und legt seine Kundenservicestimme auf. Mit der versucht er unwilligen Verkäufern immer eine Kaufpreiserstattung zu entlocken. »Es tut mir Leid, dass ich dich in sexueller Hinsicht enttäusche. Offenbar habe ich nicht den gleichen Sexualtrieb wie du.« Die Silbe »Sex« zischt abfällig in seiner Aussprache.

Ich schäme mich, weil ich so primitiv bin. Andererseits habe ich es satt, mich dauernd zu schämen.

Ich gebe noch eine letzte Wahrheit von mir. »Ich denke nicht, dass mein Sexualtrieb ungewöhnlich ist.«

Er steht auf, geht zur Tür und lächelt gnädig. »Dann liegt es wohl an mir.« Er macht eine angedeutete Verbeugung. »Ich bin hier der Gestörte.«

Er erhebt sich über mich und meinen vulgären, animalischen Sexualtrieb. Schließlich bin ich nur ein schrecklich gewöhnliches Mädchen aus Pittsburgh, wo die Leute den ganzen Tag ficken, fressen und fernsehen. Die drei großen F.

»Wo gehst du hin?« Ich höre mich wehleidig und hohl an.

»Ich gehe in den Garten, es sei denn, du hast mir noch mehr zu sagen.« Er spielt das Ende einer Szene in einem Noël-Coward-Stück. »Nichts genieße ich mehr als diese Sonntagmorgengespräche mit dir.«

Scheiß Noel Coward.

»Ich finde, wir sollten zu einer Eheberatung gehen«, schlage ich unversehens vor.

Er mustert mich von oben bis unten. »Nur zu.«

»Wir müssten aber zusammen hingehen.«

»Louise, du bist diejenige, die ein Problem hat. Ich bin vollkommen zufrieden mit meiner Ehe.«

Wieder bleibe ich allein in der unfruchtbaren Ödnis des Wohnzimmers zurück, mit der zerrissenen Zeitung als einzigem Anzeichen von Leben.

Der Satz »Wenn Sie klug sind, werden Sie das ohne Aufhebens übergehen« wirbelt in meinem Kopf herum. Ich bin nicht klug. Keine Ahnung, warum ich es nicht sein kann.

Ich gehe ins Schlafzimmer und sehe aus dem Fenster. Er jätet Unkraut im Garten. Wie kann er das tun? Wie kann er einfach mit solchen häuslichen Arbeiten weitermachen, wenn zwischen uns nichts mehr stimmt?

Ich sehe zu, wie er die Mülltonnen hinterm Haus nach Größe und jeweiliger Füllhöhe ordnet. Er macht das sorgfältig und ernsthaft. Er braucht das. Er muss glauben, dass es wichtig ist. Dass er uns vor allem möglichen Chaos bewahrt, dem Chaos staubiger Möbel, dem Schrecken ungleichmäßig aufgestapelter Bücher, dem irreparablen Schaden einer Zwiebel neben einem Apfel in der Obstschale. Er ist ein fahrender Ritter, der es sich zur Aufgabe gemacht hat, eine Dame zu retten, die nicht gerettet werden will. Die noch nicht einmal eine Dame sein will und lieber mit dem Drachen schlafen würde als mit ihm.

Da fällt es mir wie Schuppen von den Augen. Ich rufe mir den Moment in Erinnerung, als er die Bemerkung über meine Gewichtsabnahme gemacht hat, und halte ihn vor meinem geistigen Auge fest. Plötzlich sehe ich klar. In Wahrheit will ich gar nicht, dass er mich bemerkt, mich in den Arm nimmt, mich berührt oder mir sagt, wie hübsch ich bin. Ich will nur, dass er mich in Ruhe lässt.

Nach all der Zeit will ich gar nicht mehr mit ihm bumsen.

Wir sind beide blind gewesen.

Ich sitze auf der Kante des größten Doppelbettes, das man im Vereinigten Königreich kaufen kann. Die verzahnte Verbindung löst sich, die Betten rutschen weg, und bald können die Wände des Schlafzimmers die beiden schlafenden, auseinander treibenden Gestalten nicht mehr zusammenhalten.

In den folgenden Wochen werde ich regelrecht besessen von Oliver Wendt, auch bekannt als »der Mann, der mich sehen kann«.

Ich verbringe übermäßig viel Zeit damit, im Theater herumzustreifen, in der unbestimmten Hoffnung, ihm zu begegnen, und laufe davon, sobald es dazu kommt. Ich finde mich wie ein aufdringlicher Fan in der Dunkelheit lauernd vor seinem Stammlokal wieder und kann mich vor verzweifelter, wirrer Begierde nicht vom Fleck rühren. Das Seltsame ist (zu diesem Zeitpunkt kapiere ich das allerdings noch nicht), dass diese Begierde sich auf mich selbst richtet, auf das Selbst, das ich in seinen Augen sehe. Eigentlich will ich gar nicht mit ihm reden oder ihn kennen lernen. Ich will nur von ihm gesehen werden.

»Müssen diese Berichte nicht nach unten gebracht werden? Ich mach das mal eben.«

»Aber Louise, du kommst doch gerade von unten. Wir können sie später hinbringen.«

»Ach, das macht mir gar nichts aus, wirklich nicht.«

Und weg bin ich, wandere durch das Gebäude wie eine Figur aus einem Märchen, die ein böser Fluch dazu verdammt hat, bis in alle Ewigkeit durch die Welt zu ziehen, auf der Suche nach ihrem eigenen Spiegelbild.

Das geht eine ganze Weile so, wir sehen uns, starren uns an, und ich laufe weg. Dann, eines Tages, als ich es nicht mehr aushalte, lade ich mich auf einen Drink mit ihm ein.

Er steht rauchend im Foyer. An diesem Abend ist die Premiere eines neuen Stückes, und die Drehbühne funktioniert nicht richtig. Er hat alle Bühnenarbeiter dazu verdonnert, Überstunden zu machen, während er sich durch ein Päckchen Marlboro Light hindurchqualmt.

Ich sollte eigentlich schon weg sein, oder vielmehr, ich sollte heute gar nicht da sein, aber so ist das nun mal bei mir in letzter Zeit. Ständig »schaue ich bei der Arbeit vorbei«, völlig ohne Grund, hänge im Foyer herum und streife wie eine Besessene durch die Flure, mit weit aufgerissenen Augen und immer kurz vorm Durchdrehen.

Als ich ihn entdecke, renne ich sofort zur Damentoilette des zweiten Rangs und überprüfe mein Make-up. Zur Sicherheit zweimal.

Dann atme ich tief durch und schlendere hinüber zu meinem Schicksal.

»Hallo, wie geht's?«

Niemand kann sich vorstellen, was mich das kostet. Meine Stimme ist ungefähr drei Oktaven höher als normal, und meine Hände zittern. Das hält mich jedoch nicht davon ab, mir vorzustellen, dass ich das erotischste, faszinierendste Geschöpf auf dem Planeten bin, dessen Leben wie der reinste Hollywoodfilm ist, inklusive bombastischem Soundtrack, Weichzeichner und einem umwerfend guten Drehbuch.

Er sieht mich an, wie Raucher es tun, wenn sie ausatmen, nicht richtig blinzelnd, nicht stirnrunzelnd, sondern nur mit leicht zusammengekniffenen Augen, um den beißenden Qualm ihrer eigenen Kippen zu vermeiden. »Gut, Louise. Und Ihnen?«

Ah, er kann sprechen! Mein Herz zieht sich zusammen, flattert und stolpert beim Passivrauchen.

»Ich bin ... also, ich habe Durst«, antworte ich. »So geht's mir.«

Er glotzt mich an, als wäre ich nicht ganz dicht. »Durst?«

Ich lächle. Selbst wenn er mich für nicht ganz dicht hält, sieht er mich ganz anders an als mein Mann.

»Ja«, beharre ich. »Ich bin furchtbar durstig. Man könnte fast sagen, ausgetrocknet.«

Da fällt der Groschen, man kann es fast hören. Er lacht und hält mir die Schwingtür auf. Wir gehen hinaus in die kühle Abendluft und überqueren die Straße zu seinem Lieblingspub. Er bestellt mir etwas zu trinken, worauf wir auf den gefährlich hohen Barhockern sitzen und uns bemühen, Konversation zu machen.

Leider erlebt jede Beziehung früher oder später ihr Waterloo. Konversation erwies sich als unseres.

Es ist ziemlich schwer, sich zu unterhalten, wenn man den Vorsatz hat, möglichst wenig über sich selbst zu verraten. Er fragt mich zum Beispiel, woher ich komme und was ich in London mache, und ich versuche, ihm auf möglichst charmante und amüsante Weise nicht direkt ins Gesicht zu sagen, dass ich verheiratet bin. Ich verdrehe meine Hand wie ein Klaue auf dem Tresen, um meinen Ehering zu verbergen. Keine Ahnung, warum ich ihn nicht ausziehe. Anscheinend kann ich es nicht. So einfach ist das. Also sitze ich da, meine Hand zu einer lockeren Faust geballt, kichere wie eine Blöde und wehre jede Frage mit einer Gegenfrage ab.

»Und wie lange sind Sie schon in London?«

»Ach, ich weiß nicht, eine Ewigkeit. Was ist Ihre Lieblingsfarbe?«

»Meine Lieblingsfarbe?«

(Charmant, diese kindliche Einfalt, nicht?)

Er zündet sich eine neue Zigarette an. »Hm, ich schätze mal Grün. Und Ihre?«

»Knallrosa und die Farbe von Goldpailletten.«

»Also Gold, oder?«

»Nein, nicht so richtig. Kein reines Gold. Ich mag nur die Farbe von Goldpailletten.« Oh Gott, ich übertreibe es wirklich. Ich fahre mir mit der Klaue durch die Haare und betrachte die

Flaschen hinterm Tresen wie eine Alkoholikerin ohne Geld. Bitte, bitte, mach dass kein Moment des Schweigens entsteht. Worüber könnten wir denn noch reden, worüber nur…? »Was ist mit Ihrem Vater?«

Er zieht eine Augenbraue hoch und sieht mich mit einem Blick an, den ich als gebannte Faszination auslege.

»Ich meine, wie war er so?«

»Alt. Und Ihrer?«

Das ging aber schnell.

»Ehrlich«, sage ich ein wenig verloren, nicht gefasst auf die Frage. »Mein Vater ist ein sehr ehrlicher Mann.«

Weil ich etwas Wahres gesagt habe, sieht er mich mit echtem Interesse an.

»Das ist eine gute Eigenschaft.«

»Ja, das ist es wohl.« Ich starre auf mein Glas, als wäre es eine Kristallkugel, die mir meine Zukunft zeigen wird.

Wir halten etwa zwanzig Minuten durch, bevor Oliver sich mit der Begründung entschuldigt, dass die Premiere nicht stattfinden wird, wenn er nicht noch ein paar Probleme löst. Zum Beispiel das mit dem Bühnenbild.

Wir gehen so langsam zurück, wie es möglich ist, ohne mitten auf der Straße stehen zu bleiben.

»Also, wann kann ich Sie zu einem richtigen Drink einladen?«, fragt er und sieht mich durch eine Qualmwolke mit zusammengekniffenen Augen an.

»Ich… ich weiß nicht«, stottere ich.

So seltsam es scheinen mag, aber die Frage wirft mich aus der Bahn. Es ist eine Sache, mich den wildesten Wunschphantasien hinzugeben, aber eine ganz andere, wenn das Objekt meiner Begierde tatsächlich reagiert. Außerdem, was mache ich da eigentlich? Ich kann mich doch nicht mit einem Mann verabreden, ich bin verheiratet! Aber dann gibt es da noch diese andere Stimme in meinem Kopf, eine sanfte, verführerische Stimme, die flüstert:

Hey, wo ist das Problem? Reg dich ab. Es ist ja nicht so, als würdest du mit ihm ins Bett steigen. Du triffst dich nur auf einen Drink mit ihm, das ist alles. Okay?

Dann bin ich wieder in meinem Film und spiele die Femme fatale.

»Ich glaube, ich möchte wo hingehen, wo ich noch nie gewesen bin«, sage ich und sehe ihn à la Veronica Lake mit glühenden Augen unter einem Vorhang aus Haaren hervor an.

Sein Bist-du-noch-ganz-dicht-Blick ist wieder da.

»Woher soll ich denn wissen, wo Sie schon überall gewesen sind?« Er klingt etwas gereizt.

Gute Frage.

Ich zucke nonchalant mit den Achseln und laufe direkt in eine Restauranttafel hinein.

»Oje, Entschuldigung. Tut mir Leid. Scheiße! Was mach ich denn? Ich entschuldige mich bei einer Menütafel!« Er sieht zu, wie ich mich von den Empfehlungen des Tages befreie. Als ich es geschafft habe, nimmt er meinen Arm mit jener fürsorglichen Autorität, die normalerweise älteren Leuten zugedacht ist, und lenkt mich sicher zurück zum Theatereingang.

»Was ist nun mit dem Drink?«, sagt er abwartend, aber ich kann nicht mehr denken. Es muss etwas Besonderes sein, wo man ungestört sein kann, weit weg von Restauranttafeln und Menschen, die mich kennen …

Er wird langsam unruhig.

»Lassen Sie mich doch ein Weilchen darüber nachdenken«, schlage ich vor.

»Tun Sie das bitte.«

Er lächelt mich an und verschwindet in dem sich schnell füllenden Foyer. Ich bleibe wie festgewachsen auf der Treppe stehen, mit klopfendem Herzen und schwitzenden Handflächen. Die Menschenmenge umschließt mich, strömt um mich herum wie ein reißender Bach um einen Stein.

Ich habe es getan. Ich habe mein Leben in die eigenen Hände genommen, und egal, wie es ausgeht, nichts wird mehr so sein wie zuvor.

Eine Woche später werfe ich eine Nachricht in Oliver Wendts Postfach. In die untere rechte Ecke einer smaragdgrünen Karte habe ich geschrieben:

Ich war noch nie im Ritz.

Die Tage vergehen, und ich höre nichts von ihm.

Nicht ein Wort.

Ideale Garderobe

Hier die ideale Garderobe einer eleganten Frau (Winter):

9.00 Uhr. *Tweedröcke in gedeckten Herbsttönen mit passenden Pullovern, darüber ein Pelzmantel in legerem Schnitt. Braune Schuhe mit mittelhohem Absatz und eine geräumige Krokodilledertasche. (Eine wirklich elegante Frau trägt vormittags niemals Schwarz.)*
13.00 Uhr. *Ein pelzgefüttertes, einfarbiges Kostüm (kein Braun oder Schwarz), mit einer passenden Pelzkappe. Unter der Kostümjacke einen farblich passenden Pullover, eine Jerseybluse oder ein ärmelloses Kleid.*
15.00 Uhr. *Ein Wollkleid in einer schmeichelnden Farbe, dazu passend oder kontrastierend ein hübscher Stadtmantel in einer lebhaften Farbe.*
18.00 Uhr. *Ein schwarzes Wollkleid, nicht tief ausgeschnitten. Damit können Sie überall hingehen, vom Bistro bis zum Theater, und unterwegs noch bei all den zwanglosen Abendessen in Ihrem gesellschaftlichen Terminkalender Halt machen.*
19.00 Uhr. *Ein schwarzes Crêpekleid, das tief dekolletiert sein darf, für formellere Diners und die feineren Restaurants. Dazu ein weißer Nerzhut.*
20.00 Uhr. *Ein Kleid mit passendem Mantel, was in Paris als »Cocktail-Ensemble« bezeichnet wird, obwohl es meist zu vornehm für diesen Anlass ist. Dagegen ist es perfekt für*

Theaterpremieren und offizielle Abendgesellschaften mit Smokingzwang.
22.00 Uhr. *Ein langes Abendkleid, das man das ganze Jahr über tragen kann (was bedeutet, dass Sie Samtstoffe und bunte Blumendrucke meiden sollten).*

9.00 Uhr. Ich bin am oberen Ende von Whitehall und trage ein dunkelblaues Gabardinekostüm, ein braunes Stricktop mit V-Ausschnitt von Kookai und schwarze Riemchenschuhe. Das Kookai-Top sitzt perfekt, ist unter den Armen aber leider nicht besonders gut genäht. Muss daran denken, die Jacke anzubehalten. Gehe auf einen Sprung zu Sushi Express, um mir ein Frühstück zu holen – einen Frucht-Smoothie und einen grünen Tee zum Mitnehmen. Das gehört zu meinem Verwandlungsprogramm. Ich werde heute nichts mit Zucker essen. Auf keinen Fall. Zur Sicherheit kaufe ich mir lieber noch eine Banane. Die Sonne blendet mich, als ich gerade noch bei Grün über die Straße renne. Ich bin inzwischen gut darin, in hochhackigen Schuhen zu rennen, und das muss ich auch. Sie haben mich zur Leiterin der Theaterkasse befördert, und ich laufe den ganzen Tag zwischen dem Kassenschalter im Foyer und dem Büro oben hin und her. Als Quereinsteigerin weiß ich selbst nicht so recht, wie ich zu der Ehre gekommen bin, aber die Beförderung hat mein Selbstbewusstsein enorm gestärkt. Und dass ich den ganzen Tag auf Trab gehalten werde ist ein Geschenk des Himmels.

Mein Mann und ich haben, soweit ich es sehe, aufgehört miteinander zu reden. Mein neuer Job macht es uns leichter vorzugeben, dass wir zu beschäftigt oder einfach zu müde sind für ein richtiges Gespräch. Es ist ein mitfühlendes und bewusstes gegenseitiges Ignorieren. Keiner von beiden ist bereit, sich anzuhören, was der andere zu sagen hat.

13.00 Uhr. Ich bin in der Umkleidekabine des Fitnessstudios, zusammen mit etwa dreißig anderen Frauen, die alle nur eine Stunde Zeit haben, um sich in ihre Lycra-Outfits zu zwängen, zu trainieren, bis der Schweiß fließt, zu duschen, sich die Haare zu föhnen und zurück ins Büro zu hetzen. Seit der Erneuerung meiner Mitgliedschaft vor einigen Monaten habe ich es wundersamerweise geschafft, viermal die Woche hier zu erscheinen. Seit meiner Tanzausbildung habe ich keine Form von Bewegungstraining mehr so konsequent durchgehalten, und allmählich ist auch der Erfolg zu sehen. Eine Umkleidekabine ist, nebenbei gesagt, der ideale Ort, um hinter die Fassaden der anderen Frauen auf ihre Körper und Garderoben zu blicken. Wir verbringen bestimmt genauso viel Zeit damit, uns gegenseitig verstohlen zu mustern, wie an den Geräten zu arbeiten. Alle erstarren gleichzeitig, als die große, sonnengebräunte Blonde aus der Dusche kommt. Wir tun so, als würden wir unsere Haare richten, aber in Wirklichkeit... Ja! Auch sie hat Cellulitis! Das Leben ist voller Überraschungen. Und wer hätte gedacht, dass die Nachrichtensprecherin mit dem Armani-Anzug und dem ans Ohr geklebten Handy (»Ich bin im Fitnessstudio! IM FITNESSSTUDIO!«) schmuddelig weiße Kaufhausunterhosen zu einem schwarzen, durchsichtigen BH tragen würde? Doch der Preis für die überraschendste Verwandlung der Woche geht an eine junge Frau mit mausfarbener Ponyfrisur in einem Laura-Ashley-Ensemble von 1984, die beim Ausziehen einen pinkfarbenen Seiden-BH mit passendem Höschen und Strumpfgürtel, helle Strümpfe und ein Paar Beine enthüllt, das Ute Lemper vor Neid erblassen lassen würde. Selbst die große Blonde bleibt mit offenem Mund in der Mitte des Duschraums stehen. Ich ziehe ein hellblaues kurzes Top an, eine Workout-Hose in derselben Farbe und meine neuen, absurd teuren Nike-Sportschuhe. Bestimmt verbrenne ich mehr Kalorien dabei, mich in dieses Outfit zu quetschen, als beim gesamten Fitnesstraining.

15.00 Uhr. Ich bin zurück im Büro, frisch geduscht, mit noch feuchten Haaren (die drei fest installierten Föhne sind heftig umkämpft) und wieder in meinem dunkelblauen Kostüm. Der einzige Unterschied zu vorher ist, dass ich die schwarzen Riemchenpumps aufgegeben habe. Man kann nur eine begrenzte Zeit von einer Frau erwarten, auf ihren Fußballen herumzubalancieren – dann muss irgendjemand dafür büßen. Die Temperatur ist gestiegen, weshalb meine Jacke über der Stuhllehne hängt und das sich aufdröselnde Kookai-Top allen Blicken preisgibt. Ich werde es flicken. Ja, das werde ich. Morgen. Bis dahin reiße ich einfach diesen störenden, herunterhängenden Faden ab… Mit seltsamer Gleichgültigkeit sehe ich zu, wie sich der halbe Ärmel in meiner Hand auflöst. Ich müsste den wöchentlichen Bericht mit den Verkaufszahlen fertig stellen, habe aber mein Nachmittagstief erreicht. Das ist eine biologische Funktionsstörung, die mich unweigerlich jeden Nachmittag zwischen drei und vier in eine tiefe Depression stürzt. Meine Theorie ist, dass ich genetisch darauf programmiert bin, um diese Zeit ein Nickerchen zu machen, aber leider lebe ich nicht in Breiten, in denen sich die Siesta allgemeiner Zustimmung erfreut. Die Folgen sind katastrophal. Der Lebenswille sickert aus mir heraus, und statt mich auf Zahlen und die Aufschlüsselungen für die einzelnen Vorstellungen zu konzentrieren, male ich mir die verschiedensten Selbstmordmethoden aus. An einem Strick baumelnd, bewusstlos auf einem Bett liegend, in einem Fluss treibend. Vielleicht würde es auch ein drastischer Haarschnitt tun.

Das Telefon auf dem Schreibtisch gegenüber klingelt, und als ich mich von meinem Platz aufkämpfe, um ranzugehen, bleibt mein Fuß in einer unsichtbaren Schlinge in den grauen Teppichfliesen hängen. Ich habe mir eine Laufmasche gezogen und schaffe es trotzdem, den Anruf zu verpassen. Zum Glück setzt Colin gerade den Kessel auf (er ist sehr einfühlsam in diesen Dingen) und zaubert eine Packung marmeladegefüllte Kekse hervor.

(»Zwei für den Preis von einer, Darling. Nur ganz leicht zerdrückt.«) Ich wühle schnell nach meiner Notfallbanane und finde sie, zu braunem Brei zerquetscht, auf dem Boden meiner Handtasche. Was soll's, pfeif drauf. Nach der Zuckeraufnahme steigt meine Laune, und Colin versichert mir, dass Sinéad O'Connor eine glückliche Ausnahme gewesen sei und es sonst kaum Frauen gäbe, die einen kahl rasierten Schädel mit genügend Coolness und Stil tragen könnten. Es sei denn, sie wollten professionelle Ringkämpferinnen werden.

18.00 Uhr. Jetzt drehen alle noch einmal kräftig auf. Die gedrückte Stimmung, die um Viertel vor fünf im Büro herrscht, wenn der nahende Feierabend nur ein grausames, unbestätigtes Gerücht zu sein scheint, löst sich auf und wird um fünf vor sechs von einer regelrechten Karnevalsstimmung abgelöst. Es wird getanzt, gesungen und gescherzt. Die Kollegen klopfen sich gegenseitig auf die Schultern und halten sich die Türen auf, während sie lachend und pfeifend aus dem Büro strömen. Die Leute von der Abendschicht übernehmen und ziehen Gesichter, als wären sie gerade zu lebenslänglich verurteilt worden. Ich habe nur etwa eine gute Stunde Zeit, um nach Hause zu gehen und mich umzuziehen, ehe ich zur Premiere des neuen Stücks meines Mannes in einem anderen Theater sein muss. Nach der Aufführung gibt es ein großes Essen mit seinem Agenten und dem Regisseur, und von mir wird erwartet, in der Rolle der stolzen, loyalen Ehefrau zu glänzen. Kopfschmerzen melden sich, wenn ich nur daran denke. Ich ziehe meine Strümpfe aus, weil die Laufmasche zu groß ist, um damit unter Leute zu gehen, und zwinge meine geschwollenen Füße wieder in die Riemchenpumps. Schnell das Jackett übergezogen, und schon bin ich zur Tür hinaus und eile klappernd durch Whitehall nach Hause.

19.00 Uhr. Ich habe schnell geduscht und lege neues Make-up auf. In dem Bemühen, umwerfend attraktiv und schick auszusehen (auf dem Klo habe ich die *Vogue* gelesen), habe ich mir die Augenbrauen mit Kajalstift angemalt und sehe jetzt aus, als hätte ich das Downsyndrom. Als ich versuche, die beiden dunklen Balken mit dick aufgetragenem roten Lippenstift auszugleichen, sehe ich auf einmal aus wie Bette Davis in *Was geschah mit Baby Jane?*

Während ich hektisch alles mit zusammengeknülltem Toilettenpapier wieder abwische, kommt mir die Erkenntnis, dass zehn Minuten vor einem Termin kein günstiger Zeitpunkt ist, mit seinem Aussehen herumzuexperimentieren. Nachdem ich es geschafft habe, mein Make-up auf das Niveau einer Joan Crawford herabzumildern, suche ich in der Unterwäscheschublade nach einem zusammenpassenden Paar halterloser Strümpfe. Werde ich es mir je abgewöhnen können, Strümpfe mit Laufmaschen »für alle Fälle« aufzuheben? Schließlich finde ich ein Paar und schlüpfe in mein neues kleines Schwarzes, ein kurzes Modell mit schmalen Trägern aus festem, dehnbarem Satin von Karen Millen – meine erste Erwerbung nach meiner Beförderung. In diesem Kleid fühle ich mich wie Audrey Hepburn und liebe es über alles. Leider bringe ich den schwarzen Riemchenpumps nicht die gleichen Gefühle entgegen, als ich sie über meine schmerzenden Füße ziehe. Dann schnappe ich mir die kleine schwarze Satinabendhandtasche, die ich im Schlussverkauf ergattert habe, und versuche, den Inhalt meiner Bürotasche hineinzustopfen – vergeblich. Also sage ich mir, dass ich das Adressbuch wohl nicht unbedingt brauche, genauso wenig wie Nadel und Faden und sieben Tampons für einen Abend. (Ich bekomme meine Periode erst in einer Woche.) Ich zwinge mich, mit einem Lippenstift, einer Puderdose und dem Portemonnaie für Kleingeld auszukommen. Natürlich nicht, bevor ich eine kleine Visualisierungsübung aus *Spüren Sie die Angst und tun Sie es trotzdem* abgehalten habe.

Als ich ein Taxi zum Theater heranwinke, bin ich bloß fünfzehn Minuten zu spät.

20.00 Uhr. Ich stehe allein wie das letzte Mauerblümchen an der Theaterbar, als ich glücklicherweise zwei alte Freunde entdecke, Stephan und Carlos. Stephan ist Bühnenbildner, und Carlos arbeitet in der Perückenabteilung der Royal Shakespeare Company. Sie laden mich auf einen Drink ein, und auf einmal sieht alles nicht mehr ganz so schwarz aus. Ich brauche einfach ein paar Gläschen, um den Abend als die bessere Hälfte des glücklichsten sich anschweigenden Paares der Welt zu überstehen. Es klingelt. Auf geht's, nur noch einen. Herrje, ist dieser Barkeeper süß.

24.00 Uhr. Souper mit dem Agenten meines Mannes und dem Regisseur im »Ivy«. Bin ein bisschen beschwipst. Mein Mann spricht immer noch nicht mit mir (das ist die höchste Schweigestufe), hat mich aber davor bewahrt, in der Badewanne zu ertrinken. Bade normalerweise nicht so viel, scheine mich aber beim Essen ziemlich bekleckert zu haben. Fange vielleicht wieder mit der Schauspielerei an. Habe den ganzen Abend mit dem Regisseur geflirtet, der seine Augen nicht von mir lassen konnte. Muss ihn wohl ganz schön beeindruckt haben.

3.00 Uhr. Frage mich, was Oliver Wendt wohl gerade macht und mit wem.

Juwelen

Die Schmuckschatulle einer Frau enthüllt ihre Vergangenheit und sagt mehr über sie aus als die Schublade mit ihrer Unterwäsche, ihr Badezimmerschränkchen oder der Inhalt ihrer Handtasche. Die Schmuckschatulle erzählt eine Liebesgeschichte, und ich hoffe für Sie, liebe Leserin, dass es eine große und leidenschaftliche ist.

Schmuckstücke sind die einzigen Elemente einer Aufmachung, deren alleiniger Zweck in der eleganten Wirkung besteht, und Eleganz in Beziehung auf Schmuck ist eine sehr individuelle Angelegenheit. Daher kann man unmöglich vorschreiben, dass nur eine bestimmte Sorte von Schmuck getragen werden sollte. Eines ist jedoch sicher: Eine elegante Frau, auch wenn sie Schmuck so sehr liebt wie ich, sollte sich niemals dazu verführen lassen, wie ein überladener Weihnachtsbaum daherzukommen.

Jetzt noch ein Wort an zukünftige Ehemänner: Der Verlobungsring ist häufig das einzige echte Schmuckstück, das eine Frau besitzt, also investieren Sie bitte in einen von ansehnlicher Größe. Der Schreck über den Preis eines Rings von guter Qualität wird sich sofort legen, wenn Sie sehen, wie ihre glückliche Verlobte ihn stolz all ihren Freundinnen und Verwandten präsentiert. Außerdem sollten Sie nie die Vorteile unterschätzen, die es mit sich bringt, nur das Beste zu kaufen. Eine Ringschatulle von Cartier, Asprey oder Tiffany wird beinahe genauso bejubelt werden wie der Ring selbst.

Schließlich ist Ihre Verlobung ein besonderer Anlass, bei dem Sie sich auf keinen Fall des Geizes bezichtigen lassen wollen!

Ich klappe das Buch zu und lehne es leicht gegen meine Brust. Sich vorzustellen, eine Schatulle von Cartier oder Asprey zu bekommen! Was Tiffany angeht, so bin ich noch nie dort gewesen, noch nicht einmal bloß zum Gucken. Wie es wohl von innen aussieht? Wie es wohl ist, am Arm eines Mannes, der einen liebt, dort hineinzuspazieren und zu wissen, dass man beim Herauskommen einen Diamantring oder vielleicht einen mit Brillanten gefassten Saphir tragen wird? Ich betrachte meine Hand auf der Bettdecke und versuche, mir einen funkelnden Solitär-Diamanten an meinem Ringfinger vorzustellen. Mit zusammengekniffenen Augen konzentriere ich mich, so fest ich kann, aber alles, was ich sehe, ist die rosige, von kleinen Fältchen durchzogene Haut am Knöchel.

Ich schiele zu meinem Mann hinüber, der im Bett neben mir liest und dabei hartnäckig an der Nagelhaut seines Daumens knabbert. Er liest die Abendzeitung, als wäre sie in einem Geheimcode verfasst, und während er die Seiten eifrig nach dem Schlüssel durchkämmt, runzelt er in voller Konzentration die Stirn.

Von ihm habe ich keinen Verlobungsring bekommen.

Er hat es einfach vergessen.

Zwar hatte er geplant, mir einen Antrag zu machen, aber offenbar auf dieselbe Weise wie man plant, einen Zahnarzttermin einzuhalten. Später behauptete er, nicht gewusst zu haben, dass es Sitte ist, der Frau einen Ring zu überreichen, wenn man um ihre Hand anhält.

Ich redete mir damals ein, dass wir über solch kitschig-romantische Gesten erhaben seien, dass wir unkonventionell und einzigartig seien. Wir beglückwünschten uns dazu, keine dieser gewöhnlichen, banalen Liebesbezeugungen mitzumachen. Ich schlug »Romantik« sogar im Wörterbuch nach, so besessen war ich davon, ihr Fehlen in unserer Beziehung zu rechtfertigen.

»Eine pittoreske Täuschung«, las ich da unter anderem und schlug das Buch triumphierend zu. »Siehst du, es ist nichts Echtes. Romantik ist eine Lüge.«

Er nickte weise dazu. Wie beruhigend zu wissen, dass die Leere um uns echt ist.

Aber während ich da so sitze und mir einen Diamantring an meinem nackten Finger vorstelle, kommt mir der Gedanke, dass auch der Verstand einen furchtbar täuschen kann.

Ich erinnere mich an den Tag, als er mich bat, ihn zu heiraten. Es war in Paris, mitten in einer Hitzewelle. Gerade hatte er die letzte Aufführung eines Stücks gehabt, in dem er einen Hund spielte und ständig auf allen vieren herumkriechen musste, wobei er sich schlimm das Knie verletzt hatte. Also ging er humpelnd an einem Stock, und ich hatte eine Erkältung. Der französische Liebeszauber. Sämtliche Erkältungsmittel schienen aus Zäpfchen zu bestehen, die man sich in den Hintern schieben musste, daher zog ich es vor, schniefend und niesend durch diese wunderbare Stadt zu ziehen, entschlossen, ihre Schönheit zu genießen.

Unsere Beziehung stagnierte schon seit einigen Monaten. Ich wusste, er würde mir einen Heiratsantrag machen, weil es keine andere Möglichkeit gab, wie es weitergehen sollte, und war äußerst ungehalten darüber, dass er mich noch nicht gefragt hatte. Ich war müde und krank und wollte nach Hause gehen und mich ins Bett legen. Aber ich wusste, dass er jeden Ort, an dem wir vorbeikamen, als mögliche Kulisse für einen Antrag prüfte. Also taumelte ich weiter und tat so, als würde ich alles ganz reizend finden, damit meine schlechte Laune nicht die günstige Gelegenheit verdarb und seinen Antrag noch weiter verzögerte.

Außerdem trug ich ein Kleid, denn das gehört sich so, wenn man einen Heiratsantrag bekommt.

Also ließen wir uns durch die Stadtlandschaft von Paris treiben und hofften, auf einer Bank oder in einer schmalen Gasse den Grund für unseren fortgesetzten Umgang miteinander zu finden. Schließlich setzten wir uns in den Schatten einiger Bäume im Jardin du Luxembourg.

»Du bist nicht glücklich«, sagte er.

»Ich habe Angst«, räumte ich ein.

Geduldig wartete er in der drückenden Hitze.

»Du weißt doch, als wir uns kennen gelernt haben«, begann ich zögernd, »hattest du eine… eine Freundschaft…«

Er schloss die Augen schützend vor dem stechenden Sonnenlicht. »Das ist vorbei«, sagte er. »Du weißt, dass es vorbei ist.«

»Ja, aber was mir Angst macht, ist das, was dahinter steckt.«

Er hielt die Augen geschlossen. »Es steckt nichts dahinter, Louise. Das haben wir doch alles schon besprochen.«

Aber es ließ sich nicht verscheuchen, es war wie eine dritte Person auf der Bank zwischen uns.

»Es könnte doch sein, dass es ein Ausdruck deines wahren Ichs war…«, beharrte ich.

Er machte die Augen auf. »Es gibt kein ›wahres Ich‹. Ich bin das, was ich aus mir mache. Es war eine normale Freundschaft.«

»Aber du musstest richtig Schluss mit ihm machen. Als wir uns kennen gelernt haben, hast du mit ihm Schluss gemacht. Normale Freunde freuen sich, wenn man sich verliebt, und wollen die neue Partnerin kennen lernen. Man trifft sich nicht mit ihnen an einem regnerischen Mittwochnachmittag im Park und teilt ihnen mit, dass ›sich alles verändert hat‹. Sie verschwinden nicht so einfach, nachdem sie dich jahrelang jeden Tag angerufen haben…«

Er packte mich am Handgelenk. »Was willst du von mir? Was willst du eigentlich? Soll ich so tun, als wäre es nie passiert?«

»Nein, aber verstehst du mich denn nicht? Woher soll ich denn wissen, dass es nicht wieder vorkommt?« Ich versuchte, mich ihm zu entziehen, aber er hielt mich fest.

»Weil ich das nicht zulassen werde. Ich werde es einfach nicht zulassen.« Seine Stimme klang herausfordernd, aber seine Augen blickten gequält und verloren. »Ich verspreche dir, Louise, dass ich dich nicht enttäuschen werde.«

Er ließ mich los, und mein Arm fiel schlaff an meiner Seite herab. Ich starrte auf den Kiesweg. In mir schrie alles danach wegzugehen, ihn sitzen zu lassen.

Wir sind in Paris. In einer romantischen Umgebung. Wie aufs Stichwort kommt eine französische Familie vorbei, komplett mit kleinen Kindern und Großeltern.

Leise, aber deutlich sage ich: »Was ist, wenn das deine wahre Natur ist? Du kannst deine wahre Natur nicht verleugnen, egal, wie sehr du es versuchst.«

Langsam steht er auf und streckt die Hand aus. »Ich werde nicht mehr mit dir darüber reden. Entweder akzeptierst du mich, wie ich bin, oder nicht. Es liegt an dir.«

Auch ich stehe auf. Sage mir, dass ich verrückt bin und dumm. Er liebt mich doch, oder? Er sagt doch die richtigen Worte, oder? Ich bin erkältet, ich übertreibe und dramatisiere.

Und ich will nicht allein sein.

Wir gehen weiter. Wir taumeln weiter, hinein in die Hitze. Es wird nicht angenehmer.

Am nächsten Abend machte er mir mitten auf dem Pont des Arts einen Heiratsantrag, und ich nahm ihn an.

Ich lege das Buch weg und sehe wieder zu meinem Mann hinüber. Er füllt das Kreuzworträtsel aus und streicht dabei methodisch mit dem Kuli jede gelöste Frage durch.

Er hat sein Versprechen gehalten, er hat mich nicht enttäuscht.

1. Wir haben immer sehr komfortabel gelebt, in den besten Vierteln Londons und meist in Fußwegnähe zu den Theatern des West End.

2. Er hat sich nie in der Öffentlichkeit mit mir gestritten und ist nie untreu gewesen, zumindest nicht meines Wissens.
3. Er kümmert sich um mich, verwaltet unsere Finanzen, pflegt mich, wenn ich krank bin und ist ständig darum bemüht, unser Heim zu verschönern.
4. Er wäscht die Wäsche und bügelt. Wenn ich nach Hause komme, finde ich meine Kleider säuberlich zusammengelegt und aufgestapelt auf dem Bett vor.
5. Wenn er im West End auftritt, bringt er samstagabends auf dem Nachhauseweg von Charing Cross die Sonntagszeitungen mit, damit wir lange aufbleiben und sie zusammen lesen können.
6. Spätabends machen wir oft lange gemeinsame Spaziergänge durch London, wenn die Stadt durch die Stille verwandelt ist.
7. Er ist ein guter Partner.
8. Er hat mir während der vergangenen fünf Jahre jeden Morgen die perfekte Tasse Tee ans Bett gebracht.

Wer bin ich, zu behaupten, das sei keine Liebe?

Zum ersten Mal habe ich ihn auf der Premierenfeier für *The Fourth of July* gesehen. Es war meine erste große Rolle, und ich war ganz außer mir vor Glück, weil ich das Gefühl hatte, es geschafft zu haben; ich war angekommen. Wir hatten Standing Ovations vom Publikum bekommen, und alle waren davon überzeugt, dass das Stück es auf eine der großen Bühnen des West End schaffen würde. Ich trug mein Lieblingskleid, ein langes, schwingendes Gewand aus Seidencrêpe, das sich fließend an den Körper schmiegte. Die beschwingten Rhythmen lateinamerikanischer Musik erfüllten das Haus in Ladbroke Grove, wo wir feierten, und ein paar von den Jungs mixten eimerweise Margaritas in der Küche. Wir anderen tanzten auf der Terrasse, wirbelten mit ausgestreckten Armen herum und lachten zu laut in der kühlen, frühherbstlichen Luft.

Dann tauchte er auf, ein ungeladener Gast von einem anderen Theater, hoch gewachsen und schlank, mit hellblonden Haaren und blassblauen Augen. Er spielte in einem neuen Stück im Albery mit und feierte selbst erste Erfolge. Und dennoch – zuerst würdigte ich ihn kaum eines Blickes. Er war nicht mein Typ. Allerdings hatte ich einen speziellen Plan. Mein Freund, mit dem ich zusammenwohnte, hatte mich vor einigen Monaten betrogen. Damals war ich einfach darüber hinweggegangen, aber an diesem Abend, in meinem roten Kleid und mit zu vielen Margaritas intus, war ich entschlossen, jemanden abzuschleppen.

Ich weiß nicht mehr, wie es dazu kam, dass ich ausgerechnet ihn küsste. Aber als ich am nächsten Morgen mit einem fürchterlichen Kater ganz still auf dem kalten, harten Futon in dem Ein-Zimmer-Appartement lag, das ich mit meinem untreuen Freund bewohnte, wurde mir klar, dass ich einen Fehler gemacht hatte.

Ich rief ihn an, um ihm zu sagen, dass ich Mist gebaut hatte, dass es eine Dummheit gewesen war, über die man lachend hinweggehen sollte, aber er muss die Verwirrung und die Angst in meiner Stimme gehört haben. »Treffen wir uns doch auf einen Kaffee«, schlug er vor. »Erzähl mir, was dir wirklich auf der Seele liegt. Vielleicht kann ich dir helfen.«

Und so trafen wir uns in einem kleinen polnischen Café in einer Seitenstraße der Finchley Road, wo sie Zitronentee in Gläsern servierten und die Luft schwer war vom Geruch von Gulaschsuppe. Draußen regnete es, wir saßen an einem winzigen Ecktisch, und er hörte mir zu, während ich die ganze unschöne Geschichte von meinem betrügerischen Freund erzählte. Ich entschuldigte mich für mein »schlechtes Benehmen«, und er nickte und meinte, das sei unter diesen Umständen doch ganz verständlich. Dann spazierten wir stundenlang durch die ruhigen Straßen von West Hampstead. Er sagte, er werde mich anrufen, um zu hören, wie es mir ginge.

Am nächsten Tag trafen wir uns in dem Terrassencafé im Regent's Park. Es war eigentlich zu kalt, um draußen zu sitzen, aber hineinzugehen wäre zu verbindlich gewesen, also saßen wir auf den hölzernen Bänken und fröstelten. Wieder erzählte ich ihm Dinge, von denen ich nie vorgehabt hatte, sie jemandem zu offenbaren, und er hörte zu. All die Gefühle, die sich während des vergangenen halben Jahres in mir aufgestaut hatten, brachen plötzlich heraus, sodass ich glaubte, es kaum ertragen zu können.

Am Tag darauf trafen wir uns auf der anderen Seite des Regent's Park und gingen spazieren, bis wir zu einer Straße in Fitzrovia kamen. Er blieb stehen und sagte: »Hier wohne ich.« Ich folgte ihm die gewundene Treppe hinauf, und wir setzten uns auf ein Sofa im Wohnzimmer. Es war eine sehr kleine Wohnung, aber tipptopp sauber und aufgeräumt – ganz anders als das mit Büchern, Papieren und Klamotten voll gestopfte Appartement, das ich mir mit meinem Freund teilte. Hier gab es Raum zum Atmen, alles lag offen. Wir redeten, und ich weinte und sagte, ich wisse nicht, was ich tun solle. Er hielt mich in seinen Armen, und ich blieb lange so liegen.

Dann gingen wir in sein Schlafzimmer.

Das Bett war so ordentlich gemacht, dass keine Falte zu sehen war. Die Bücher im Regal standen alphabetisch geordnet. Alles war weiß, die Bettwäsche, der Teppich, das Bücherregal, der Schreibtisch. Er nahm einen Gedichtband heraus, wir setzten uns aufs Bett, und er las mir »The Love Song of J. Alfred Prufrock« vor. Als er geendet hatte, rollten ihm Tränen übers Gesicht.

Dann zerrten wir uns in dem sauberen, weißen, unberührten Raum gegenseitig die Kleider vom Leib, rissen und zogen und zerwühlten die glatten Laken, zersprengten die Stille.

Als es vorbei war, kleideten wir uns schnell wieder an, ohne einander ins Gesicht zu sehen, und gingen zurück zum sicheren, neutralen Terrain des Parks.

Dort, unter den schützenden Ästen einer Kastanie, eine Stunde nachdem wir miteinander geschlafen hatten, gestand er mir, dass er mit seiner letzten Freundin Schluss gemacht hatte, weil er den Verdacht hegte... weil er fürchtete, er könnte... nun ja, dass vielleicht etwas mit ihm nicht stimmte.

Danach sahen wir uns mehrere Wochen lang nicht. Das Stück wurde ins West End verlegt. Ich verließ meinen Freund und schlief auf dem Sofa in der Wohnung einer Freundin. Aber ich dachte jeden Tag an ihn, daran, wie er mir zugehört und mich in seinen Armen gehalten hatte und wie friedlich und heiter die kühle, weiße Welt war, in der er lebte.

Dann rief er wieder an.

Wir trafen uns in demselben Terrassencafé im Park, aber diesmal gingen wir hinein, wo es warm war. Nach einigen Minuten verlegenen Schweigens stotterte ich etwas davon, dass wir trotzdem Freunde sein könnten, aber er griff über den Tisch und nahm meine Hände.

Seine Augen glänzten fiebrig, und seine Worte überstürzten sich in einem wilden Erguss, dem ich nur mit Mühe folgen konnte. Noch nie hatte ich ihn so angeregt, so leidenschaftlich und lebendig gesehen. Er habe nur Angst gehabt, sagte er, das sei ihm jetzt klar. Lange Zeit, viel zu lange, habe er allein in seiner Wohnung gesessen und auf ein Zeichen gewartet, darauf, dass etwas passierte. Er sei von Depressionen niedergedrückt gewesen, habe sogar an Selbstmord gedacht und nicht mehr ein noch aus gewusst. Die Männer... er habe es mit ihnen versucht, aber es habe ihn abgestoßen. Angeekelt. Er habe sich geschämt. Das sei alles nur ein Irrweg gewesen, ein Phantom. Die Wahrheit, die dahinter stecke, sei, dass er einfach Angst gehabt habe, jemanden zu lieben.

Aber das sei jetzt vorbei.

Jetzt liebe er mich.

Er drückte meine Hände noch fester. Er habe versucht, mich

zu vergessen, aber ich hätte ständig in seinem Kopf herumgespukt und ihm Dinge zugeflüstert, und er habe Tag und Nacht an mich denken müssen.

Dann zog er mich an sich und sah mir in die Augen. Ich könne nicht ahnen, wie verzweifelt, wie einsam und hoffnungslos er gewesen sei. Und wie ich ihn verändert hätte. Ich hätte einen neuen Menschen aus ihm gemacht.

Lachend und plötzlich euphorisch bedeckte er mein Gesicht mit Küssen und sagte, als er mich in meinem roten Kleid dort tanzen sah, habe er sofort gewusst, dass ich die Richtige für ihn sei. Sein einziger Wunsch sei es, mir zu helfen, sich um mich zu kümmern, mich zu umsorgen.

»Bitte, Louise! Zerwühl mein Bettzeug! Stapel schmutziges Geschirr in meiner Spüle! Häng dein rotes Kleid an die Decke meines kalten, leeren Schlafzimmers! Aber vor allem, bleib bei mir.«

Ich lächelte, beugte mich vor und küsste ihn.

Er erschien mir als der freundlichste, sanfteste Mensch, der mir je begegnet war.

»Sie sehen müde aus«, bricht Mrs. P. das Schweigen zwischen uns.

Ich starre zur Decke. »Ich schlafe in letzter Zeit nicht gut«, sage ich endlich.

Sie erwartet, dass ich weiterrede, aber ich tue es nicht. Ich bin zu müde zum Reden, zu müde, um irgendetwas anderes zu tun als mich auf der gefürchteten Liege zusammenzurollen und einzuschlafen. Eine winzige Spinne versucht, die üppigen Stuckornamente in der Ecke zu erklimmen, und ich beobachte, wie sie immer wieder über dieselben paar Zentimeter zurückrutscht.

»Was glauben Sie denn, weshalb Sie so schlecht schlafen?« Ihre Stimme klingt frustriert, gepresst. Ich habe Mitgefühl mit ihr, weil sie die aktive Rolle in unseren Sitzungen spielen muss.

Sie hat sich wahrscheinlich einmal als eine Art weiblichen Freud gesehen, der Patienten von tief sitzenden Traumen und Neurosen heilt. Stattdessen darf sie zusehen, wie ich hier ein Nickerchen halte.

»Mein Mann und ich ... wir ...« Ich gähne und zwinge meine Augen, offen zu bleiben. »Wir entfernen uns voneinander. Unsere Ehe ist dabei, auseinander zu brechen. Und ich kann nicht mehr schlafen, wenn er neben mir liegt.«

»Was bedeutet das, Sie entfernen sich voneinander?«

Ich drehe mich auf die Seite und ziehe die Knie an die Brust. Ich finde einfach keine bequeme Stellung. »Es bedeutet, dass der Klebstoff, der uns zusammengehalten hat, nicht mehr da ist.«

»Und was war dieser Klebstoff?«

Die Antwort blitzt sofort in meinem Kopf auf, aber ich denke noch einen Moment nach, weil es nicht die ist, die ich erwartet habe.

»Angst«, sage ich.

»Angst vor was?«

Die Spinne versucht es wieder. Und schafft es nicht.

»Angst vor dem Alleinsein.«

Sie schlägt die Beine übereinander. »Was ist so schlimm am Alleinsein?«

Die Spinne hat aufgegeben. Ich sehe zu, wie sie sich langsam an einem unsichtbaren Faden von der Decke abseilt.

»Ich weiß nicht. Ich habe immer gedacht, alles ist schlimm am Alleinsein. Dass ich sterben würde, wenn ich allein wäre, sozusagen buchstäblich implodieren vor Einsamkeit. Aber in letzter Zeit bin ich mir da nicht mehr so sicher.«

»Louise, lieben Sie Ihren Mann?« Sie fragt es hart und herausfordernd.

Lange Zeit sage ich nichts. Ein Windstoß fährt zum Fenster herein, und die Spinne baumelt gefährlich hin und her. Sie könnte nicht zarter und zerbrechlicher sein.

»Es geht nicht um Liebe. Das würde alles nur noch verwirrender machen. Es ist keine Frage von lieben oder nicht lieben. Ich habe mich verändert. Es genügt mir nicht mehr, mich sicher zu fühlen.«

»Waren Sie das denn vorher – sicher?«

»Das habe ich zumindest geglaubt. Aber jetzt verstehe ich, dass ich bloß Angst hatte.« Ich schließe die Augen; Kopfschmerzen kündigen sich an. »Es ist, wie wenn man etwas erfahren hat und nicht mehr so tun kann, als wüsste man nichts. Man kann nicht zurückkehren und wieder so werden, wie man vorher war.«

»Aber Sie können sich vorwärts bewegen«, erinnert sie mich.

Ja, denke ich, aber um welchen Preis?

Ein paar Wochen darauf komme ich nach Hause und finde meinen Mann auf dem Sofa im Wohnzimmer vor. Er trägt noch seinen Mantel und sieht furchtbar aus, wie schon seit längerem. Durch irgendeinen perversen Mechanismus verfällt er immer mehr, je attraktiver ich werde. Als ob nur jeweils einer von uns beiden gut aussehen könnte. Er hat dunkle Ringe unter den Augen, seine Haare sind zerzaust und ungepflegt, und die Existenz von Rasierapparaten scheint er vergessen zu haben. Er sollte längst weg sein, im Theater, und sich für die Bühne fertig machen, doch stattdessen ist er hier.

»Oh«, sage ich, als ich ihn dort sitzen und ins Leere starren sehe. »Du solltest dich schleunigst auf den Weg machen, oder?«

Doch er sieht mich nur an wie ein wildes Tier, das aus Versehen im Haus eingeschlossen wurde.

Ich sollte mir Sorgen machen, aber ich bin eher verärgert als sonst was. Wir haben eine stillschweigende Abmachung, an die wir uns beide nun schon seit Monaten halten: Ich gehe tagsüber zur Arbeit, und er ist abends weg, wenn ich nach Hause komme. Das ist jetzt meine Zeit, und ich will ihn nicht hier haben.

Trotzdem setze ich mich in den grünen Sessel und warte.

»Wir müssen miteinander reden«, sagt er endlich.

Hier kommt sie also, die große Aussprache, um die wir uns schon so lange herumdrücken. Mir ist schlecht, und dennoch bin ich merkwürdig froh und sogar ruhig. »Gut«, stimme ich zu. »Fang an.«

Er starrt mich wieder eine ganze Weile an, und als er den Mund aufmacht, klingen seine Worte vorwurfsvoll. »Du bist so anders. Du hast dich verändert. Ich scheine etwas falsch gemacht zu haben, aber ich weiß nicht, was. Was habe ich falsch gemacht, Louise? Was habe ich getan?«

Ich hole tief Luft. »Du hast Recht, ich habe mich verändert, aber zum Guten. Das siehst du doch sicher auch?«

»Was ich sehe, ist, dass du dich mehr mit deinem Äußeren beschäftigst.«

»Aber das ist doch gut! Ich sehe besser aus als je zuvor – du solltest stolz auf mich sein!«

»Vorher hast du mir besser gefallen. Es war angenehmer mit dir.«

»Du meinst, ich war pflegeleichter, weniger anspruchsvoll.«

»Nein, weniger eitel«, widerspricht er. »Weniger von dir selbst eingenommen.«

Jetzt wird es langsam hässlich. Ich merke, wie ich mich gegen jedes Wort von ihm stemme. Kaum zu glauben, dass das derselbe Mann ist, für dessen Anerkennung ich vor einem halben Jahr noch meinen rechten Arm gegeben hätte.

»Menschen verändern sich nun einmal, weißt du«, sage ich. »Und das ist auch gut so. Du bist daran gewöhnt, dass ich mich einen feuchten Dreck darum schere, wie ich aussehe. Du magst mich lieber, wenn ich deprimiert bin, gib's zu. Aber ich habe keine Lust mehr, deprimiert zu sein. Ich will nicht mein Leben damit zubringen, mich dauernd zu verstecken und zu schämen und zu entschuldigen. Ich habe ein Recht darauf, gut auszusehen und glücklich zu sein. Und ich habe ein Recht darauf, mich zu verändern.« Ich zittere und bebe am ganzen Körper von der Wucht meines Ausbruchs. »Aber das eigentliche Problem ist gar nicht meine Veränderung. Ich denke, das eigentliche Problem zwischen uns ist, dass wir nicht mehr die gleichen Wünsche und Ziele haben.«

»Wie zum Beispiel?« Er klingt niedergeschmettert.

»Zum Beispiel… ach, ich weiß nicht, einfach alles. Ich meine, wir werden keine Kinder haben, oder? Was sollen wir also tun? Nur hier in dieser Wohnung herumsitzen, dem perfekten Lampenschirm hinterherjagen und langsam alt werden?«

»Ist das denn so schlimm?«

Er kapiert es einfach nicht. »Ja! Ja, das ist schlimm! Verstehst du nicht, dass es schlimm ist, wenn wir hier herumsitzen wie zwei Rentner, ohne Überraschungen, ohne Leidenschaft, ohne Hoffnung, und nur auf den Tod warten? Findest du das denn nicht schlimm?«

Einen Moment lang sieht es so aus, als würde er anfangen zu weinen, und als er spricht, ist seine Stimme heiser. »Siehst du unser gemeinsames Leben wirklich so? Denkst du das wirklich? Dass wir wie zwei alte Rentner sind?«

Ich weiß, ich tue ihm weh. Aber wenn wir jetzt nicht ehrlich miteinander sind, werden wir es nie sein. »Ja, genau das denke ich.«

Er sitzt reglos da, den Kopf in die Hände gestützt. Schweigen breitet sich zwischen uns aus, endlos und unüberwindlich. Dann, ganz plötzlich, steht er auf, und ich sehe entsetzt zu, wie er vor mir niederkniet.

»Ich hätte das schon längst tun sollen, Louise. Es tut mir Leid. Ich bin sehr egoistisch gewesen.« Er sieht zu mir auf, seine Augen sind groß und dunkel wie zwei Teiche. Mir wird übel.

Er greift in seine Manteltasche und holt ein kleines Plastiktütchen hervor.

»Vielleicht ist es wirklich nicht mehr sehr leidenschaftlich zwischen uns gewesen … Ich bin nicht sehr begabt darin, dir zu zeigen, wie wichtig du mir bist. Es tut mir Leid, und ich will es wieder gutmachen.« Er legt das Plastiktütchen in meinen Schoß.

Inmitten von viel Leere rollen drei winzige farbige Steinchen darin herum. Es ist ein absurder, unwirklicher Augenblick, und ich weiß nicht, wie wir von der Auseinandersetzung über unser Eheleben zu diesem verrückten, zweiten Heiratsantrag gekommen sind.

»Ich habe sie von Hatton Garden. Wir können einen Ring daraus machen lassen.«

Ich sollte etwas sagen, sollte überrascht oder erfreut tun, aber ich starre nur auf das Tütchen, ohne einen klaren Gedanken fassen zu können, und empfinde nichts als Schock und Bestürzung.

»Louise, sieh mich an, ich liege vor dir auf den Knien. Ich weiß, dass wir Schwierigkeiten hatten. Aber …« Ich habe das ungute Gefühl, dass er das einstudiert hat; er senkt jetzt den Blick, macht eine bedeutungsschwangere Pause. »Aber ich möchte dir das hier schenken, damit du weißt, dass ich dich liebe und dass es mir Leid tut.«

Er sieht wieder zu mir auf.

Das ist mein Einsatz. In meinem Kopf hämmert es; sag etwas Nettes, etwas Versöhnliches, schreit es darin. Aber meine Stimme ist kalt und ausdruckslos, als ich antworte.

»Was genau willst du mir schenken? Ein paar bunte Steinchen in einer Tüte?«

Er glotzt mich unverwandt an.

»Das ist kein Ring, oder?«

»Nein, aber … aber es könnte einer werden.«

»Aber es ist keiner. Was sind das für Steine?«

Er schüttelt den Kopf.

Dann tue ich etwas für mich selbst ganz Unerwartetes und gebe ihm die Tüte zurück. »Steh endlich auf«, sage ich.

Er starrt mich verdutzt an. »Louise, bitte!«

»Bitte was?« Plötzlich bin ich ungeheuer wütend. Ich will, dass er sofort vom Boden aufsteht. Ich will nicht mehr mitspielen bei dieser Farce. Das Ganze ist widerwärtig, die Steine, seine Rede, alles. »Warum machst du das?«, frage ich böse. »Warum jetzt, nach all dieser Zeit?«

»Weil … weil ich nicht will, dass du mich verlässt.«

»Warum nicht? Was macht es für einen Unterschied, ob ich bleibe oder gehe?«

Er kniet weiter dort und guckt mich an wie ein Hund.

»Sei ehrlich, du willst doch gar nichts von mir, oder? Ich meine, du willst mich doch noch nicht einmal *anfassen*!«

»Doch, ich will dich anfassen«, sagt er, ohne mich dabei anzusehen.

»Warum tust du es dann nicht?«

Er schüttelt nur den Kopf, immer wieder.

Da flippe ich aus.

»Warum tust du das?«, schreie ich so laut und schrill, dass ich mich selbst nicht wiedererkenne. »Sag's mir! Sag es! Warum?«

»Weil ich«, flüstert er, und seine Hände zittern, als er sie vors Gesicht schlägt, »weil ich mir selbst nicht über den Weg trauen kann, wenn du weg bist.«

Mein Mann und ich haben uns »auf Probe« getrennt.

Colin sucht einen Untermieter für sein freies Zimmer, und als ich ihm eröffne, dass er ihn gefunden hat, blinzelt er mich überrascht an und fragt mit großen Augen, ob er etwas für mich tun kann. Nein, sage ich, da gibt es nichts mehr zu tun. Und davon bin ich überzeugt.

Es geht jetzt schon seit Monaten hin und her, Monate voller Aussprachen, Streitereien, Anschweigen und Tränen. Wir haben uns immer wieder noch eine Woche gegeben, und noch eine und noch eine. Als wollte man ein Glied mit einem Löffel amputieren.

Wir halten noch bis zum Ende des Monats durch, bis zum Ende eines weiteren qualvollen Monats, und dann ziehe ich aus.

Es ist ein Dienstag. Mein Mann bietet sich an, mir beim Packen zu helfen.

»Ich fahre nicht in den Urlaub«, sage ich, genauso abgestoßen wie verblüfft, dass er überhaupt auf die Idee kommen kann, neben mir zu stehen, meine Sachen von den Bügeln zu nehmen und sie aufeinander zu türmen. Er starrt mich wie betäubt an.

»Ich verlasse dich«, erkläre ich langsam und mit lauter Stimme, als würde ich mit einem Tauben reden. »Ich packe meine Sachen und verlasse dich.« Aber er blickt nur verständnislos drein.

»Ich werde das Taxi bezahlen«, sagt er, greift nach seinem Portemonnaie und zählt die Scheine. Ich sehe zu, wie er im Kopf überschlägt, wie viel er erübrigen kann. Er legt einen Zwanziger für später zurück. Ich will ihn schlagen, will heulend den Vorhang unseres Lebens zerreißen wie einen schlecht gemalten Hintergrund und endlich zum Wesentlichen kommen. Er fummelt an seinem Portemonnaie herum. Zieht einen Zehner heraus. Das hatten wir alles schon einmal, das hatten wir alles schon in genau derselben Weise für viel zu lange Zeit.

Ich lasse ihn das Geld auf den Tisch legen. Dann drehe ich mich um, gehe ins Schlafzimmer, hole den Koffer herunter, mit dem ich nach England gekommen war, als ich dachte, ich würde eine berühmte Schauspielerin werden, und beginne, ihn mit Kleidern voll zu packen.

Mein Mann geht einen Spaziergang machen, und als er zurückkommt, bin ich weg.

Colin wohnt zusammen mit Ria, einer Glasbläserin und Galeristin, im Londoner Süden, noch jenseits des großstädtischen Flairs von Brixton. Verschwunden sind die vornehmen Cafés und Mittagskonzerte von Westminster; an ihre Stelle treten die grelle Pracht des Streatham-Stadions und einer bis spät nachts geöffneten Bingohalle.

Der Taxifahrer hilft mir, meine Koffer und Taschen auszuladen und zur Haustür zu schleppen. Ich läute, worauf Colin im Bademantel und mit nassen Haaren auftaucht, während Madonna im Hintergrund plärrt.

»Tut mir Leid, Col.« Ich starre auf die unförmige Ansammlung von Gepäckstücken, die auf einmal viel zu schwer und sperrig sind, um irgendwohin getragen zu werden. »Was mache ich da? Was habe ich getan?«

Er legt mir sanft einen Arm um die Schulter. »Komm erst mal rein, und setz dich. Ich mache uns eine schöne, heiße Tasse Tee.«

Kaschmir

Die wenigsten Frauen können der Versuchung eines weichen, neuen Pullovers in einem satten Farbton widerstehen, und wie Recht sie damit haben! Wenn man so kälteempfindlich ist wie ich, ist ein Pullover das einzige Kleidungsstück, das einem von morgens bis abends Wärme und Wohlbehagen schenkt, zu allen Jahreszeiten, ob auf dem Land oder in der Stadt. Der Pullover ist die Großmutter der Modewelt: warm, liebevoll und immer nachgiebig. (Es sei denn, Sie sind mit einer sehr üppigen Büste ausgestattet, dann sollten Sie sich an weniger anschmiegsame Materialien halten.)
Aus Seide für die wärmeren Tage und aus Kaschmir für den Winter hat ein guter Pullover nicht seinesgleichen. Mit ein wenig Pflege und sorgsamer Behandlung wird er Ihnen viele Jahre lang Freude bereiten, ohne Spuren von Alter und Abnutzung zu zeigen. In diesen stürmischen Zeiten ständig wechselnder Moden ist es ein gutes Gefühl zu wissen, dass ein beiges oder dunkelblaues Twinset auch noch in der nächsten und übernächsten Saison elegant sein wird. Daneben stellt ein solches Kleidungsstück ein gutes Beispiel für den heutigen Trend zu Behaglichkeit und Bequemlichkeit dar.

Die ersten Tage bei Colin verbringe ich in einem Zustand der Benommenheit. Ich gehe wie aufgezogen zur Arbeit und komme nach Hause, um den Abend zu einem Ball zusammengerollt auf dem Bett zu verbringen, zu weinen und an die Decke zu starren.

Mein Lieblingskleidungsstück in dieser trüben Zeit ist morbiderweise ein abgetragener dunkelblauer Kaschmirpulli meines Mannes. Seit Jahren schon habe ich ein heimliches Verhältnis mit diesem Pullover, in dessen warme, weiche Hülle ich mich kuschle wie ein Kind in seine Schmusedecke. Ich habe ihn immer aus seinem Schrank gemopst, wenn er im Theater war, und schnell wieder zurückgelegt, wenn ich seinen Schlüssel in der Wohnungstür hörte.

Es war gar nicht meine Absicht, ihn zu stehlen, und ich weiß nicht einmal genau, warum ich es getan habe. Er lag über einem Stuhl in der Ecke des Schlafzimmers, und ich habe ihn einfach zusammen mit meinen Kleidern in den Koffer gesteckt. Es ist sein Lieblingspulli, er wird ihn vermissen. Vielleicht hat meine Tat etwas damit zu tun, vielleicht will ich sehen, wen von uns beiden er als Erstes zurückhaben will.

Dann beginnen die blauen Umschläge einzutreffen, Briefe von meinem Mann.

Es tut mir Leid… ich habe dich enttäuscht… es tut mir so furchtbar Leid.

Sie kommen unaufhörlich, gesättigt mit Reue und Bedauern, aber in keinem davon bittet er mich, zu ihm zurückzukehren.

Ich hatte mir mehr erwartet, irgendeine große Geste: dass er mitten in der Nacht in einem Taxi auftaucht und darauf besteht, mich mit nach Hause zu nehmen. Oder mir auflauert, wenn ich aus dem Theater komme, den Arm voller Rosen. Einerseits macht mir die Vorstellung Angst, dass er mager, hohläugig und Zigaretten rauchend an einer Straßenecke auf mich warten könnte. Andererseits fürchte ich noch mehr die leeren Ecken, auf die ich mit bedrückender Regelmäßigkeit im Laufe der Tage stoße, und das Wissen um die resignierte Leichtigkeit, mit der er mich gehen lässt. Seine Briefe sind keine Liebeserklärungen oder Bitten um einen Neuanfang oder gar Versprechungen für die Zukunft, sondern nur beharrliche, elende Entschuldigungen, auf die es im Grunde keine Antwort gibt. Er teilt mir auf seine eigene, sprachlose Art mit, dass von nun an alle Straßenecken leer sein werden.

Heulend, schluchzend und schniefend sitze ich in meinem Zimmer, wiege mich vor und zurück und putze mir die Nase mit einer Rolle Toilettenpapier nach der anderen. Ich kann nicht zurück, aber da, wo ich bin, halte ich es auch nicht aus. Colin versucht, mich mit den verschiedensten kulinarischen Freuden aus meiner Höhle zu locken, mit beinahe frischen Vanillekipferln, leicht zerdrückten Schokoladenéclairs und Hühnersuppe frisch aus dem Glas (Sonderangebot, zwei für den Preis von einem). Aber ich habe völlig den Appetit verloren. Manchmal wanke ich in den indischen Laden an der Ecke und kaufe mir Spaghetti in Tomatensoße, die ich meistens direkt aus der Dose esse.

Selbst Ria, die mich vorher nicht kannte und Grund genug hätte, dem Mangel an geistiger Gesundheit bei ihrer neuen Mitbewohnerin mit Vorsicht zu begegnen, macht ein paar freundliche Annäherungsversuche. Sie erbietet sich, mir beim Auspacken zu helfen und mein Bett mit hübscher Wäsche zu beziehen, und leiht mir sogar eine zerbrechliche Dreißigerjahre-Lampe aus ihrer Antiquitätensammlung. Aber es nützt alles nichts. Ich will nicht auspacken. Mein Bett ist viel zu klein, um sich die Mühe mit einem hübschen Bezug zu machen, und was die Zimmerdekoration betrifft – scheißegal. Es ist alles vorbei. Ich bin am Ende. Mit den Jahren habe ich mich von einer blühenden jungen Schauspielerin zu einer verbitterten, desillusionierten Kassentante verwandelt, die Karten für Stücke verkauft, in denen sie selbst hätte mitspielen können. Ich bin zweiunddreißig Jahre alt und wohne in einer Besenkammer neben einer Theaterschwuchtel und einer alten Jungfer.

Ich nehme mir ein paar Tage frei. Und dann noch ein paar. Als ich dann mal wieder zur Arbeit komme, mit vom Weinen geröteten und geschwollenen Augen, habe ich die Konzentrationsfähigkeit einer Dreijährigen. Man muss mir alles drei- oder viermal sagen, bevor ich es kapiere. Ich mache Fehler. Meine Kollegen springen für mich ein und übertragen mir schließlich die einfachsten manuellen Tätigkeiten, und auch diese Aufgaben bewältige ich nicht. Jede Entscheidung ist zu viel für mich, selbst ganz leichte, wie z. B., welches Sandwich ich zum Mittagessen nehmen soll. Also gehe ich diesem Dilemma aus dem Weg, indem ich gar nichts mehr esse. Ich nehme drastisch ab und habe weder die Kraft, meine Haare zu waschen, noch, für saubere Blusen zu sorgen. Jeden Tag trage ich dasselbe Kleid, wie eine Uniform. Es ist mir egal. Ich will nur nach Hause gehen, die Tür hinter mir zumachen und einschlafen, eingewickelt in den Pullover, der immer noch nach ihm riecht und sich nach ihm anfühlt.

Dann, in der dritten Woche meines ungezügelten Elends, verschwindet der Pullover auf einmal.

Morgens liegt er noch liebevoll zusammengeknuddelt in einer Ecke meines Betts, und am Nachmittag ist er weg. Ich stelle hektisch mein kleines Zimmer auf den Kopf, entleere die halb ausgepackten Taschen und ziehe das Bett ab. Dann dehne ich die Suche auf das Wohnzimmer und die anliegenden Räume aus, drehe die Sofakissen um und durchwühle den Wäschekorb. Erst als ich jede Möglichkeit ausgeschöpft habe und am Rand einer Hysterie stehe, geht mir ein Licht auf: Ich habe es hier nicht einfach mit einem verlegten Pullover zu tun, sondern mit einer Entführung.

Verdächtigerweise haben sich meine beiden Mitbewohner heute Abend sehr früh zurückgezogen. Ich klopfe zuerst an Colins Tür.

»Ich war's nicht!«, ruft er, seine neue Robbie-Williams-CD übertönend.

»Aber du weißt Bescheid, du Verräter!«, tobe ich und stampfe durch den Flur, um an Rias Tür zu hämmern.

»Ria, ich glaube, du hast etwas, was mir gehört, und ich will es wiederhaben!«

Ein leise, trotzige Stimme antwortet fest: »Nein.«

Ich bin wie vor den Kopf geschlagen. »Was soll das heißen? Das ist mein Pullover! Gib ihn sofort her!«

»Nein. Er ist schlecht für die WG-Moral.«

Jetzt verstehe ich gar nichts mehr. »Du unverschämtes kleines Miststück! Wie kann er schlecht für die WG-Moral sein? Er hat damit gar nichts zu tun!« Ich rüttle drohend am Türknauf.

Sie öffnet die Tür ein Spaltbreit. Ganze ein Meter fünfundfünfzig in Strümpfen, sieht sie zu mir auf wie ein verschmitzter Kobold. »Es hat sehr wohl etwas mit der WG-Moral zu tun, wenn ein Mitglied sich nicht einmal mehr ansatzweise um ein bisschen Haltung bemüht.«

Colins Kopf lugt aus seiner Tür hervor. »Da hat sie irgendwie Recht, Ouise.«

Das ist mehr, als ich verkraften kann. Meine Augen brennen, und meine Kehle ist so fest zugeschnürt, dass ich kaum noch Luft bekomme. »Ich will nicht darüber diskutieren. Gib ihn mir einfach wieder. Ich bin nicht in der Stimmung für Streiche.«

Ria nimmt meine Hand. »Aber Schätzchen, glaub mir, dieses … dieses übertriebene Hineinsteigern ist nicht der richtige Weg, ein gebrochenes Herz zu heilen. Du fügst dir damit mehr Schaden zu als sonst was.«

Ich ziehe meine Hand weg. »Was kümmert es dich, was ich tue, solange ich ruhig bin und meine Miete zahle? Das kann dir doch völlig egal sein! Was mischst du dich überhaupt ein?«

»Louise …« Sie ist ein bisschen erschrocken, aber ich kann nicht anders.

»Lass das! Du brauchst nicht so zu tun, als würde es dir etwas ausmachen, was mit mir los ist! Ist dir klar … ist dir überhaupt *aufgefallen*, dass mein eigener Mann nicht ein einziges Mal angerufen hat, seit ich hier wohne? Weißt du, was das bedeutet? Hast du irgendeine Vorstellung davon?«

»Schätzchen, es tut mir Leid …«

»Er will mich nicht zurückhaben!«, schreie ich sie an, während mir die Tränen übers Gesicht laufen. »Er will noch nicht einmal seinen Scheißpullover zurück!«

Ich renne in mein Zimmer und knalle die Tür zu, benehme mich wie ein trotziges Kind, das einen Wutanfall bekommt. Erschrocken wie ich bin über die Heftigkeit meiner Reaktion, verliere ich auch noch das letzte Restchen Selbstbeherrschung. Ich werfe mich aufs Bett, schluchze jämmerlich ins Kopfkissen und schlage mit den Fäusten auf die Matratze ein. Ich bin so hilflos und machtlos wie ein Baby.

Da durchfährt mich plötzlich das deutliche, erschütternde Gefühl, das Gleiche schon einmal erlebt zu haben. Eine Erinnerung aus ferner Vergangenheit stellt sich ein.

Dies ist nicht das erste Mal, dass ich einen Pullover gestohlen habe.

Der erste gehörte meinem Vater, ein altes, moosgrünes Modell, das im Wäscheraum neben der Garage hing. Er trug ihn nur noch zu Arbeiten in Haus und Garten, aber in seinen besten Tagen, während der Collegezeit, war der Pulli bei zahllosen Studentenpartys und Rendezvous dabei gewesen. Er war sein treuer Begleiter in den langen Nächten des Büffelns fürs Juraexamen, und je schäbiger er wurde, desto mehr liebte er ihn. Als meine Mutter ihn schließlich aussortierte, blieb er trotzdem im Haus und wartete geduldig auf meinen Vater, wie ein einstmals preisgekrönter Rassehund, der in Würde alt geworden war.

Meine bleibendste Kindheitserinnerung an meinen Vater ist, wie zerstreut er war. Ständig war er mit den Gedanken woanders. Er hatte immer etwas zu tun, ein Wirbelwind an Aktivität, und verbrauchte schon morgens beim Anziehen eine Unmenge Kalorien. »Ich habe heute eine ganze Liste von Dingen zu erledigen«, lautete sein häufigster Refrain. »Eine ganze Liste von Dingen.« Und weg war er. Oft stellte er sich heldenhafte, unmöglich zu bewältigende Aufgaben. »Bis heute Abend will ich die elektrischen Leitungen im Haus erneuert haben.« (Mein Vater war kein Elektriker.) Oder: »Es gibt bestimmt eine Möglichkeit, sich mit eigenen Händen einen Swimmingpool zu bauen.« Sprach's und verschwand sonst wohin. Immer gab es noch eine Arbeit zu erledigen, eine letzte Reparatur, die dringend ausgeführt werden musste, einen wichtigen Heimwerkerjob zur Hausverschönerung, der unbedingt bis zur Abenddämmerung abgeschlossen sein musste. Mit nichts Wärmerem als seinem grünen Pulli am Leib verlor er sich auf Nimmerwiedersehen im Sonnenuntergang, ein verschwommener Fleck aus ständiger Bewegung.

Es war nicht leicht, die Aufmerksamkeit meines Vaters für sich zu gewinnen, aber wenn man verzweifelt genug war, konnte man seinen Pullover klauen.

Dummerweise waren wir jedoch alle ziemlich verzweifelt, sodass der Pulli hart umkämpft war.

Traditionsgemäß gebührte meiner Mutter das Vorrecht, aber sie besaß noch andere, wirkungsvollere Waffen. Sie hatte eine todsichere Technik entwickelt, um meinen Vater auf sich aufmerksam zu machen, die wir anderen nur bewundern konnten. Da mein Vater ganz versessen darauf war, Dinge zu reparieren, hatte sie messerscharf geschlossen, dass man seine Aufmerksamkeit am besten auf sich lenken konnte, indem man kaputtging. Folglich litt sie an seltsamen, lähmenden Kopfschmerzen, die ohne Vorwarnung eintraten und je nach Bedarf von zwanzig Minuten bis zu zwei Wochen anhalten konnten. Das war ein Geniestreich. Wenn er schon ständig mit etwas beschäftigt sein musste, sollte er sich mit ihr beschäftigen. Die Konsequenz war, dass sie sozusagen das Urheberrecht auf jede Form von Krankheit in unserer Familie innehatte. Gelegentlich versuchten mein Bruder oder meine Schwester, sie nachzuahmen, als eine Art Tribut an die Meisterin, aber es ist schwer, mit jemandem zu konkurrieren, der keine Angst davor hat, in Ohnmacht zu fallen.

So effektiv diese Methode meistens war, hatte sie doch auch

ihre Nachteile. Kurz bevor ich siebzehn wurde, war meine Mutter der Invalidenrolle schließlich überdrüssig. Es muss ihr gedämmert haben, dass sie etwas Besseres verdiente, und das machte sie wütend. So wütend, dass sie überhaupt nicht mehr mit meinem Vater sprach. Diese Phase ging als das »Jahr des Schweigens« in die Familiengeschichte ein.

Es war eine bedrückende Zeit, die noch dadurch verschlimmert wurde, dass sie so taten, als wäre nichts.

»Mom, warum redet ihr nicht mehr miteinander, du und Dad?«

»Wir reden doch miteinander. Wir haben uns nur nichts zu sagen.«

Seine Stimme sendete auf einer Frequenz, die sie nicht mehr empfing. Wut hing schwer über dem Haus wie ein Gewitter, das nicht losbrechen wollte, und der Druck nahm von Tag zu Tag zu. Mein Vater fuhr fort, Dinge zu reparieren, wahrscheinlich noch ausdauernder als zuvor, weil ihn jetzt keine Unterhaltungen mehr ablenkten; meine Mutter aber reagierte auf jede vollbrachte Tat mit sphinxartiger Gleichgültigkeit. Wir Kinder sahen mit Entsetzen, wie leicht es war, ihre Zuneigung zu verlieren. Der unsichtbare Mann war auf einmal ganz verschwunden.

Während dieser Zeit wurden mein Vater und ich Freunde. Er fuhr mich morgens zur Schule, und in der Zuflucht des Autos hörte er sich meine ewigen, selbst aufgenommenen Bowie-Kassetten an und fragte mich über die Schule aus. Als ich Dickens las, kaufte er sich auch einen Band und las ihn. Damals fing ich an, den neben der Tür hängenden moosgrünen Pullover zu tragen.

Eines Tages kam ich damit aus der Schule nach Hause, und meine Mutter sah mich.

»Zieh den ja nie wieder an«, warnte sie. Sie hatte eine ziemlich einschüchternde Art, so etwas zu sagen.

Ich schüttelte die Haare aus meinen dick mit Eyeliner bemalten Augen. »Warum denn nicht?«, fragte ich herausfordernd.

Meine Mutter antwortete nicht. Ihr Schweigen konnte sich in alle Richtungen ausbreiten.

»Das kann dir doch egal sei, Mom«, hakte ich nach. »Du trägst ihn doch sowieso nicht mehr.«

Sie sah mich finster an. »Tu, was ich sage.«

Am nächsten Tag zog ich ihn wieder an.

So ging es ein paar Wochen lang. Meine Mutter warnte mich, und ich überhörte es. Mein Vater war nirgends zu sehen.

Dann, an meinem siebzehnten Geburtstag, kam ich mit meinem Vater und meiner besten Freundin von der Schule nach Hause. Meine Mutter stand in der Küche mit dem Geburtstagskuchen, den sie auf dem Heimweg von der Arbeit gekauft hatte, und als ich zur Tür hereinkam, wurde ihre Miene plötzlich steinern. Da war ich, hielt meinen Vater lachend bei der Hand und trug seinen Pullover. Sie schob meinen Vater beiseite, packte mich so fest am Arm, dass sich ihre Fingernägel in mein Fleisch gruben, und zog mich in die Diele.

»Der gehört dir nicht!«, zischte sie giftig. »Hast du mich verstanden? *Der gehört dir nicht!*« Ihr Blick bohrte sich böse in mein Gesicht, dann ließ sie mich endlich los.

Danach trug ich den Pullover nie wieder. Er landete wieder an dem Haken in der Wäschekammer und hing dort mehrere Monate lang unbeachtet.

Eines Nachmittags im Frühling bemerkte ich, dass meine Mutter ihn trug, während sie mit meinem Vater das Auto wusch. Er saugte gerade das Wageninnere, vollkommen konzentriert auf seine Aufgabe, und meine Mutter leerte einen Eimer mit schwarzem Schmutzwasser aus. Auf Außenstehende hätten sie wie ein ganz normales Paar gewirkt, das einer traditionellen Samstagnachmittagsarbeit nachging. Aber ich sah ein anderes Bild.

Meine Mutter hatte aufgegeben. Das »Jahr des Schweigens« hatte seinen Zweck verfehlt. Mein Vater bemerkte vermutlich noch nicht einmal, dass sie seinen Pulli gemopst hatte, so beschäftigt war er damit, seine Liste der zu erledigenden Dinge abzuarbeiten. Also war sie wieder dazu übergegangen, ihm abzujagen, was sie konnte, Augenblicke der Gemeinsamkeit und die innige Vertrautheit des Pullovers.

Sie hatte Recht, er gehörte mir nicht. Dinge, die wir stehlen müssen, gehören uns nie.

Jetzt geht gerade die Sonne draußen unter. Ich sitze auf dem Bett und putze mir die Nase. Als ich meine Tür aufmache, liegt davor der dunkelblaue Pullover, ordentlich zusammengelegt.

Ich steige über ihn hinweg und gehe ins Wohnzimmer, wo Colin und Ria eine spätabendliche Talkshow mit Doppelgängern der königlichen Familie sehen. Colin stellt den Ton leiser, und die beiden sehen mich an.

»Es tut mir Leid«, fange ich an, »ihr hattet Recht mit ... mit dieser Pulloversache ... das macht es nicht besser.« Ich starre auf meine Füße. Noch nie habe ich mich als Erwachsene für einen Trotzanfall entschuldigen müssen. Es ist viel schwerer und demütigender, als ich dachte. »Ehrlich gesagt, ich bin nicht sehr gut darin, allein zu sein ...« Schon als ich es ausspreche, kommt es mir wie die Untertreibung des Jahres vor. »Ich weiß einfach nicht, wie man damit klarkommt.«

Einen Moment lang glaube ich, sie werden anfangen zu lachen, aber dann streckt Colin den Arm aus und nimmt meine Hand.

»Das wissen wir alle nicht. Aber du bist nicht allein, Ouise. Wir sind bei dir, und wir haben das alles auch durchgemacht. Vor zwei Jahren, als Allan mich verlassen hat, wollte ich mir am liebsten die Pulsadern aufschneiden.«

»Und ob du es glaubst oder nicht, ich war tatsächlich einmal verlobt«, fügt Ria ruhig hinzu.

Ich sehe sie erstaunt an. Die kleine, tüchtige, emotional so klare Ria schien mir immer über dem heillosen Durcheinander fehlgeschlagener Beziehungen zu stehen. »Was hast du getan, als es zu Ende war?«, frage ich. Ich kann mir einfach nicht vorstellen, dass sie durch dieselbe theatralische Ruinenlandschaft gestapft ist, in der ich gerade herumirre.

Sie grinst Col an. »Ich habe Rotz und Wasser geheult, genau wie du. Und dann bin ich hierher gekommen, genau wie du. Ich kannte Colin über den Freund eines Freundes, und als Allan verschwand, brauchte er einen Mitbewohner. Der Rest ist Geschichte.«

Colin drückt liebevoll meine Hand. »Willkommen in Mutter Rileys Heim für gefallene Mädchen. Es wird wieder gut, mein Kind, glaub mir. Das Entscheidende ist, so lange im Spiel zu bleiben, bis das Blatt sich wendet. Du wirst sehen. Kopf hoch und nicht bluffen lassen. Auch wenn du das Gefühl hast, alle Welt sieht, dass du nur aus kleinen, schlecht zusammengefügten Einzelteilen bestehst.«

Ria nickt dazu. »Und falls dir Zweifel kommen, nimm ein Bad.«

Und so geschieht es, dass ich ihren Rat annehme, da ich mir selbst keinen mehr weiß.

Ria lässt mir ein Bad mit Lavendelöl ein, während Colin ein paar Würstchen grillt und Kartoffelbrei stampft. Er und Ria streiten sich darüber, welche CD gehört werden soll (die Goldberg-Variationen gegen Massive Club Hits 2), und Bach gewinnt, aber nur, weil ich selbstmordgefährdet bin. Colin deckt den Tisch mit dem zusammengewürfelten Silberbesteck und dem Porzellan, das seine Lieblingsoma ihm vererbt hat. Während ich bade, bezieht Ria mein Bett mit der hübschen Leinenwäsche, die sie mir schon zuvor angeboten hat, und hängt sogar ein paar von meinen Kleidungsstücken auf. Als ich sauber und glänzend in meinem Bademantel herauskomme, applaudieren sie beide.

In dieser Nacht kommt mir das Bett weicher und bequemer vor und die Straße draußen ruhiger. Der durch die Ritzen der Jalousien scheinende Mond wirft schmale, helle Rechtecke aus

Licht auf den Teppich, und das sanfte Rascheln des Winds in den Blättern ist das einzige Geräusch. Ich falle in einen tiefen Schlaf, zweifellos hervorgerufen von der hochwirksamen Kombination aus heißem Bad und Würstchen, und als ich aufwache, fühle ich mich merkwürdig erfrischt, trotz meines anhaltend schweren und wunden Herzens. Nachdem ich mir eine Bluse gebügelt habe, ziehe ich einen sauberen Hosenanzug an und erreiche pünktlich mit Colin den Bus zur Arbeit. Auch wenn ich mich immer noch wie ein hohles Gehäuse fühle, sehe ich wenigstens nicht mehr so aus.

Eine Woche später schicke ich den Pullover mit einer kurzen Nachricht an meinen Mann zurück:

Ich habe ihn aus Versehen mitgenommen. Sorry.

So warm und tröstlich er auch war, ich will ihn nicht mehr.

Schließlich hat er mir nie wirklich gehört.

Mit voller Absicht sitze ich auf der Kante der Sprechzimmerliege meiner Therapeutin. Nachdem ich meinen Mann verlassen habe, hat sie die Zahl meiner Sitzungen erhöht, und die letzten paar Male habe ich mich schlichtweg geweigert, über das Hinlegen zu diskutieren. Ich bin zu dem Schluss gekommen, dass nichts daran verkehrt ist, beim Sprechen aufrecht sitzen zu wollen, und habe es satt, Zeit mit diesem Thema zu verschwenden. Meine Entscheidung hat etwas Befreiendes, und die Folge sind kleine Veränderungen in der Dynamik unserer Beziehung, die offenbar alle etwas mit Status zu tun haben.

Mrs. P. schließt die Tür und setzt sich. Sie wartet darauf, dass ich mich hinlege, aber ich tue es nicht. Ich lächle sie an, doch sie erwidert mein Lächeln nicht. Stattdessen guckt sie auf meine Schuhe.

»Die sind sehr hoch«, sagt sie. Ich trage die Riemchen-Pumps aus schwarzem Wildleder von Bertie. Sie sind wirklich hoch, aber auch sehr sexy.

»Ja, das stimmt.«

Sie kann ihren Blick nicht von den Schuhen lösen. Ich schlage die Beine übereinander, sodass ein Fuß elegant hin und her schwingt und meine Fessel schlank und zierlich aussieht. Ich finde es toll, aber Mrs. P. wirkt verstört.

»Es muss sehr schwer sein, darin zu gehen«, fügt sie hinzu.

»Ach, man gewöhnt sich daran, sie sind gar nicht so wackelig, wie sie aussehen. Aber Wanderungen kann man natürlich nicht darin machen«, sage ich lachend. Sie lächelt gezwungen. Warum reden wir hier über Schuhe?

Natürlich kann ich jetzt nicht anders, als wiederum einen Blick auf ihre Schuhe zu werfen. Sie sind von Marks & Spencer, die Sorte, die man im Vorbeigehen anprobiert, wenn man eigentlich nur schnell Tiefkühlerbsen kaufen will. Flach und beige und mit einer Kreppsohle. Sie sieht meinen Blick und dreht abwehrend ihre Beine zur Seite.

»Ihre Einstellung zur Mode hat sich drastisch verändert«, bemerkt sie.

»Ja, und das finde ich gut.«

Sie mustert mich über den Rand ihrer Brille hinweg.

»Ich kleide mich jetzt mehr wie eine selbstbewusste Frau.«

»Wie kleidet sich denn eine selbstbewusste Frau?«, fragt sie provozierend.

»So, als ob sie zu ihrer Weiblichkeit steht und damit glücklich ist. Als ob sie erwartet, beachtet zu werden.« Ich streiche eine Falte in meinem Kostümrock glatt. »Außerdem habe ich jetzt einen anspruchsvolleren Job«, erinnere ich sie, »und muss allein schon deswegen etwas geschäftsmäßiger aussehen.«

»Ja.« Sie nickt, gibt sich aber den Anschein, als wäre sie nicht ganz überzeugt. Wovon will ich sie denn überzeugen?

»Und warum haben Sie sich vorher nicht ›wie eine selbstbewusste Frau‹ angezogen?«

»Weil ich kein Selbstbewusstsein hatte, vermute ich. Es war ja auch niemand da, dem mein Aussehen aufgefallen wäre.« An diesem Punkt waren wir schon öfter, und ich habe keine Lust mehr dazu. Automatisch suche ich mit den Augen nach der Taschentücherbox. Dort steht sie, auf dem falschen Mahagonitischchen, ich brauche nur danach zu greifen. Wie praktisch. Ob sie ihnen das bei der Psychiaterausbildung beibringen, wo man die Taschentücher hinstellt? Gilt es als Bestärkung für die Patienten, wenn sie so nahe stehen?

»Was ist mit Ihrem Mann?« Sie fixiert mich, aber ich kann den Blick nicht deuten. Er ist weder freundlich noch gleichgültig. Ich merke, wie sich ein ungeheurer Druck in meiner Brust aufbaut und in meine Kehle steigt. Ich schlucke, atme tief durch, und dann sage ich es zum ersten Mal laut zu einem anderen Menschen.

»Mein Mann ist schwul.«

Es kommt wie etwas ganz Alltägliches heraus, als hätte ich gesagt: »Ich nehme eine Portion Pommes.« Das finde ich komisch, und ich muss unwillkürlich grinsen, wenn auch verlegen und halb unterdrückt. Ich weiß, dass es unpassend ist, aber das macht es nur noch komischer. Kurz gelingt es mir, die Mundwinkel nach unten zu ziehen, aber sie schießen wieder nach oben und werden von einem kleinen prustenden Lachen begleitet. Sofort schlage ich mir die Hand vor den Mund, aber es ist zu spät. Das Grinsen explodiert in einen hysterischen, hyänengleichen Kicheranfall.

Mrs. P. starrt mich ausdruckslos an. Sie erinnert mich an jede einzelne der Nonnen, die mich in der Schule unterrichtet haben. »Louise.« Ihre Stimme klingt kalt und nüchtern. »Warum lachen Sie?«

Ich bin wieder sechs Jahre alt und werde in der Kirche getadelt.

»Tue ich doch gar nicht«, sage ich kindisch und presse die Hand auf den Mund.

»Doch, das tun Sie.«

»Nein, jetzt nicht mehr.« Ich setzte mich gerade auf. Denk an was Trauriges, Autounfälle, tote Eltern. Tote Eltern, tote Eltern, tote Eltern …

»Louise …«

Ach, verdammt! Mein Gesicht verzieht sich schon wieder, und ich werfe mich von Lachen geschüttelt auf die Liege. »Entschuldigung …«, stammle ich.

»Louise …«

Ich mache Geräusche, die ich selbst noch nie gehört habe.

»Louise!«

»Ja?«

»Warum lachen Sie?«

Es gelingt mir, den Kopf zu heben. »Würden Sie das denn nicht an meiner Stelle?«, flüstere ich heiser.

»Würde ich was nicht, Louise?«

Die Temperatur scheint in diesem Moment um zehn Grad zu fallen. Ich fühle mich klein und friere, und meine Stimme klingt wie die eines Kindes. »Lachen, wenn Sie einen Schwulen geheiratet hätten.«

Das Schweigen, das darauf folgt, ist erdrückend, es ist das Schweigen meiner Kindheit, das Schweigen meiner Mutter, das gar kein Schweigen ist, sondern das heulende Vakuum der Abwesenheit von Reaktion.

Sie sieht mich wieder mit diesem undeutbaren Blick an und sagt: »Nein, ich glaube nicht, dass ich das würde.«

Der Himmel hat sich verdunkelt. Mein Gesicht ist nass, und meine Augen brennen. »Sie sollten es versuchen«, murmle ich, meine Augen mit einem der Recyclingtaschentücher betupfend. »Es ist zum Schreien komisch.«

»Warum glauben Sie, dass Ihr Mann schwul ist?«, fragt sie.

Ich bin müde. Ich will nach Hause.

»Er hat es mir gesagt. Er hat gesagt, er glaubt, dass er schwul ist oder bestenfalls bisexuell. Das war, als wir uns kennen lernten.«

Oder besser haue ich hier ab und gehe sofort in den nächsten Schnapsladen.

»Aber das heißt nicht, dass er wirklich schwul ist.«

Ich habe Wimperntusche in die Augen bekommen, die höllisch brennt. Ist sie taub? »Wie bitte?«

»Ich sagte, das heißt nicht, dass er tatsächlich schwul ist«, wiederholt sie.

Ach.

»Was heißt es denn?«

»Nun ja.« Jetzt schlägt sie die Beine übereinander. »Es heißt, dass er seine Sexualität in Frage stellt und was es bedeutet, ein Mann zu sein. Es heißt nicht, dass er homosexuell ist.«

Moment mal.

»Ich gebe nur wieder, was er mir selbst gesagt hat. Meinen Sie nicht, er weiß, ob er schwul ist oder nicht? Außerdem haben wir nie gevögelt. Glauben Sie nicht, dass das für sich spricht?«

»Es gibt vielerlei Gründe, aus denen sexuelle Aktivitäten bei verheirateten Paaren zum Erliegen kommen können.« Sie schiebt ihre Brille hoch und legt den Kopf schräg. »Was denken Sie, weshalb es bei Ihnen aufgehört hat?«

»Tja«, sage ich und lege ebenfalls den Kopf schräg, »ich denke, es hat aufgehört, weil mein Mann schwul ist und kein Interesse an mir hat. Seien wir ehrlich, wenn man etwas wirklich tun will, findet man meistens auch die Möglichkeit, es zu tun. Wir haben nicht miteinander gebumst, weil wir es nicht wollten. So einfach ist das.«

Sie zieht eine Augenbraue hoch. »Sie wollten also auch nicht ›bumsen‹.«

»Wenn man den lieben langen Tag zurückgewiesen wird, ist das nicht gerade ein Aphrodisiakum. Es ist demütigend.« Dann füge ich etwas trotzig hinzu: »Mit mir ist alles in Ordnung.«

Sie legt den Kopf auf die andere Seite, wie ein Papagei. »Und dennoch behaupten Sie, einen Schwulen geheiratet zu haben.«

»Na ja, ich meine abgesehen davon.« Was ist denn nur los mit ihr? Es läuft überhaupt nicht so, wie ich erwartet habe. Langsam komme ich mir vor, als wäre ich in eine Episode von Perry Mason reingerutscht. »Im Übrigen *behaupte* ich nichts, ich sage Ihnen, was ich weiß.«

Sie sieht mich wieder über ihre Brille hinweg an.

»Verstehen Sie«, fahre ich fort, »er will nicht schwul sein. Das passt ihm überhaupt nicht in den Kram, weil er nämlich ein sehr konservativer Typ ist, aus einer sehr konservativen Familie. Dann komme ich daher, wir bumsen, und er erzählt mir von sich, und ich habe solche Angst vor dem Alleinsein, dass ich sage ›Nein, du bist nicht schwul, sieh her, ich habe dich geheilt‹. Er ist glücklich, weil sein Problem damit gelöst ist, wir heiraten, und einer wird verrückt dabei, weil man keine Heterofrau mit einem Schwulen verheiraten kann, ohne dass einer dabei durchdreht, und in unserem Fall bin ich es, die durchdreht. Alles klar?«

Sie sagt nichts.

Ich hasse sie.

»Also, ich hab's jetzt kapiert, und das ist immerhin etwas.«

»Sie scheinen wütend zu sein«, bemerkt sie.

Ich zerknülle den Chenilleüberwurf mit beiden Händen.

»Wütend? Ja, kann schon sein. Vielleicht ein kleines bisschen sauer.«

Sie streicht einen Fussel von ihrem Rock. »Was meinen Sie, woher das kommt?«

Ich traue meinen Ohren nicht. Ich will mit Gegenständen um mich werfen, diese lausigen Bilder von der Wand reißen und sie ihr über den Schädel schlagen. »Woher? Haben Sie mir nicht zugehört? *Ich bin mit einem Schwulen verheiratet!*«

Sie denkt nach. »Das ist Ihre Wahrnehmung der Situation.«

Ich halte es nicht mehr aus. »Was soll das heißen, ›meine Wahrnehmung‹? Ich sag Ihnen was, es ist sehr viel mehr als meine Wahrnehmung, es ist meine *Erfahrung*, meine hart verdiente Erfahrung, ob Sie es glauben oder nicht. ICH BIN NICHT VERRÜCKT. Meine Erfahrungen sind wirklich, und ich brauche weder Sie noch sonst jemanden, um mir das zu bestätigen. Wenn ich je verrückt gewesen bin, dann, als ich mir weismachen ließ, dass jemand wie Sie mit Ihrer … Ihrer unglaublichen Mittelmäßigkeit mir helfen könnte!«

Ich bin aufgesprungen.

»Wut kann etwas sehr Heilsames sein«, sagt sie.

»Lecken Sie mich am Arsch«, erwidere ich und ziehe meinen Mantel an.

Gleich marschieren die Studiengebühren für ihre Kinder zur Tür hinaus. Sie steht ebenfalls auf. »Wir machen gute Fortschritte, Louise. Aber Sie fühlen sich im Moment vielleicht nicht genug unterstützt, und wir sollten überlegen, die Zahl Ihrer Sitzungen zu erhöhen.«

Ich drehe mich um und nehme ihre Hand. Wir haben uns noch nie berührt, und sie zuckt zurück, aber das ist mir egal. »Danke für Ihre Hilfe. Extrasitzungen werden nicht nötig sein. Sie haben mir gezeigt, dass es mein größter Fehler war, mein Urteilsvermögen an Menschen abzutreten, die nicht die geringste Ahnung haben.«

Ich lasse ihre Hand los, die schlaff an ihrer Seite herabfällt.

Sie ist sprachlos, schafft es aber trotzdem, etwas zu sagen. »Louise, was machen Sie denn? Sie können doch nicht einfach so Ihre Therapie abbrechen! Wir sollten uns einige Sitzungen lang darüber unterhalten... wir müssen unsere Beziehung klären.«

Sie tut mir Leid, sie ist wirklich erbärmlich.

»Nein, das müssen wir nicht. Es gibt nichts mehr zu bereden, zu diskutieren oder zu klären. Schicken Sie mir die Rechnung. Kaufen Sie sich ein Paar hübsche Schuhe. *Tun* Sie mal was zur Abwechslung. Reden ist so billig.«

Ich mache die Tür auf.

Und gehe hinaus.

Warum fällt ein Abgang auf hohen Absätzen nur so viel leichter?

Lingerie

Die Anzahl der von einer modebewussten Dame getragenen Wäschestücke hat seit Beginn des Jahrhunderts beträchtlich abgenommen. Doch auch wenn sich die Wäsche einer Frau mittlerweile auf zwei Teile reduziert hat, sollten diese unbedingt zueinander passen. Es ist der Gipfel der Nachlässigkeit, einen weißen BH zu einem schwarzen Hüftgürtel zu tragen oder umgekehrt. Buntgemusterte Unterwäsche ist charmant, kann aber natürlich nur unter blickdichten oder dunklen Kleidern getragen werden. Im Sommer ist es ratsam, sich an reines Weiß zu halten. Wenn Sie besonders fein sein wollen oder wohlhabend genug sind, können Sie Ihre Unterwäsche natürlich auch auf die Farbe Ihrer äußeren Kleidung abstimmen. Frauen begehen einen großen Fehler, wenn sie diesen zusätzlichen Aspekt einer attraktiven Erscheinung vernachlässigen. Kurz gesagt: Denken Sie beim Ankleiden daran, dass Sie sich später auch wieder entkleiden werden, und möglicherweise vor den Augen eines anderen. Nichts kann eine Frau so bloßstellen wie ihre Unterwäsche; sie ist vielsagender als unzählige Analysestunden auf einer Psychiatercouch. Noch ein letztes Wort: Es empfiehlt sich nicht, im Bereich der Lingerie das Gebot der Zurückhaltung in den Wind zu schlagen. Verwechseln Sie schöne Wäsche, die angenehmen Halt gibt und stets frisch aussieht, nicht mit dem billigen, vulgären Zeug in den Herrenmagazinen. So etwas ist faszinierend? Das glaube ich gern. Aber ganz bestimmt ist es nicht elegant. Ein Mann möchte denken, dass seine Frau sich stets attraktiv und geschmackvoll kleidet, auch wenn er mal nicht hinsieht, und dieses Bild sollten Sie ihm jederzeit vermitteln, da es seine tiefste Bewunderung hervorrufen wird.

Eines Tages, nachdem ich meine Wäsche auf dem Trockengestell in der Küche aufgehängt habe, nimmt Ria mich beiseite.

»Louise, was ist das hier?« Sie zeigt auf ein Paar alte Sloggi-Höschen, die in grauer, erschöpfter Resignation von der Leine baumeln. (Egal, wie viele ich aussortiere, der »Fluch der hässlichen Schlüpfer« verfolgt mich und füllt meine Schubladen immer wieder mit schäbigen Exemplaren.)

Seit meiner frühen Kindheit, als ich noch in die Hosen machte, hat mich niemand mehr mit solcher Strenge auf meine Schlüpfer aufmerksam gemacht.

»Slips?«, schlage ich zögernd vor. Selbst ich bin mir hinsichtlich ihrer Identität auf einmal nicht mehr ganz sicher.

»Nein«, sagt sie fest und nimmt mich an der Hand. »Das sind keine Slips. Komm mit, ich will dir etwas zeigen.«

Sie führt mich in ihr Zimmer, ihr Allerheiligstes, das man nur im Fall von Feuer, Einbruch oder anderen gottgesandten Katastrophen entweihen darf. Innerhalb dieser vier Wände hat sie den Traum eines Mädchenzimmers verwirklicht. Ihr antikes Mahagonibett ist mit einer Sammlung von Gobelinkissen und kostbaren Stoffen bedeckt, die sie auf verschiedenen Märkten in ganz London erstanden hat. An den Wänden hängen Fotografien und Originalgemälde, und überall sind Gegenstände verteilt, die das Auge erfreuen und entzücken sollen: milchweiße Porzellantassen, schlanke, mundgeblasene Champagnerflöten, handbedruckte Seidenschals, Emma-Hope-Pantöffelchen aus Satin, Stapel von bunten Hutschachteln und Kunstbänden, auf denen sie Duftkerzen und frische Blumen platziert hat. Im Blumenkasten vor dem großen Schiebefenster wachsen vielerlei Kräuter und Blüten und verströmen ihren Duft. Obwohl es ein kleines Zimmer ist, hat Ria es mit geschickter Hand so eingerichtet, dass auch denjenigen unserer fünf Sinne, die während der übrigen zehn Stunden des Tages möglicherweise zu kurz gekommen sind, etwas geboten wird.

Ich sehe zu, wie sie sich neben das Bett kniet und eine flache rosa Schachtel mit einem schwarzen Seidenband von Agent Provocateur hervorzieht.

»Das hier«, sagt sie und öffnet die Schachtel sorgsam, »ist ein Slip.«

Vor mir, in feines Seidenpapier gehüllt, liegt ein schwarzer Spitzen-BH mit passendem Höschen, beides handbestickt mit winzigen, roten Mohnblumen. Diese Mohnblumen, Blumen des Rausches, der vibrierenden Sinnlichkeit, sind so klein und rührend zart, dass sie lediglich eine hingehauchte Andeutung darstellen, einen wissenden, augenzwinkernden erotischen Scherz. Sie leuchten in rotem Seidengarn auf der matten, tintenschwarzen, handgearbeiteten Spitze, winden sich um die Rundung jeder Brust und verteilen sich auf dem Höschen fächerartig nach außen, als würden sie aus dem Schritt sprießen. Das ist Wäsche von raffiniertester Erotik, ob nun ein Mann dabei ist oder nicht.

Wir betrachten sie eine Weile anbetungsvoll.

»Trägst du die denn wirklich?«, flüstere ich. Ich weiß nicht, warum ich flüstere, vielleicht, weil mir noch nie zuvor eine Frau ihre Unterwäsche gezeigt hat.

»Nein.« Sie legt den Deckel zurück auf die Schachtel und bindet sorgfältig das Band darum. »Aber ich hoffe, ich werde es eines Tages.«

Ich bin fasziniert. »Hast du sie für dich selbst gekauft?«

Sie wird rot. »Nein, jemand hat sie mir gekauft.« Sie sagt das mit einer Endgültigkeit, dass ich weiß, es ist zwecklos, weitere Fragen zu stellen. »Aber darum geht es gar nicht«, fährt sie schnell fort. »Natürlich kann nicht jede Unterhose, die man im Schrank hat, umwerfend sexy sein, das würde man ja auch gar nicht wollen. Aber…«, hier sieht sie mir streng ins Gesicht, »alles, was man besitzt, sollte ein Minimum an Anmut und Würde aufweisen. Unterwäsche ist nicht einfach nur Unterwäsche, Louise, sie ist die Bekleidung deines geheimen sexuellen Ich. Und garstige Schlüpfer sabotieren dein sexuelles Selbstbewusstsein.«

Ich nicke ernst und frage mich, warum meine Mutter mich nicht schon in meiner frühen Jugend in diese weiblichen Mysterien eingeweiht hat. Dann erinnere ich mich daran, wie es in ihrer eigenen Wäscheschublade aussah.

»Du hast nun wahre Größe gesehen«, lächelt Ria. »Jetzt geh bitte los, und kauf dir ein paar anständige Höschen.«

Wir kehren in die Küche zurück, um unser Abendessen zu machen, und ich sehe staunend zu, wie sie ihre Einkäufe auspackt: Tunfischsteaks frisch vom Fischhändler, neue Kartoffeln, an denen noch echte, schwarze Jerseyerde hängt, frische Minze, duftend und samtig, und köstliche Himbeeren für ihr Salatdressing. Ria macht nie Großeinkäufe auf Vorrat, sondern besorgt sich jeden Tag frisch, worauf sie Appetit hat. Sie bereitet jeden Gang mit lässigen Bewegungen zu, in einer Art meditativem Zustand, und arrangiert das Essen mit ästhetischer Achtsamkeit auf ihrem Teller.

Alles in Rias Welt wird als etwas Besonderes, Geheiligtes behandelt. Das ist das Kennzeichen einer wahren Künstlerin.

Das Bemerkenswerteste dabei ist, dass sie nur für sich allein kocht. Für ein Abendessen mit Freunden oder eine besondere Gelegenheit würde ich es einsehen, mir solche Mühe zu geben, aber nur für mich selbst?

Ich öffne wieder einmal eine Dose Safeway-Ravioli und sehe zu dem Trockengestell an der Decke mit den verwaschenen Unterhosen auf, die meine Wäsche-Schublade füllen. Ich kann sie nur als »katholische Schlüpfer« beschreiben, Kleidungsstücke, die speziell dazu gemacht sind, die lüsternen Annäherungsversuche des anderen Geschlechts abzuschrecken. Ria hat Recht. Die Dinger kann ich unmöglich weiter tragen.

Ich denke an Madame Dariaux, und ihr weiser Ratschlag zum Kapitel Unterwäsche kommt mir in den Sinn. »Denken Sie beim Ankleiden daran, dass Sie sich später wieder entkleiden werden, und möglicherweise vor den Augen eines anderen.«

Entkleiden. Bei meinem Mann zu Hause bedeutete das, schon im Badezimmer in mein Nachthemd zu schlüpfen und bei gelöschtem Licht ins Bett zu huschen. Ich schließe die Augen und stelle mir vor, wie ich mich langsam vor Oliver Wendt ausziehe, während seine dunklen Augen mich unverwandt durch eine Wolke silbrigen Rauchs hindurch beobachten. Doch die Phantasie hat unversehens einen Kurzschluss, und ich stehe wieder im Bad, bekleidet mit meinem Snoopy-Nachthemd.

Also gut. Taten sagen mehr als Worte. Ich lasse das Trockengestell von der Decke herab, hole die grässlichen Höschen von der Leine und stopfe sie in den Mülleimer. Auf keinen Fall werde ich mich vor Oliver Wendt in grauen Sloggis ausziehen.

Am nächsten Tag begebe ich mich direkt zu Agent Provocateur auf der Suche nach einer neuen, besseren sexuellen Identität und einem anständigen BH. Das erweist sich jedoch als sehr viel schwieriger als gedacht.

Die Boutique ist eine Höhle aus Knallpink und schwarzer Spitze – eine ironische, schickere Version eines Reizwäscheladens. Die Verkäuferinnen hinter der Theke sind üppig, sexy und gleichgültig und haben ihrer Blusen so weit aufgeknöpft, dass die Kurven ihrer prächtigen Brüste zur Schau gestellt werden; dazu stöhnt »Je t'aime« aus den Lautsprechern. Unsicher gehe ich zarte Fetzen aus reiner Spitze und Satin durch, die an rosa Seidenbügeln hängen; winzige Slips in Pastellfarben mit weißem Besatz aus Marabuseide und G-Strings von derselben Art, aufreizende Spitzen-BHs und Strapsgürtel, Korsagen, die bis knapp unter die Brüste reichen, French Knickers und BHs aus ganz dünnem, durchsichtigen Material. Im rosa Schein der Deckenstrahler hat alles einen irgendwie künstlichen, barbiehaften Anstrich. Ich weiß nicht, wann Ria ihr besticktes Ensemble bekommen hat, aber jetzt ist es jedenfalls nicht mehr da. Ich ziehe ein relativ konservatives Seiden-Camisole mit passendem Höschen in Betracht, kann mich aber nicht dazu aufraffen, es anzuprobieren. Um ehrlich zu sein, macht mich schon sein Anblick schüchtern und verlegen, ganz zu schweigen davon, es wirklich zu tragen. Nachdem ich eine halbe Stunde dort herumgelungert habe wie ein Lustgreis in einer Videothek, gehe ich mit leeren Händen wieder hinaus.

Während ich durch Soho schlendere, versuche ich mich daran zu erinnern, wann ich das letzte Mal Sex hatte, ziehe aber eine Niete. Stockstill bleibe ich mitten auf dem Soho Square stehen und konzentriere mich, so stark ich kann – immer noch nichts. Als ob das nicht schon schlimm genug wäre, bleibt meine Erinnerung sogar dann noch ein dunkler, leerer Bildschirm, als ich das Feld auf »auch mit mir selbst« erweitere. Abgesehen von meinen kindischen Phantasien über Oliver Wendt, die immer mit einem langsam abgeblendeten Hollywoodkuss enden, bin ich nichts anderes als eine Jungfrau aus zweiter Hand. Ein prüdes, frigides spätes Mädchen.

So deprimierend das ist (also abgrundtief), quält mich doch im Moment ein noch dringenderes Problem: Ich habe all meine Unterhosen weggeworfen.

Es hat keinen Zweck. Nachdem ich mein sexuelles Ich nicht bei Agent Provocateur finden konnte, bleibt mir keine andere Wahl. Sehen wir den Tatsachen ins Gesicht: Die Situation ist schon ganz schön bedenklich, wenn das geheime sexuelle Ich sich letztlich bei Marks and Spencer wiederfindet.

Ich schleppe mich also durch die Stadt zum nächsten Marks, als der Himmel sich Unheil verkündend verdunkelt. Hastig beschleunige ich meine Schritte, und als die Regentropfen sich zu einem Hagelschauer verhärten, drücke ich mich Schutz suchend in einen Ladeneingang. Nachdem ich mehrere Minuten dort mit eingezogenen Schultern gegen das Schaufenster gepresst gestanden habe, fällt mir auf, dass es sich um nichts anderes als ein Geschäft der Marke La Perla handelt.

Obwohl ich inzwischen davon überzeugt bin, dass mein Schicksal unausweichlich hinter Klostermauern liegt, gehe ich hinein.

Auf den ersten Blick sehe ich, dass es sich hier um Dessous einer ganz anderen Klasse handelt. Hier gibt es nichts Schlüpfriges oder Vulgäres. Der ganze Laden schimmert hell und golden wie eine teure Perle mit seinen cremefarbenen Wänden und dem weißen Marmorboden. La Perla führt keine BHs mit Ausschnitten für die Brustwarzen oder zwickellose Slips, und nirgends ist ein Stückchen schwarze Spitze oder Marabuseide zu sehen. Das hier ist das Richtige: luxuriöse Wäsche, die schön und bequem genug ist, um sie jeden Tag zu tragen – vorausgesetzt, man kann sie sich leisten.

Ein Mann und eine Frau kaufen zusammen ein. Sie sind ein schönes Paar, noch relativ jung und vermutlich Italiener, beide sehr schick in diesen tadellos geschnittenen und trotzdem lässigen Kleidern, durch die sich die Italiener auszeichnen. Er wählt verschiedene Slips für sie zum Anprobieren aus, seidige G-Strings, Hüfthöschen und winzige Tangas, während sie ihre langen dunklen Haare zurückwirft und recht gelangweilt aussieht, als würde sie so etwas jeden Tag tun und lieber zu Hause vorm Fernseher sitzen. Ich komme mir vor wie eine Voyeurin, weil ich sie beobachte, merke mir aber trotzdem jedes Teil, das er aussucht. Ist es das, was Männer mögen?

Ein Geschäft wie La Perla kann man doch nicht betreten und sich einfach nur umsehen. Kurz nachdem ich die Schwelle überschritten habe, kommt eine Verkäuferin auf mich zu. Verstörenderweise ist sie das genaue Abbild der Madame Dariaux auf der Rückseite meines Buchs, mit der gleichen aristokratischen Nase, dem herrischen Blick und der wie gemeißelten Margaret-Thatcher-Frisur. Sie räuspert sich und sieht mich forschend an, während ich mit offenem Mund dastehe.

»Sie sehen aus, als könnten Sie Hilfe gebrauchen.« Sie spricht langsam und deutlich, als würde sie jedes dieser einfachen Worte abwägen.

Ich komme nicht über die Ähnlichkeit hinweg. »Ich … ja … ich brauche ein paar neue Unterhosen, äh, ich meine Dessous«, stammele ich, »und ich kann mich nicht entscheiden …«

Ehe ich mich's versehe, hat sie die Arme um meine Brust gelegt und nimmt Maß.

»Sie haben 75B, und« – sie mustert mich von Kopf bis Fuß – »ich würde sagen, Größe 38 sollte unten passen. Für welche Gelegenheit möchten Sie Ihre Wäsche? Soll sie zu einer bestimmten Kleidung passen? Einem schulterfreien Kleid zum Beispiel?«

»Nein, nein, nur für jeden Tag.«

»Nun, dann ist Weiß am besten, denke ich.« Sie steuert mich weg von den exotischen Seidenteilen, die die Italiener bewundern, und hin zu einer deutlich bescheideneren Kollektion.

Ich bin wieder da, wo ich angefangen habe, nur dass alles fünfmal so teuer ist. Trotzdem folge ich ihr, und sie reicht mir einen weißen BH und einen Slip. »Möchten Sie das vielleicht einmal anprobieren?«

Ach, was soll's, warum nicht? »Ja, gut.«

Sie führt mich in eine Umkleidekabine, so groß wie mein Schlafzimmer, mit weichem, bernsteinfarbenem Licht und einer kleinen, weißen Samtcouch darin.

»Ich sehe dann wieder nach Ihnen«, sagt sie und zieht brüsk den Vorhang zu.

Allein schon in dieser Umkleidekabine zu sein ist beruhigend und entspannend. Ich setze mich auf die Couch, lege meinen Mantel ab und schüttle den Regen aus meinen Haaren. Dann streife ich die Schuhe von den Füßen und fange an, mich auszuziehen. Das La-Perla-Ensemble passt gut, ist glatt und nahtlos, von schlichter, attraktiver Form und mit geschmackvollen Spitzenverzierungen versehen. Es ist anschmiegsam und figurbetonend. Aber ist es auch sexy?

Ich drehe mich nach allen Seiten und betrachte mich von hinten. Perfekter Sitz auch hier. Ich wirbele einmal kurz herum. Wirklich sehr hübsch. Dann stelle ich einen der BH-Träger enger, streiche über das seidige Material der Körbchen und rücke meine Brüste so zurecht, dass sie ein bisschen höher sitzen. Zufrieden lächle ich mein Spiegelbild an. Da bemerke ich, dass der Vorhang nicht richtig zu ist und der gut aussehende Italiener mich ziemlich schamlos beobachtet, während er darauf wartet, dass seine Frau herauskommt.

Ich sehe ihn, und er sieht mich, aber er macht keine Anstalten, sich umzudrehen oder wegzusehen. Stattdessen lächelt er charmant und nickt mir ganz leicht zu. Seine Frau ruft ihn, und er antwortet gelassen, ohne seinen Blick abzuwenden.

Mein Herz klopft, ich bin erhitzt und zugleich ungewöhnlich träge. Mein Verstand protestiert: Wie kann er es wagen? Aber eine andere, schelmische Seite von mir reagiert freudig erregt. Der Vorhang wird bewegt, und die Verkäuferin räuspert sich draußen. »Nun, wie finden Sie es?«

»Sehr schön«, sage ich mit weicherer, tieferer Stimme als gewöhnlich. Sie steckt den Kopf herein.

»Mhm«, nickt sie zustimmend. »Perfekt. Wie viele möchten Sie davon?«

»Na ja…« Ich sehe wieder in den Spiegel.

Der Italiener ist verschwunden.

Ich kaufe drei Sets in Weiß, zwei in Hautfarben und zwei in Schwarz. Mein Konto ist für mindestens einen Monat überzogen, aber das ist es wert.

Endlich habe ich mein geheimes sexuelles Ich gefunden, und es ist ein bisschen frecher und sehr viel teurer, als ich erwartet hatte.

Wenn ich mich jetzt ankleide, denke ich nur allzu gern daran, dass ich mich später auch wieder entkleiden werde. Bleibt nur die Frage, vor wem?

Make-up

Wäre es nicht wunderbar, wenn keine von uns es nötig hätte? Doch leider sind nur manche Frauen von Natur aus schön, während die Mehrzahl ein wenig nachhelfen muss. Make-up ist eine Art Kleidung fürs Gesicht, und in der Stadt würde eine Frau genauso wenig auf die Idee kommen, ungeschminkt das Haus zu verlassen, wie unbekleidet durch die Straßen zu gehen. Nichts ist besser geeignet, das Gesicht einer Frau zum Strahlen zu bringen und ihrem Aussehen den letzten Schliff zu geben, als eine Spur Lippenstift, etwas schwarze Wimperntusche und ein Hauch von Wangenrouge.

Auch beim Make-up kommen und gehen die Moden, aber es gibt ein paar Sünden, die man immer vermeiden sollte und deren schlimmste es ist, zu viel des Guten zu tun. Denken Sie daran, dass die Leute Ihnen wegen Ihrer schönen Augen Komplimente machen sollen und nicht wegen Ihres Augen-Make-ups. Und falls Sie feststellen, dass Sie keinen Mann umarmen können, ohne einen Streifen Puder auf seinem Revers zu hinterlassen (ein unbeschreiblich peinliches Missgeschick!), ist es höchste Zeit, sowohl Ihre Absichten als auch Ihre Schminktechnik einer Prüfung zu unterziehen. Ein gutes Make-up kann vieles geschickt kaschieren oder hervorheben, doch es wird Sie nicht vor Alter, Enttäuschungen oder den vielen Unsicherheiten bewahren, mit denen sich Frauen herumplagen. Nutzen Sie die Möglichkeiten der dekorativen Kosmetik, aber wahren Sie das rechte Maß.

Eines Morgens wache ich auf und stelle fest, dass ich mich zusätzlich zu einer gescheiterten Ehe, einem neuen Job, einer neuen, gelinde gesagt nicht unproblematischen finanziellen Eigenständigkeit und der Gewissheit, für den Rest meines Lebens allein zu bleiben, jetzt auch noch mit der Haut eines Teenagers herumschlagen muss – gerötet, fettig und mit sprießenden Pickeln übersät.

Ich stehe kurz vorm Nervenzusammenbruch. Nicht nur, dass mein Leben völlig durcheinander geraten ist, jetzt macht auch noch mein Gesicht Ärger. Eine Frau kann wunderbar jede Berührung mit der Wirklichkeit vermeiden, solange sie gut aussieht. Doch wenn das nicht mehr funktioniert, müssen drastische Maßnahmen ergriffen werden.

Make-up muss her. Jede Menge davon.

An meinem freien Tag stehe ich bei Tagesanbruch auf, nehme den Bus in die Stadt und betrete die Kosmetikabteilung von Selfridges in dem Moment, als das Kaufhaus seine Pforten öffnet. Hinter einer Sonnenbrille versteckt und mit gesenktem Kopf schlängele ich mich durch das Labyrinth aus glitzernden Verkaufsständen und gelangweilten Promotion-Girls für Parfums, bis ich zu der einzigen kosmetischen Lösung für Problemhaut gelange, die ich kenne.

Hier finde ich die gleiche klinische Frische, die gleichen Verkäuferinnen in weißen Laborkitteln und die gleichen hellgrünen Tuben und Mattglasfläschchen wie damals. Nach so vielen Jahren und einer Reise um die halbe Welt stehe ich wieder ganz am Anfang.

Meine Mutter, ebenfalls eine traumatisierte Überlebende der Pubertätsakne, lenkte mich zu einem identisch aussehenden Stand, als ich zwölf Jahre alt war. Sie wollte mich nicht das Gleiche durchmachen lassen wie sie vor vielen Jahren, in der Zeit vor fettfreien Make-up-Rezepturen und medizinischen, pH-neutralen Seifen. Ihre Hand fest auf meine Schulter gelegt, führte sie mich durch die Kosmetikabteilung unseres Kaufhauses zu dem besagten, leuchtend weißen Stand. »Entschuldigen Sie, meine Tochter hat Akne«, verkündete sie zu meiner Schmach. »Wir würden gerne wissen, was man dagegen tun kann.«

Natürlich ist es mehr als ungeschickt, zu einer Verkaufstheke zu marschieren und zu erklären, dass man Hilfe braucht.

In der ersten Stunde, die wir dort waren, musste die Make-up-Beraterin, die mindestens fünfundvierzig war und die gesamte Produktpalette ihrer Firma im Gesicht zu tragen schien, meinen Hauttyp unbedingt mittels einer so genannten Hautanalysestation feststellen, welche damals als die neueste Technik galt und auf einer kleinen Insel in der Mitte der Abteilung aufgebaut war. Sie bestand aus zwei hohen weißen Hockern und einem beleuchteten Plastikkasten mit Schiebetafeln darauf, über denen »Fettige Haut«, »Mischhaut« und »Trockene Haut« stand. Wir setzten uns auf die Hocker, und sie zog einen weißen Laborkittel über, nahm Block und Stift zur Hand und stellte mir eine Reihe von sehr ernsthaften Fragen wie: »Ist deine Haut trocken und schuppig?« Worauf meine Mutter unbeirrt mit dem Refrain »Fettig! Sie ist fettig! Sie hat ganz fettige Haut!« antwortete.

Die Beraterin nickte wissend und schob die Tafel auf dem beleuchteten Kasten über das hellgrüne, nach Desinfektionsmittel aussehende Feld mit der Überschrift »Fettige Haut«. Dann ging sie zur nächsten Frage über. »Würdest du sagen, deine Poren sind klein, normal oder groß?«

»Sehen Sie doch selbst.« Meine Mutter gab meinem Kopf einen Schubs, und schon starrten die Beraterin und ich gegenseitig auf unsere Poren.

»Ja, groß«, bestätigte sie, gerade als ich bei mir dachte, dass ihre so groß seien wie Mondkrater. Wieder schob sie die Tafel über das fettige Feld.

Inzwischen hatte sich eine kleine Menschentraube um uns gebildet, so neuartig war der Anblick der Hautanalysestation in Betrieb, besonders bei einem so jungen und so dringend der Hilfe bedürftigen Fall. Die Beraterin, die sich vor ihrem Publikum geschickt in Szene zu setzen verstand, brüllte die nächste Frage durch das gesamte Erdgeschoss. »Und wie oft täglich musst du Feuchtigkeitscreme auftragen?«

»Feuchtigkeitscreme?«, schrie meine Mutter zurück. »Sie verstehen wohl nicht. Sie hat fettige Haut! FETTIGE! Das Letzte, was sie braucht, ist Feuchtigkeit.« Die Frauen in der Menge und sogar ein paar Männer in der Herrenschuhabteilung auf der anderen Seite des Gangs schüttelten mitfühlend den Kopf.

Als schließlich jede Tafel mit wissenschaftlicher Genauigkeit ergeben hatte, dass meine Haut tatsächlich fettig war, riss die Beraterin das Blatt von ihrem Block ab, zog den weißen Kittel aus und führte uns in einer Parfumwolke zurück zur Verkaufstheke. »Zum Glück führen wir eine ganze Reihe hochwirksamer Produkte für den fettigen Hauttyp«, hob sie an. An die nächste Dreiviertelstunde kann ich mich nur noch verschwommen erinnern.

So kam es, dass ich am Ende wie ein zwölfjähriger Abklatsch von Joan Collins aussah.

Und nun, kaum dem Urteil der weiß bekittelten Beraterinnen entronnen, bin ich kurz davor, mich ihnen erneut auszuliefern. Ich nehme meine Sonnenbrille ab und hole tief Luft. Verzweifelte Situationen erfordern verzweifelte Maßnahmen.

Eine Stunde später verlasse ich die Abteilung wieder, bewaffnet mit einer neuen Serie von Lotionen, Gesichtswassern, wischfestem Make-up, Abdeckstiften, Fett aufsaugenden Pads, Rouge, einem Viererkästchen mit Lidschattenfarben (von denen mir drei nicht gefallen) und einem Gratislippenstift in einer Farbe, die ich nie benutzen werde. Von jetzt an hat die Beschreibung »ein frisches Gesicht« keine Bedeutung mehr, genauso wenig wie das Guthaben auf meinem Konto.

Es gibt jedoch Erfahrungen im Leben, bei denen selbst die beste Joan-Collins-Imitation keine Hilfe ist.

Am nächsten Tag im Büro sehe ich in meine Mailbox und finde nichts darin vor. Schon wieder. Keine Nachricht, kein Zeichen von Oliver Wendt, den ich schon seit Wochen nicht mehr gesehen habe. Was habe ich nur falsch gemacht? Ich sitze an meinem Schreibtisch, starre blind auf meine E-Mail-Maske und spiele die ganze Begegnung mit ihm noch einmal im Kopf durch. Immer und immer wieder.

Es ist eine Ewigkeit her, seit ich ihm meine Nachricht habe zukommen lassen, eine Nachricht, die ich jetzt ernstlich bereue. Ich fühle mich wie die letzte, mannstolle Schnepfe. Das schlimmste ist, dass ich immer noch die ganze Zeit an ihn denke, immer noch durch die Gänge des Theaters schleiche, in der Hoffnung, ihn zu sehen, immer noch keinen anderen Mann attraktiv finden kann und mich stur an diese alte Obsession klammere.

Wenn Oliver Wendt mich sehen kann, muss ich existieren. Das ist dic philosophische Prämisse, auf der ich mein neues Leben aufgebaut habe. Und nun, da ich existiere, ist es mir erlaubt, an der Dynamik des Lebens teilzunehmen, ohne mich ständig dafür zu entschuldigen – Raum und Zeit für mich zu fordern, Wünsche und Ziele zu haben, nach etwas zu streben, etwas zu versuchen, Fehlschläge zu erleiden. Und doch erscheint es mir unsinnig, dass ich so weit gekommen sein soll, so viele Veränderungen vorgenommen haben soll, ohne Oliver selbst für mich zu gewinnen. Er ist der Preis, die Belohnung, die mir für all meine Mühe zusteht, der Grund, weshalb ich mich überhaupt so angestrengt habe.

Ich muss ihn lieben. Schließlich denke ich die ganze Zeit an ihn.

Oder denke ich in Wirklichkeit an ihn, weil ich glaube, dass er an mich denkt? Ist Oliver nur eine spiegelnde Oberfläche, in der ich zum ersten Mal mein eigenes Bild entdeckt habe?

Auf einmal klingelt mein Telefon. Könnte er das sein – endlich? Ich atme tief durch und greife mit klopfendem Herzen nach dem Hörer.

»Phoenix Theatre, Theaterkasse«, schnurre ich so glatt und ruhig wie möglich. »Wie kann ich Ihnen helfen?«

Kurzes Zögern am anderen Ende.

»Ich bin's«, sagt mein Mann. »Wir müssen miteinander reden.«

Ich treffe mich mit ihm zum Mittagessen in dem Spaghetti-Restaurant neben dem Theater. Beide können wir den Schrecken nicht verbergen, der uns beim Wiedersehen durchfährt. Er sieht ausgezehrt aus, mager und erschöpft, und ich ähnele mit meiner Schminke der komischen Alten aus der Pantomime. Wir stehen verlegen am Eingang herum, unsicher, wie wir uns begrüßen sollen, und voller Angst, uns in die Augen zu sehen.

Dann setzen wir uns in eine Nische in der Ecke. Unser Essen kommt und bleibt unangetastet vor uns stehen. Nach scheinbar stundenlangem zähem Geplauder und angespanntem Schweigen fragt er endlich: »Wie soll es jetzt weitergehen?«

Über dieses Thema bin ich noch nicht bereit zu reden, obwohl ich den Verdacht habe, dass wir beide die Antwort kennen. Ich spiele mit meinem Besteck, versuche, das Messer auf die stumpfe Kante zu stellen. »Ich weiß es nicht«, halte ich ihn hin. »Was möchtest du denn tun?« Das Messer kippt um, und ich sehe kurz mein Spiegelbild auf der Klinge. Die Grimasse eines Zerrspiegels starrt mir entgegen.

»Ich gehe davon aus, dass du nicht vorhast zurückzukommen.« Er will mich unter Druck setzen, mich zu einer Aussage zwingen. Es ist alles zu abrupt, zu plötzlich, zu wirklich.

Der Kellner bringt uns den Kaffee. Ich lege meine Hände Trost suchend um die warme Tasse.

»Es hat sich nichts verändert«, sage ich schließlich, was selbst in meinen Ohren ausweichend klingt.

Frustriert seufzt er auf. Ein verlegenes Schweigen entsteht.

Ich nehme meinen Kaffeelöffel und will gerade etwas Milch in den Kaffee geben, als mir wieder mein verzerrtes, blasses Abbild aus der Höhlung des Löffels entgegenblickt. Schnell begrabe ich es in der Zuckerdose.

»Ich war bei einem Anwalt.« Er lässt sich durch mein Drumherumreden nicht abhalten. »Nur so als Vorsichtsmaßnahme.«

Ich öffne den Mund, um etwas zu sagen, aber es kommt nichts heraus.

»Sag mir ehrlich, hast du jemand anderen kennen gelernt?«

Ich sehe erschrocken auf, und da, in der Glasscheibe hinter ihm, erblicke ich mich schon wieder, mit rotem, erhitztem Gesicht, fast nicht zu erkennen hinter der Maske aus Make-up.

»Du wirst rot.«

»Nein! Nein, ich bin nur schockiert, dass du überhaupt so etwas denkst!«, stammle ich, überzeugt, dass er meine schuldbewussten Gedanken lesen kann.

»Nun, wenn das so ist, können wir den Schaden vielleicht wieder reparieren, meinst du nicht?« Er greift über den Tisch und berührt meine Hand.

»Es tut mir Leid.« Unbeholfen schiebe ich meinen Stuhl zurück. »Ich kann jetzt wirklich nicht darüber reden.« In meinem Kopf hämmert es, und als ich meine Tasche an mich nehme, zittern meine Hände.

»Louise, wir müssen aber darüber reden!«

»Ja, ich weiß.« Ich stehe auf. »Aber bitte nicht jetzt!« Die letzten Worte werfe ich ihm über die Schulter hinweg zu, während ich auf die Tür zueile.

Ich renne den ganzen Weg zurück zum Theater und suche Zuflucht in der Damentoilette des zweiten Rangs. Nachdem ich mir Wasser ins Gesicht gespritzt habe, fülle ich meine Handfläche mit billiger rosa Seife aus dem Spender und schrubbe mich sauber. Mein Make-up löst sich auf, Wimperntusche und Lippenstift verschmieren zu einer grotesken Bemalung. Auf einmal schluchze ich in das warme Wasser aus dem Hahn.

Alles ist schief gelaufen, und kein Make-up der Welt kann das verbergen.

An diesem Abend schließe ich zu Hause die Tür hinter mir ab, setze mich mit Stift und Post-it-Zetteln hin und notiere mir Madame Dariaux' weise Worte. Wenn ich mich nur richtig konzentriere, wenn ich alles genau aufschreibe, werde ich Klarheit bekommen. Dann werde ich wissen, was zu tun ist.

Am nächsten Tag bekomme ich bei der Arbeit einen Anruf aus dem Foyer, der mir mitteilt, dass unten ein Besucher auf mich wartet. »Ist es ein Mann?«, frage ich vorsichtig.

»Nee.« Der Sicherheitsbeamte unterdrückt einen Rülpser. »Irgendeine alte Schachtel.«

Mona steht gebieterisch in der Mitte des Foyers, raucht eine Zigarette und betrachtet abfällig ein Poster mit der Ankündigung einer Lesereihe neuer lesbischer Literatur, die im kommenden Monat bei uns stattfinden soll. Um ihre Schultern hat sie eine graue, mit Fuchspelz besetzte Kaschmirstola geschlungen, und an ihrem Handgelenk baumelt eine winzige grüne Tüte von Harrods.

Mit jeder Faser meines Körpers drängt es mich kehrtzumachen und wieder die Treppe hinaufzurennen, ehe sie mich entdeckt.

Doch so viel Glück habe ich nicht.

Sie dreht sich um, sieht zu mir auf, und ihr Gesicht verzieht sich zu dem heimtückischen Grinsen der Cheshirekatze aus *Alice im Wunderland.*

»Louise!«, ruft sie, als wären wir nicht Schwiegermutter und Schwiegertochter, sondern ein lange getrennt gewesenes Liebespaar, und schon stecke ich in einer vollen Mona-Umarmung, was einem langsamen Ersticken durch Kaschmir und Eau de Fracas gleichkommt.

Als ich mich befreie, hält sie mich auf Armeslänge von sich weg und reißt übertrieben die Augen auf. »Aber Darling, dir geht es wohl gar nicht gut, oder? Diese ganzen Dummheiten machen dich offensichtlich krank. Sieh dich bloß an, du bist ja nur noch Haut und Knochen! Hat dieser Calvin, bei dem du wohnst, denn nichts zu essen im Haus?«

»Schön, dich zu sehen, Mona«, lüge ich. »Er heißt übrigens Colin, mein Mitbewohner.«

»Also, keine Widerrede, ich lade dich zum Mittagessen ein! Du darfst dir aussuchen, wohin wir gehen – das Ivy, Le Caprice … du brauchst es nur zu sagen, und dann wollen wir dir mal was Anständiges zu essen vorsetzen.«

Sie zieht mich durchs Foyer, bis ich ihr endlich meinen Arm entwinden kann. »Tut mir Leid, Mona, aber das geht nicht. Ich habe gerade erst angefangen, und meine nächste Pause ist erst in ein paar Stunden.«

»Na, dann eben nur auf einen Kaffee. Du wirst doch fünf Minuten Zeit für mich haben.« Ihre Hand liegt in meinem Nacken und schiebt mich unnachgiebig zum Ausgang. Ich fühle mich wie ein kleines, braunes, schwereloses Blatt, das stromabwärts gerissen wird, auf einen tückischen Wasserfall zu. In den fünf Jahren, die ich Mona nun schon kenne, habe ich mich ihr nie widersetzen können, und es sieht nicht so aus, als hätte sich daran etwas geändert.

Wir sitzen im Café Nero, gegenüber dem Theater. Mona bestellt einen doppelten Espresso, und ich trinke stilles Wasser, drehe die Glasflasche in den Fingern herum und ziehe das Etikett in langen Streifen ab, während sie redet.

»Louise …«, beginnt sie, und schon an ihrem Ton höre ich, dass dies keine erfreuliche Unterhaltung für mich werden wird. Sie ahnt das wohl, unterbricht sich und setzt neu an. »Als Erstes möchte ich dir das hier schenken!« Großspurig legt sie das Harrods-Tütchen auf den Tisch, und ich merke, wie ich innerlich zusammenklappe vor Verlegenheit.

»Aber das sollst du doch nicht.« Meine Stimme ist so flach wie ein Pfannkuchen. Das Letzte, was ich möchte, ist, diese ganze

Posse von Freude und Dankbarkeit vor Mona aufführen zu müssen. Nicht heute. Nie mehr.

»Also, es ist eigentlich nicht von Harrods, ich habe es in einem kleinen Laden in Hampstead gekauft, aber ich hatte das Tütchen noch zu Hause und fand es witzig.«

Mir ist nicht klar, was daran witzig sein soll, etwas so aussehen zu lassen, als käme es aus einem anderen, teureren Geschäft. Doch zu wissen, dass das Geschenk keine verschwenderische Geste von Harrods ist, sondern nur irgendein Schmuckstück, das so tut, als ob, macht die ganze Farce etwas leichter zu ertragen. In der Tüte befindet sich ein kleiner, in Seidenpapier gewickelter Gegenstand. Ich packe ihn aus und halte eine silberne Brosche in Form eines Fisches in der Hand.

»Oh, wie aufmerksam. Sehr hübsch, wirklich.«

»Ich dachte, sie könnte dir gefallen, weil das doch dein Sternzeichen ist. Ich weiß nicht, ob du an so etwas glaubst, aber es ist irgendwie witzig.«

Alles ist so witzig heute. Wir amüsieren uns prächtig.

»Sehr hübsch«, wiederhole ich, wickele den Fisch wieder ein und stecke ihn zurück in das Tütchen. Mir fehlt die Energie, ihr zu sagen, dass ich erst im Juni Geburtstag habe.

Ich pule noch ein Stück von dem Etikett ab und sehe zu, wie sie ein kleines Emaildöschen aus ihrer Handtasche holt und vorsichtig zwei winzige Süßstofftabletten in ihren Kaffee fallen lässt. Mit einem hellen Geräusch schlägt ihr Löffel an den Rand ihrer Tasse.

»Ich will dich gar nicht erst fragen, wie es dir geht, Louise, denn diese ganze Angelegenheit hat dich sichtlich sehr mitgenommen. Aber ich bin hier, um dir meinen Rat und meine Hilfe anzubieten. Im Leben jeder Frau kommt eine Zeit, in der sie den Ratschlag und den Beistand einer, sagen wir, *erfahreneren* Vertrauten braucht.«

Ich pule weiter an dem Etikett.

Sie räuspert sich. »Lass mich ganz offen sprechen. Jede Ehe macht ihre Krisen durch, das gehört nun einmal dazu. In guten wie in schlechten Tagen, nicht wahr?«

Sie macht eine Pause, die jedoch ohne Wirkung bleibt.

»Louise, ich weiß, mein Sohn kann manchmal schwierig sein. Er ist eben sensibel, eine Künstlernatur. Sein Vater, Gott hab ihn selig, war genauso. Aber du und ich, wir sind Frauen, wir sind die Erwachsenen hier. Hab ich Recht? Natürlich wünschen wir uns alle, es ginge im Leben nur um Romantik, Liebe, Blumen und den ganzen Rest, aber manchmal läuft es eben nicht so. Es gehört viel mehr zu einer funktionierenden Beziehung als nur Sex!« Sie lacht verlegen. »Oft sind in der Ehe Zuneigung und gemeinsame Interessen wichtiger, Verständnis für einander ...«

Es hat keinen Zweck. Einen Moment lang starrt sie in den kleinen, dunklen Teich ihres Kaffees, und als sie weiterredet, klingt ihre Stimme müde und erschöpft.

»Ich kenne meinen Sohn. Ich weiß, er ist ... kompliziert. Aber er liebt dich wirklich, Louise. Auf seine Art.«

Ich starre auf den Tisch.

Sie seufzt schwer und sieht mir gerade in die Augen. Ihr Ton wird vorwurfsvoll. »Du machst es mir nicht gerade leicht, meine Liebe.«

»Es *ist* nicht leicht«, sage ich.

Sie lächelt, die Lippen über die Zähne gespannt. »Nein, natürlich nicht. Aber hast du schon einmal darüber nachgedacht, was aus dir werden soll? Was du tun willst? Die Lage ist vielleicht nicht ideal, doch du bist alt genug, um zu verstehen, dass es mehr als eine Art von Liebe auf der Welt gibt. Du wirst lernen müssen, das Schlechte mit dem Guten zu nehmen.«

Ich schiebe meinen Stuhl zurück und stehe auf. »Es tut mir Leid, Mona, aber ich muss wirklich gehen. Vielen Dank für die Brosche.«

Sie rührt sich nicht. »Gern geschehen, Louise. War mir eine

Freude.« Dann nimmt sie meine Hand. »Denk darüber nach, was ich dir gesagt habe. Manchmal ist es das Beste, das *Klügste*, sich einfach einen Kuss zu geben und sich zu versöhnen.«

Sie lässt mich los, und ich verlasse das Café.

Colin und ich fahren an diesem Abend gemeinsam mit dem Bus nach Hause, als er mich auf einmal ansieht und sagt: »Wart mal, du hast da etwas an der Backe.« Er fängt an, mit dem Finger in meinem Gesicht herumzuwischen.

Ich zucke heftig zurück. »Fass das nicht an!«, fauche ich. »Lass mich in Ruhe.«

Aber er hört nicht auf mich. »Nein, Ouise, da ist so ein dunkler kleiner Fleck«, sagt er, leckt sich den Finger, wie es unsere Mütter getan haben, als wir noch klein waren, und reibt noch fester. »Halt still, ich hab's gleich.«

Ich weiß genau, was er meint, aber es ist kein Fleck, sondern ein eiternder Pickel, und ich habe gut zehn Minuten und zwei verschiedene Produkte gebraucht, um ihn zu überschminken. Nun macht Colin alles noch schlimmer. Ich stoße ihn weg. »Lass mich in Ruhe, hab ich gesagt. Bist du taub? Nimm deine Hände weg!«

Der Bus hält ruckartig an unserer Haltestelle, und ich renne vor Colin durch den Gang, während er, beladen mit Einkaufstüten, hinterherhechelt. »Was ist denn bloß in dich gefahren?«, sagt er, als wir hinausklettern. »Warum bist du so empfindlich?«

»Ich bin nicht empfindlich, ich will nur nicht angefasst werden«, entgegne ich und gehe oder laufe vielmehr so schnell ich kann die Straße entlang, um von ihm wegzukommen.

»Schön! Wenn du mit einem großen schwarzen Fleck im Gesicht herumlaufen willst, bitte! Ich wollte dir nur helfen. Mein Gott, Louise, du wirst langsam richtig anstrengend, weißt du das?«

»Wen kümmert's«, zische ich, ohne Grund bis aufs Blut gereizt. Ich schließe die Haustür auf und stampfe nach oben.

Er hält die zuschlagende Tür mit seinem Fuß auf. »Mich kümmert's!« Aber ich bin schon in der Wohnung, erreiche mein Zimmer, als er oben an der Treppe ankommt, und knalle die Tür hinter mir zu. Er läuft mir nach, platzt mit seinen ganzen Tüten herein, ehe ich ihn aufhalten kann. »Mich kümmert es!«, ruft er wieder.

Dann hält er inne.

Sieht sich um.

Überall, am Spiegel, an den Wänden, hängen kleine gelbe Zettel.

Sie sollen mich daran erinnern, was elegant ist.

Und was nicht.

»Herrgott, Louise, was soll das?«

»Nichts«, sage ich, plötzlich wieder ruhig. »Es hat mit einem Buch zu tun, das ich gerade lese.«

»Was für ein Buch?« Er stellt die Einkaufstüten ab. »Schätzchen, so etwas ist nicht normal.«

»Tja, ich bin eben nicht normal, überhaupt nicht normal. Mit mir stimmt etwas nicht.« Ich hebe meine Haare an und zeige ihm meine Wange. »Siehst du das? Das ist kein Fleck, es ist ein Pickel. Ich habe Massen davon. Wenn Oliver Wendt mich so sehen würde ...«

»Oliver Wendt? Was hat denn der damit zu tun?«

»Nichts.«

Aber ich bin schon zu weit gegangen.

Ach, scheiß drauf.

»Ich habe mal etwas mit ihm getrunken, und er meinte, er wolle mit mir ausgehen, also hab ich ihm eine Nachricht geschickt, aber nichts mehr von ihm gehört. Kein Wort. Er geht mir offenbar aus dem Weg. Wahrscheinlich hat er mich irgendwann gesehen und gedacht: ›Was will ich bloß mit dieser Vogelscheuche?‹«

Colin setzt sich vorsichtig auf mein Bett. »Er ist in Australien,

Ouise. Man hat ihn eingeladen, *Gale Force* in Sidney zu inszenieren.«

»Oh.« Wie dämlich. Es ist mir nie in den Sinn gekommen, dass er verreist sein könnte.

»Was soll das alles?« Er zeigt auf die gelben Zettel und reißt einen von der Wand, ehe ich ihn daran hindern kann. »›Schönheit ist keine Garantie für Glück‹«, liest er laut vor, »›bemühe dich lieber um Eleganz, Anmut und Stil.‹ Was soll das heißen? Louise?«Er spricht mit mir, aber seine Stimme kommt aus weiter Ferne. Auch das hier, genau das, habe ich schon einmal erlebt.

»Ouise?«

Alles, was ich sagen kann, ist: »Es nützt nichts. Egal, was ich tue, es nützt nichts. Ich werde nie elegant sein, nie das Richtige tun. Alles läuft schief in meinem Leben.«

»Liebes, setz dich zu mir.« Colin zieht an meiner Hand, worauf meine Knie nachgeben und ich auf das Bett plumpse. »Jetzt erklär mir mal, worum es hier geht.«

Ich gebe ihm das Buch, meine Bibel, das wie immer an seinem Ehrenplatz auf dem Nachttisch liegt. Beinahe im selben Moment bereue ich es schon wieder.

»*Elégance*«, liest er den Titel und schlägt es auf. »Was ist das? Eine Art altmodischer Lebensratgeber?« Er blättert darin herum, als wäre es bloß ein amüsantes Kuriosum.

»Vergiss es.« Ich versuche, ihm das Buch abzunehmen, aber er hält es hoch, sodass ich nicht rankomme.

»Nicht so schnell! Willst du mir allen Ernstes erzählen, du glaubst, dass diese Frau – wie heißt sie? Madame Dariaux – weiß, was Eleganz ist? Dass sie etwas hat, was dir fehlt? Übrigens hat sie eine Margaret-Thatcher-Frisur.«

»Hat sie nicht!« Etwas härter als beabsichtigt boxe ich ihn auf die Schulter.

Er boxt zurück. »Hat sie doch! Hör mal, Ouise, dieses Buch gibt nur die Meinung einer einzigen Frau wieder, und dem Einband nach zu urteilen, noch dazu die einer Frau aus einer ganz anderen Epoche. Was hat sie dir schon zu sagen? Hat sie je durchmachen müssen, was du gerade durchmachst? Hat sie ihren Mann verlassen und musste sich ein ganz neues Leben aufbauen? Warum quälst du dich damit? Denn das ist es doch, reine Selbstquälerei. Warum vertraust du nicht auf deine eigenen Gefühle? Was ist so schlimm daran, wenn du Fehler machst oder ein paar Pickel hast? Mensch, wenn ich gerade meinen Mann verlassen hätte, hätte ich noch was ganz anderes als ein paar Pickel!«

»Du verstehst mich nicht! Niemand versteht mich! Es geht nicht um ein paar Pickel! Oder darum, das Schlechte mit dem Guten zu nehmen oder diesen ganzen Mist! Gib es jetzt her!« Ich grapsche nach dem Buch, und wieder hält er es außer Reichweite.

»Nein. Erst sagst du mir, warum es so wichtig für dich ist, elegant zu sein.«

»Weil... weil...« Mein Verstand versagt, weigert sich aus Frustration zu funktionieren. »Verdammt! Warum verpisst du dich nicht einfach, Colin?«, explodiere ich. »Hör auf, so scheißselbstgerecht zu sein und lass mich endlich in Ruhe!«

Er starrt mich einen Augenblick lang an. Dann wirft er mir das Buch hin, steht auf und sammelt seine Tüten ein. »Okay«, sagt er kalt. »Ganz wie du willst.«

Er marschiert aus dem Zimmer, und hinter ihm fällt die Tür ins Schloss. Ich bleibe allein zurück mit meinem Buch, meinen Post-it-Zetteln, meinen Pickeln und meiner Fischbrosche, die nicht von Harrods ist.

Noch nie in meinem Leben bin ich so gemein zu jemandem gewesen. Ich umklammere das Buch mit zitternden Händen und versuche zu verstehen, was gerade passiert ist. Warum habe ich so übertrieben reagiert? Warum kann ich seine Fragen nicht vernünftig beantworten? Und warum ist es eigentlich so wichtig für mich, elegant zu sein?

Dann steigt langsam die Antwort aus der Dunkelheit meines

Bewusstseins auf. Vielleicht wäre er mehr Mann gewesen, wenn ich mehr Frau für ihn gewesen wäre.

Als ich mich endlich aus meinem Zimmer traue, finde ich Colin in der Küche, wo er Shepherd's Pie macht und sich im Radio eine Fußballübertragung anhört. Ich stehe eine Weile in der Tür und sehe zu, wie er Kartoffeln stampft, aber er ignoriert mich. Also stelle ich mich mitten in die Küche, und weigere mich, ihn vorbeizulassen.

»Bitte verzeih mir. Das war falsch von mir. Und gemein. Und mies.«

Er unterbricht sein Tun einen Moment und starrt auf den Fußboden.

»Das war falsch und gemein und mies«, wiederhole ich.

Er sieht auf. »Es geht nicht nur darum. Ich mache mir Sorgen um dich – du spielst verrückt.«

»Ich weiß. Ich *bin* verrückt. Bitte hass mich nicht, Colin. Ich mache die Post-its ab und stelle das Buch weg. Nur verzeih mir bitte, sag, dass wir immer noch Freunde sind.«

»Komm her.« Er geht auf mich zu und nimmt mich in die Arme. »Hör zu, Ouise, egal, was zwischen uns passiert, egal, was wir sagen oder tun, eines kann ich dir versprechen: Wir werden uns immer versöhnen, immer.«

Er hält mich noch lange im Arm.

Eine Woche später beschließen mein Mann und ich, die Scheidung einzureichen.

Kurz darauf beginnen die Pickel zu verschwinden.

Negligés

Einer der erstaunlichsten Widersprüche bei vielen sonst sehr eleganten Frauen ist, dass sie ihr Äußeres in den Stunden trauten Beisammenseins zu Hause vollkommen vernachlässigen, obwohl das genau die Zeit und der Ort ist, wo sie am attraktivsten sein sollten.

Auf jede Frau, die am Ende des Tages ihr Make-up abnimmt und es durch ein leichteres ersetzt, sich ein Band in die gut gebürsteten Haare bindet und in einen hübschen Morgenmantel oder Hausmantel mit passenden Pantoffeln schlüpft, kommen viel zu viele, die zu Hause in einem schäbigen Bademantel herumlaufen, den Kopf voller Lockenwickler, dicke Creme auf dem Gesicht (wenn es nicht sogar eine Maske aus grünem oder schwarzem Brei ist) und mit großen, unförmigen Hausschuhen an den Füßen. Man fragt sich, wen sie mit dem Ergebnis ihrer Schönheitspflege beeindrucken wollen – vermutlich die Ladeninhaber, die sie am nächsten Morgen bei ihren Einkäufen sehen. Der arme Ehemann gewöhnt sich unterdessen daran, seinen Blick von dem Schreckgespenst, das seine Frau ist, abzuwenden und ihn stattdessen auf die Sportseiten der Zeitung oder den Fernsehschirm zu richten.

Wozu gibt es eigentlich Schönheitssalons? Damit dem lieben Gatten der Horror erspart bleibt, alle Geheimnisse seiner Frau mit eigenen Augen sehen zu müssen.

Ich bin zweiunddreißig Jahre alt, und zum ersten Mal in meinem Erwachsenenleben wohne ich mit Menschen zusammen, mit denen ich nicht ins Bett gehe, allgemein auch als Mitbewohner bezeichnet. Wir teilen uns Küche, Bad und Wohnzimmer.

Das WG-Leben fällt mir anfangs nicht leicht, sodass ich einige Fauxpas begehe. Ich weiß nicht, wie man für sich allein einkauft oder mit anderen zusammen im Wohnzimmer sitzt und fernsieht. Immerhin bin ich gut im Abwaschen und Müllhinaustragen. Jeden Tag lerne ich etwas dazu. Von Colin lerne ich, wie man die Vorräte von drei Leuten in einem einzigen Kühlschrank unterbringt (»Von groß nach klein stapeln, Süße. Du musst aufwärts denken, aufwärts!«), und Ria bringt mir bei, wie man richtig badet, mit Kerzen, speziellen Seifen, Badeessenzen und Luffaschwämmen. »Auf diese Weise hältst du Zwiesprache mit dir selbst«, doziert sie. »Das Wasser ist dein Gefühlsleben. Wenn du nur rein- und wieder rausspringst, wirst du nie befriedigende Beziehungen mit anderen haben.«

Ach so. Okay.

Etwas tun meine Mitbewohner auch gemeinsam – sie legen zusammen und kaufen mir unter dem Vorwand eines äußerst verspäteten Weihnachtsgeschenks einen neuen Bademantel.

»Wir haben etwas für dich«, sagt Colin eines Abends, als wir zusammen kochen, und überreicht mir ein sperriges, in Geschenkpapier eingewickeltes Päckchen. Ria grinst und sieht auf ihre Füße.

»O Gott, Leute, wie süß, das sollt ihr doch nicht!« Ich bin total aufgeregt, kichere und reiße das Papier auf wie ein Kind. Zum Vorschein kommt etwas, das wie ein riesiges Handtuch aussieht.

»Wow«, sage ich, während ich mich verwundert frage, warum sie mir ein Handtuch gekauft haben. »Toll. Wäre doch nicht nötig gewesen.«

»Freut mich, dass es dir gefällt«, sagt Colin mit einem Blick zu

Ria, der es so schwer fällt, das Lachen zu unterdrücken, dass sie sich abwenden muss. »Übrigens, Louise, es ist ein Bademantel.«

»Ah, ach so, jetzt sehe ich es. Ja, er ist toll«, rufe ich und bemerke, wie riesig er ist. Und blau. Und unförmig. »Wirklich klasse, Leute, aber ich habe schon einen Morgenmantel. Den kleinen weißen, den kennt ihr doch, oder?« Ich sehe sie beide an, aber sie weichen meinem Blick aus. Plötzlich hat der Fußboden etwas unheimlich Faszinierendes.

Sehr merkwürdig.

»Du kennst doch meinen Morgenmantel, Col? Du hast ihn schon gesehen, oder?«

Colin räuspert sich. »Ja, Schätzchen, wir haben ihn alle gesehen. Sogar Mick hat ihn neulich gesehen, als er hier war und du aus dem Bad kamst. Und er ist hetero. Die Sache mit diesem Morgenmantel ist die – es ist nichts gegen ihn zu sagen, wenn du jemanden verführen willst…«

»Aber«, beendet Ria seinen Satz, »er ist nicht unbedingt für das WG-Leben geeignet.«

Mein Gesicht fängt an zu brennen, in meinen Händen kribbelt es. »Was wollt ihr damit sagen? Was ist falsch an ihm? Ist er durchsichtig? Was?«

»Was wir sagen wollen, wenn vielleicht auch nicht auf die taktvollste Art, ist…«

»Wir können deine Titten sehen«, schließt Colin.

»Genau«, stimmt Ria ein.

»O Gott, o Gott!« Ich kauere mich zu einem Bündel aus Schmach auf dem Boden zusammen, den dicken, langen Frotteebademantel an die Brust gedrückt. »O Gott, das tut mir Leid. Wie furchtbar peinlich!«

»Reg dich ab, Süße.« Colin streicht mir übers Haar und lacht. »Sie sind wirklich sehr hübsch, weißt du, nur ein bisschen ablenkend, wenn man morgens am Frühstückstisch sitzt und seinen Tee trinken will.«

Ich sehe schuldbewusst zu ihnen auf. »Es tut mir wirklich Leid, ich hatte ja keine Ahnung. All die Jahre habe ich ihn getragen, und nie hat jemand was gesagt … nie hat jemand … ich meine …« Ich weiß nicht mehr weiter

Offenbar bin ich monatelang in einem durchsichtigen Fähnchen herumgelaufen, doch wie eine moderne, erotisch aufgeladene Version von »Des Kaisers neue Kleider« war ich mir meiner Nacktheit nicht bewusst. Nach Jahren des Zusammenlebens mit einem Mann, der körperlich völlig immun gegen mich war, habe ich anscheinend den Schluss gezogen, dass alle es sind. Wegen seines mangelnden sexuellen Interesses habe ich vorgegeben, bekleidet zu sein, während ich in Wahrheit um eine Reaktion bettelte.

Und hier ist sie.

Obendrein kommt sie nicht ganz ohne Vorwarnung. Wenn ich mit Colin und seinen Freunden tanzen gehe, wackelt er um mich herum und zieht die Träger meines rückenfreien Kleids mit Nackenverschluss hoch. Und Ria hat sich schon mehrfach mit einer Strickjacke in der Hand an der Wohnungstür aufgebaut und sich geweigert, mich gehen zu lassen, bis ich mich bedecke. Bis jetzt habe ich diese unzusammenhängenden Hinweise immer ignoriert, aber nun bin ich mit der Nase darauf gestoßen worden und sehe alles glasklar. Nach so vielen Jahrens des Versteckens ist das Pendel in die andere Richtung ausgeschlagen, und ich bin über Nacht zu einer Exhibitionistin geworden, die schreit: »Seht mich an! Beachtet mich! Ich bin lebendig! Hier sind meine Titten zum Beweis!« Wir erbärmlich und erniedrigend. Und doch habe ich es immer wieder getan.

Bis meine Mitbewohner massiv einschreiten mussten.

Ich vergrabe meinen Kopf unter dem Berg aus Frottee, den Colin als Bademantel bezeichnet. Nie wieder will ich darunter hervorkommen, ich will vor Peinlichkeit in Ohnmacht fallen und nie wieder aufwachen.

Aber eines möchte ich vorher noch wissen. »Sind sie wirklich hübsch?«

»Wie bitte?«, fragt Colin.

Ich schlucke schwer. So etwas sollte ich nicht nötig haben, aber ich kann es nicht ändern. »Ich habe gefragt, ob sie wirklich hübsch sind.«

»Wer?« Ria und Colin sehen sich verwirrt an.

Ich starre unverwandt auf den blauen Kringel inmitten eines roten Rechtecks auf dem Orientteppich. Das Muster wiederholt sich um den ganzen Rand des Teppichs herum.

»Meine Brüste.« Meine Stimme klingt auf einmal gepresst, ist kaum mehr als ein Flüstern. »Du hast gesagt, sie wären hübsch.«

Es folgt ein langes, erstauntes Schweigen, und ich muss feststellen, dass ich weine – der blaue Kringel verschmilzt mit dem roten Rechteck. Als ich blinzle, trennen sie sich wieder.

Es ist Ria, die schließlich sagt: »Sie sind sehr hübsch, und du bist sehr hübsch. Hübsch genug, um ausreichend Kleider am Leib zu tragen, Louise.«

Originalität

Es gibt immer wieder Anlässe im Leben, bei denen auch die bescheidenste, sonst wenig auf Kleidung gebende Frau erkennt, dass es gesellschaftlich von großer Wichtigkeit sein kann, sich gut gekleidet zu präsentieren. Von plötzlicher Panik überkommen, weil sie im Mittelpunkt des Interesses stehen wird, fragt sie sich verzweifelt: »Was soll ich bloß anziehen?«, und eilt los, um sich irgendein festliches Kleid zu kaufen.

Was es auch für ein Anlass ist, bei dem Sie oder Ihr Mann eine wichtige Rolle spielen – zum Beispiel als Paten bei einer Taufe, als Mitglied des Organisationskomitees eines Wohltätigkeitsballs oder einfach als Gast auf der Weihnachtsfeier der Firma –, Sie sollten immer Schlichtheit als die beste Strategie ansehen und nicht versuchen, Ihr Aussehen für dieses besondere Ereignis von Grund auf zu verändern. Das würde nur alle in Erstaunen versetzen, und Sie wollen ja keine Sensation bei der Feier auslösen, sondern einfach eine angenehme und attraktive Erscheinung bieten.

An einem Samstagmorgen wache ich vom Geräusch gedämpfter Stimmen auf. In meinem neuen, garantiert blickdichten Bademantel schlurfe ich in den Flur und bleibe lauschend vorm Wohnzimmer stehen.

»Und du meinst, sie wollen sich scheiden lassen?« Eine unbekannte Frauenstimme.

»Ja«, sagt Colin, »es steht jetzt so gut wie fest.«

Die Frau seufzt. »Sex oder Geld, Darling. Denk an meine Worte, es läuft immer auf Sex oder Geld hinaus.«

Ich klopfe leise an. »Hallo? Entschuldigung, wenn ich störe.«

Colin erhebt sich, und die Frau, klein und zierlich und mit flammend roten Haaren, lächelt mich an. Sie trägt einen Tweedrock zu einem smaragdgrünen Twinset und sitzt mit gekreuzten Beinen, die Füße zierlich angewinkelt.

»Guten Morgen, Ouise! Haben wir dich geweckt? Ich glaube, ihr kennt euch noch nicht – das ist meine Mutter.«

Ich grinse entschuldigend, wohl wissend, wie zerzaust und dringend eines Kaffees bedürftig ich aussehe. »Freut mich, Sie kennen zu lernen, Mrs. Riley.« Ich gehe zu ihr und schüttle die winzige Hand.

»Bitte nennen Sie mich Ada.« Ihre Stimme ist wohlklingend und kultiviert und lässt nur die allerkleinste Spur eines irischen Akzents erkennen.

»Ich wollte gerade Kaffee machen, möchten Sie auch einen?«, biete ich an.

»Nein«, sagt sie und steht auf. »Ich muss jetzt los, ehe dein Vater mich vermisst. Es war schön, Sie kennen zu lernen, Louise.«

Colin hilft ihr in den Mantel. »Ich bring dich zur Tür, Mum.« Während sie die Treppe hinuntergehen, höre ich sie noch miteinander flüstern.

Als Colin zurück ist, kommt er zu mir in die Küche.

»Deine Mutter ist aber eine Frühaufsteherin. Worum ging's denn?«, frage ich und schütte Cornflakes in eine Schüssel.

Er lehnt den Kopf an den Türrahmen und schließt die Augen. »Um meinen Vater. Er macht wieder Schwierigkeiten.«

Colins Vater, Patrick Riley, war einst ein berühmter irischer Tenor und seine Mutter Ada eine Tänzerin im Royal Ballet. Sie lernten sich in den Fünfzigern in Covent Garden kennen und heirateten bald. In kurzen Abständen bekamen sie fünf Kinder, von denen Colin das jüngste ist. Patricks Sängerlaufbahn erfuhr jedoch ein plötzliches, tragisches Ende, als er bei einer Aufführung der *Cavalleria Rusticana* Ende der sechziger Jahre seine Stimme verlor. Da er sich keinen Beruf außerhalb der Musik vorstellen konnte, brachte er sich und seine Familie mühsam als Gesangs- und Musiklehrer durch, erholte sich aber nie von dem Verlust der Anerkennung und des Ruhms zu seiner Covent-Garden-Zeit. Hochsensibel wie er schon immer war, begann er bald, Phasen tiefster Depression zu erliegen und sich tagelang in sein Arbeitszimmer einzuschließen. Mit zunehmendem Alter und als die Kinder nach und nach das Haus verließen, wurden seine Stimmungsschwankungen immer heftiger; auf plötzliche, unkontrollierbare Gefühlsausbrüche folgten stets tränenreiche Versprechungen, sich »zusammenzunehmen«. Doch er war nicht in der Lage, aus eigener Kraft eine wirkliche, dauerhafte Veränderung herbeizuführen. Schon immer wurde in der Familie nur selten über »Dads Leiden« gesprochen, aber in letzter Zeit hatte sich sein Zustand noch verschlimmert, und Ada wusste nicht mehr ein noch aus. Hinzu kam, dass es ihm um die Zeit des Jahrestags seines letzten, verheerenden Auftritts, der in einem Monat sein würde, immer besonders schlecht ging.

»Mum meint, wir sollten vielleicht ein Fest zu seinen Ehren organisieren, alle Freunde und Verwandte zusammentrommeln und sein Lebenswerk feiern, aber ich weiß nicht so recht. So etwas könnte auch nach hinten losgehen. Er könnte sich tatsächlich darüber freuen, aber es könnte auch einen neuen, schweren Anfall morbider Grübeleien auslösen – obwohl er den wahrscheinlich sowieso bekommen wird.« Colin schüttelt den Kopf. »Ich weiß nicht, Ouise. Ich weiß wirklich nicht, was wir tun sollen.«

»Schwierige Entscheidung.« Ich schenke ihm eine Tasse Kaffee ein. »Ich wünschte, ich könnte dir helfen.«

»Na ja, da wäre was ...«, sagt er zögernd.

»Spuck's aus.«

»Falls sie sich tatsächlich dazu entschließt, diese Feier zu veranstalten, würdest du mich begleiten?«

»Klar, Col. Kein Problem. Aber meinst du nicht, dass sie vielleicht nur die Familienmitglieder dabeihaben will?«

Er betrachtet den Küchenfußboden. »Und deren Partner«, fügt er leise hinzu.

»Partner?«

Jetzt sieht er auf. »Weißt du, ich habe ihnen nie so richtig gesagt, dass ich schwul bin.«

Ich bekomme beinahe einen Lachanfall, unterdrücke ihn aber. »Glaubst du nicht, sie wissen es längst?«

Er seufzt abgrundtief. »Es geht nicht darum, ob sie es wissen, Louise. Sie gehören eben einer Generation an, in der man es nicht für nötig hält, über diese Dinge zu reden, verstehst du? Was sie wissen oder nicht wissen ist nicht das Problem. Es würde nur nicht gerade hilfreich sein, wenn ich es ihnen ausdrücklich sagen würde. Wir kommen besser miteinander aus, wenn es einfach kein Thema ist.«

»Und wie schaffst du das, dass es kein Thema wird?«

»Ich binde es ihnen nicht auf die Nase, und sie fragen nicht.«

»Solange du Single bist, mag das ja angehen, aber was ist, wenn du einen festen Freund hast?«

»Louise«, sagt er müde und leicht gereizt, »vertrau mir einfach. Sie wollen es nicht wissen. Sie wollen, dass ich glücklich bin, aber mehr wollen sie nicht wissen. Manche Dinge bleiben besser ungesagt.«

Drei Tage später bestätigt Colin, dass seine Mutter beschlossen hat, ihren Plan durchzuführen; die Feier soll in dem großen Haus der Familie stattfinden und eine Überraschung sein. In den folgenden Wochen verbringt Colin jede freie Minute damit, die Vorbereitungen zwischen seiner Mutter und seinen Geschwistern zu koordinieren. Sie planen ein großes, abendliches Büffet, engagieren ein Jazz-Trio zum Tanzen, und Ada hat mit ein paar von Patricks besten Schülern ausgemacht, dass sie kommen und singen. Verwandte und Freunde werden eingeladen und deren Anreisen organisiert, sogar aus Dublin, und Colins Bruder Ewan hat alte Filmaufnahmen von seinem Vater in *La Bohème* ausgegraben und restaurieren lassen, die am Ende des Abends gezeigt werden sollen. Ständig klingelt das Telefon, und es liegt gespannte Erwartung in der Luft. Die Energie und der Enthusiasmus, mit dem der Riley-Clan sich in die Planung von Patricks Feier stürzt, ist wirklich unvergleichlich.

Eine Woche vor dem großen Tag nimmt mich Colin in die Zange, als ich gerade den Abwasch mache. »Wir sollten mal darüber reden, was wir anziehen.«

Ich drücke ihm ein Geschirrtuch in die Hand. »Gute Idee. Fangen wir mit dir an.«

»Also« – Colin beginnt, ein paar Gläser abzutrocknen und sie ins Küchenregal einzuordnen – »ich dachte an meinen dunkelblauen Nadelstreifenanzug, ein hellblaues Hemd und eine rote Krawatte. Etwas Konservatives, Förmliches, aber nicht zu förmlich. Was meinst du?«

Ich sehe ihn erstaunt an. »Du hast einen dunkelblauen Nadelstreifenanzug? Ich kann mir dich gar nicht in so einer seriösen Aufmachung vorstellen!«

Er grinst. »Na ja, ich müsste ihn reinigen lassen, aber er existiert. Alan hat ihn mir mal gekauft, als er mich überreden wollte, ins Bankfach zu wechseln. Ich wollte Mum davon überzeugen, für den Abend Smoking vorzuschreiben, weil ich finde, dass in Abendkleidung einfach alle besser aussehen, aber sie meint, dass nicht jeder einen Smoking besitzt, und da hat sie sicher Recht.«

»Ins Bankfach! Noch weniger kann ich mir vorstellen, dass du über die Finanzen anderer Leute wachst, Col!«

Er lacht. »Okay, jetzt bist du dran. Woran hast du gedacht?«

»Hm, ich bin mir noch nicht ganz sicher. Ich könnte das kleine Schwarze von Karen Millen anziehen.«

»Hmmm.« Schon die Art, wie er sich aufs Abtrocknen konzentriert, sagt mir, dass er nicht ganz einverstanden ist.

»Aber vielleicht ist es ein bisschen zu … wie soll ich sagen …?«

»Eng?«, ergänzt er.

Ich drehe mich zu ihm um. »Eng?!«

»Na, dann eben eng anliegend. Sagen wir, figurbetont.«

Ich funkele ihn an. »Colin, gegen dieses Kleid gibt es absolut nichts zu sagen. Oder dagegen, wie es an mir sitzt.«

»Nein, nein, natürlich nicht! Ich liebe dieses Kleid, Ouise, wirklich! Aber ich dachte an etwas Dezenteres, etwas Zurückhaltenderes … wie soll ich sagen? Etwas Katholischeres.«

»Was zum Beispiel? Eine Nonnentracht?«

Er seufzt und legt das Geschirrtuch ab. »Du musst das verstehen, Louise, es geht hier um meine Familie. Sie sind im Grunde alle ein bisschen altmodisch, man könnte auch sagen konservativ. Trotz der Verbindungen zur Bühne. Du und ich, wir beide gehen da als Team hin, stimmt's? Ich werde den blauen Nadelstreifenanzug tragen, und du sollest etwas anziehen, das dazu passt, findest du nicht?«

Stirnrunzelnd sehe ich ihn an. Das ist nicht der Colin, den ich kenne. Mir kommt es vor, als wäre er von einem bösartigen Zwillingsbruder entführt worden, der nun an seiner Stelle verlangt, dass wir seinen Eltern eine bizarre Komödie vorspielen.

Da kommt mir ein Verdacht.

»Sag mal, du hast ihnen doch nicht zufällig gesagt, ich wäre deine Freundin?«

Er nimmt das Geschirrtuch wieder in die Hand und trocknet ab, als ginge es um sein Leben. »Nein! Natürlich nicht.«

»Ehrlich? Weil du dich nämlich echt komisch benimmst.«

Er weicht meinem Blick aus und stapelt Teller aufeinander. »Wirklich nicht, Louise. Ehrlich!«

»Aber du hast ihnen auch nicht gesagt, dass ich *nicht* deine Freundin bin. Da liegt der Hase im Pfeffer, stimmt's? Du wolltest einfach gar nichts sagen und sie in dem Glauben lassen.«

Er stellt die Teller ab. »Ist das denn so schlimm?«

Ich schuttle den Kopf. »Warum tust du das, Colin? Du weißt doch, dass du dich für nichts zu schämen brauchst, oder?«

Er reibt sich erschöpft die Augen. »Das ist weder der richtige Zeitpunkt noch der Anlass, Louise, ein Coming-out in meiner Familie zu haben, verstehst du? Bei diesem Fest geht es nicht um mich. Alles, was ich möchte, ist, dass wir uns unauffällig unter die Leute mischen, nur für diesen einen Abend. Ich werde nicht versuchen, dich als meine Verlobte auszugeben, okay? Du bist für die anderen eine gute Freundin und meine Mitbewohnerin und damit basta. Ich will nur, dass dieser Abend glatt über die Bühne geht. Kannst du das verstehen?«

Das kann ich.

Ich nehme ihn in die Arme. »Hör zu, ich ziehe an, was du möchtest, ja? Wir werden viel Spaß haben, und der ganze Abend wird ein toller Erfolg, du wirst sehen.«

Er drückt mich an sich. »Ich muss gestehen, ich habe mir die Freiheit genommen, etwas aus dem Kostümfundus auszuleihen.« Er verschwindet ins Wohnzimmer und kommt mit einer Plastiktüte wieder. »Hier, sieh mal, ob dir das gefällt.«

Ich greife hinein und hole ein Designermodell von Diane von Fürstenberg heraus, ein Wickelkleid in einem kühnen Rot. »Wow«, sage ich und halte es an, »das ist ja unglaublich.«

Er strahlt. »Jetzt siehst du aus wie eine Bankiersgattin!«

Doch am Ende kommen Colin und ich gar nicht dazu, unsere sorgfältig ausgewählte Garderobe zu tragen.

Zwei Tage vor dem Fest, als Colin gerade zusätzliche Teller und Bestecke bei seiner Mutter abliefert, hören sie ein merkwürdiges Geräusch aus Patricks Arbeitszimmer und finden ihn zusammengesunken auf dem Teppich. Er hat eine tödliche Dosis Tranquilizer geschluckt. Es gibt keinen Abschiedsbrief.

Colin bleibt eine Woche bei seiner Mutter und hilft ihr bei allem, und dann, nach der Beerdigung, fährt Ada nach Irland zu einem längeren Besuch bei Verwandten.

An dem Tag, an dem Colin nach Hause kommt, nehmen Ria und ich uns frei. Er schlurft herein und geht sofort ins Bett, schläft erst einmal vier Stunden lang. Derweil backen Ria und ich Scones. (Sie backt, ich sehe zu.) Als er schließlich aufwacht, die Augen rot und geschwollen, machen wir eine Kanne Tee und versuchen, ihn mit den Scones zu füttern, und als das nicht klappt, sitzen wir einfach im Wohnzimmer, sehen zu, wie die Sonne hinter der Londoner Skyline versinkt, und hören uns eine alte Aufnahme von Patrick mit bekannten italienischen Arien an. Die Platte ist zu Ende, und wir sitzen schweigend im Dunkeln. Dann knipst Ria das Licht an und geht in die Küche, um für uns alle Käsetoast zu machen. Colin legt seinen Kopf in meinen Schoß.

»Er hat uns so viel Ärger gemacht«, sagt er nach einer Weile. »Er war so unberechenbar und schwierig. Aber jetzt, wo er nicht mehr da ist, weiß ich nicht, was wir ohne ihn tun sollen.«

Sanft streichle ich ihm über die Haare.

Ich würde ihm gern sagen, dass ich ihn verstehe, aber das stimmt nicht. Ich gehöre zu denen, die Glück gehabt haben.

Als ich dreizehn Jahre alt war, kam ich eines Tages von der Schule nach Hause und fand meine Mutter im Nachthemd in einem der Wohnzimmersessel vor. Sie hätte angezogen und an ihrem Arbeitsplatz sein sollen, aber das war sie nicht. Sie saß einfach dort, blass, hager und mit glasigen Augen. Ihr Nachthemd war ausgeblichen und feucht. Es klebte an ihrer mageren Gestalt und hatte vorne einen Fleck. Meine Mutter war sonst nie zu Hause, wenn ich von der Schule kam.

Ich fragte sie, ob es ihr nicht gut gehe, aber sie antwortete nicht, starrte nur vor sich hin, wobei ihr Kopf auf ihrem Hals hin- und herwackelte, als könnte er jeden Moment abfallen. Ich stellte mich direkt vor sie und fragte noch einmal, doch sie sah mich nur an, als würde sie mich nicht erkennen, und blinzelte langsam – viel zu langsam. Dann fiel ihr Mund einfach auf, und ich erkannte in einem einzigen, schrecklichen Moment, dass sie dabei war zu sterben. Die Welt schien sich in Zeitlupe zu bewegen; ich spürte, wie mein Rucksack von meinem Rücken auf den Boden rutschte, und obwohl ich rannte, waren meine Füße wie Blei. Ich riss den Telefonhörer von der Wand und wählte eine Nummer. Eine Stimme meldete sich, und ich hörte mich unsere Adresse brüllen und dass sie sich beeilen sollten, und als ich mich wieder umdrehte, sah ich, wie ihr Oberkörper nach vorn sank, der Kopf auf die Brust fiel und ein dünner Speichelfaden langsam über ihr Kinn lief. Ich ließ den Hörer los, der gegen die Wand knallte, während sie zu Boden sackte.

Kurz darauf kam das Notarztteam. Ich wiegte sie in meinen Armen und versuchte, sie zum Aufwachen zu bringen. Sie zogen sie von mir weg, schnallten sie auf eine Bahre und setzten ihr eine Sauerstoffmaske auf. Dann durchsuchten sie das Bad, bis sie ein paar Pillenfläschchen fanden. Innerhalb weniger Minuten waren sie wieder weg. Eine Nachbarin, Mrs. Havelman, kam herüber und rief meinen Vater an. Sie war Deutsche und wollte nur helfen, aber ihr Englisch war nicht sehr gut. Als meine Schwester und mein Bruder nach Hause kamen, empfing sie sie mit der Nachricht, meine Mutter sei »krank im Kopf und ins Krankenhaus geschafft worden«.

Es dauerte Monate, bevor sie wieder nach Hause kam.

Danach war sie verändert. Zum Besseren.

Als ich nun Col im Arm halte, denke ich an all die heimlichen Vorbereitungen während des vergangenen Monats und daran, dass er und seine Mutter Patrick zu spät gefunden haben. Und wieder, wohl zum tausendsten Mal, überlege ich, was passiert wäre, wenn ich an jenem Tag später von der Schule nach Hause gekommen wäre, wenn ich an der Bushaltestelle herumgetrödelt und die Jungs von St. Andrew begafft hätte oder wenn ich hätte nachsitzen müssen.

Später am Abend rufe ich zu Hause an. Ich sitze im Dunkeln am Fenster und lausche dem Läuten des Telefons Tausende von Meilen weit weg. Dann höre ich ein Klicken, und die Stimme meiner Mutter meldet sich.

»Hallo?«

»Hallo, Mom.«

»Louise! Wie viel Uhr ist es denn? Ziemlich spät bei euch, oder?«

»Ja, ein bisschen.«

»Ist alles in Ordnung?«

»Ja, Mom, alles bestens. Ich rufe nur an, um zu hören, wie es dir geht.«

»Sehr gut, Mädchen. Könnte nicht besser sein. Dein Vater ist mal wieder die reinste Nervensäge, aber ich bin sehr streng mit ihm, sodass wir das bald geklärt haben werden. Es geht um diesen neuen Schuppen, den er hinten im Garten bauen will. Weißt du schon, dass deine Schwester noch ein Kind will? Bis jetzt hat's nicht geklappt, aber ich halt dich auf dem Laufenden. Was macht der Job? Ich habe heute den ganzen Tag Blumenzwiebeln gepflanzt, obwohl ich glaube, dass die auch wieder vom Wild gefressen werden. Aber ich versuche es jedes Jahr, also kann ich jetzt nicht einfach aufgeben, oder?«

»Nein, keinesfalls.«

»Also, Mädchen« – ich höre, wie sie sich eine Zigarette anzündet – »was gibt es für einen besonderen Anlass?«

Ich sehe zum Fenster raus. Die Welt dort draußen ist still und schwarz.

»Kein besonderer Anlass, Mom. Ich wollte nur mal deine Stimme hören.«

Pfunde

In jedem Frühjahr preisen die Modezeitschriften und die Frauenseiten der Zeitungen neue Diäten an, die, wenn man sich strikt an sie hält, eine schlanke Figur und damit eine elegante Erscheinung versprechen. Auch wenn es nicht unbedingt erforderlich ist, dünn wie ein Mannequin zu sein, um elegant zu wirken, kann man vermutlich davon ausgehen, dass die Liste der zehn bestgekleideten Frauen zugleich die der zehn hungrigsten ist.

Schlankheitskuren sind praktisch zu einer neuen Religion geworden. Früher wurden sie diskret, beinahe heimlich durchgeführt, und ihre ersten Anhängerinnen gaben sich mit einem moderaten Schlanksein zufrieden, das immer noch ein paar sanfte Kurven zuließ. Doch heute haben radikale Sekten das Regiment übernommen, die täglich neue Mitglieder gewinnen und selbstherrlich verkünden, dass keine Rettung möglich ist für die wenigen verbliebenen Ungläubigen, die sich weigern, die Bohnenstangenfigur zu preisen.

Sollten Sie sich zu dieser neuen Religion bekehren? Vielleicht – aber um welchen Preis? Frauen, die Diäten machen, können ihrem Glauben gegenüber eine ermüdende Besessenheit entwickeln. Ich würde Ihnen empfehlen, nicht nur sich selbst zu wiegen, sondern auch Ihre Prioritäten sorgfältig abzuwägen. Gott hat Sie geschaffen, wie Sie sind, und es ist unsinnig, in einem Maße gegen die Natur anzukämpfen, dass Sie Freunde und Familie mit Ihren zahllosen Vor-

schriften, was Sie essen dürfen und was nicht, gegen sich aufbringen.
Eine schlanke Figur ist zweifellos elegant, aber neurotische Selbstbesessenheit ist es auf keinen Fall.

Ich stehe in einer Starbuck's-Kaffeebar an und versuche, den Fettanteil, den Kaloriengehalt und den Kohlehydratindex eines fettarmen Blaubeermuffins zu schätzen. Was ich wirklich will ist jedoch ein Stück von dem doppelt gefüllten Schokoladenkuchen. Ich bin gereizt und unentschlossen und starre auf den Kuchen wie das Kaninchen auf die Schlange. Ria fragt mich, was ich möchte, damit wir bestellen können, während die Schlange hinter mir langsam unruhig wird und das Mädchen am Tresen die Augen verdreht. Mich drängt es, die Vitrine zu durchschlagen, den ganzen Kuchen zu schnappen und damit brüllend hinaus auf die Straße zu laufen wie ein Monster aus einem Horrorfilm.

Aber das tue ich nicht.

Nein, ich tue das Richtige. Denn die Welt ist unterteilt in Richtig und Falsch, Gut und Böse, Dick und Dünn. Also bestelle ich einen doppelten Espresso ohne Zucker.

Als Ria fragt: »Bist du sicher?«, weil sie gesehen hat, wie ich auf den Schokoladenkuchen schiele, fahre ich sie an: »Ja, das ist alles!«, denn in diesem Moment hasse ich sie. Sie und alle anderen, die bestellen können, was sie wollen, ohne sich mit tausend gedanklichen Verrenkungen zu quälen. Die einfach zu der pickligen Spanierin hinterm Tresen gehen und sagen können: »Ich nehme einen Iced Latte und ein Stück von dem doppelt gefüllten Schokoladenkuchen«, ohne eine Achterbahnfahrt durch diese Hölle aus Schuldgefühlen und Panikattacken machen zu müssen.

Ich hingegen bestelle den doppelten Espresso, kriege einen totalen Koffeinkoller und laufe den ganzen Tag in einem Zustand schwitzender, zuckender Gereiztheit herum, weil ich mir wieder einmal etwas versagt habe. Es gibt drei Mahlzeiten am Tag, ein

Tag hat vierundzwanzig Stunden, und ein Tag folgt auf den anderen, bis man stirbt. Das ist eine verflixt lange Zeit, um nicht zu essen, was man möchte.

Meine erste Diät habe ich gemacht, als ich neun war. Als kleine Ballerinas wurden wir ständig zum Hungern ermutigt, und ich weiß noch, wie unsere Lehrerin sich mit uns hinsetzte und darüber sprach, dass es an der Zeit sei, auf unsere Figur zu achten. Sie riet uns, immer kleine Honiggläser und Teelöffel in unseren Balletttaschen mitzuführen, damit wir, wenn wir nach stundenlangem Tanzen ohne etwas zu essen einer Ohnmacht nahe waren, einen Löffel Honig schlecken und weitermachen konnten. Also trugen wir alle schmierige Honiggläser mit uns herum, die immer wieder einmal aufgingen und unsere Trikots mit dicker, zuckriger Klebmasse überzogen.

Oft saßen wir im Umkleideraum und lauschten eifrig den Diättipps der älteren Mädchen. Man durfte nur fettarmen Joghurt, Cola light, Kaffee und Ofenkartoffeln mit nichts drauf zu sich nehmen. Oder nur Eiweiß und Gemüse, davon dann so viel man wollte, aber weniger war besser. Nichtsdestotrotz landeten wir nach dem Unterricht allzu oft bei McDonald's und aßen Hamburger, und wenn man sich einen Hamburger einverleibt, kann man auch gleich noch Fritten und einen Milchshake bestellen. Aber das machte nichts, weil wir von Melissa Formby die großartige Methode gelernt hatten, einfach alles wieder zu erbrechen. Sie hatte diese geniale Lösung gerade erst selbst entdeckt und hielt nun Intensivkurse darüber ab, wie man das bestmögliche Ergebnis mit dem geringsten Aufwand erzielte.

»Immer vorher schnell ein Glas Wasser trinken«, wies sie uns an. »Dann müsst ihr den längsten Finger benutzen, und ein bisschen mit dem Nagel nachhelfen schadet nichts. Denkt an etwas richtig Ekliges. Wenn euch etwas richtig Widerliches einfällt, geht es schneller, und eure Mutter wird nicht misstrauisch.«

Wir nickten. Wie klug sie war.

»Ach so, und nehmt eine abgelegene Toilette, wo man nichts hören kann. Vor allem, bis ihr gelernt habt, es geräuschlos zu machen.«

Guter Tipp. Als Tänzerinnen bekamen wir ständig beigebracht, alles geräuschlos zu tun, quer durch den Raum zu springen und lautlos zu landen, auf blutigen Spitzen Pirouetten zu drehen, ohne zu ächzen, das Bein durchgestreckt bis zum Ohr zu heben, ohne zu schreien. Ein Kinderspiel.

Als ich dreizehn war, hatte ich schon meine eigene Variation zu diesem Thema erarbeitet. Ich aß eine Mahlzeit am Tag, meist etwas vollkommen Widerwärtiges ohne jeglichen ernährungsphysiologischen Wert, wie einen mit M&Ms bedeckten Schokoladenkuchen oder Eiskrem und Schokoladensoße zum Frühstück, und dann Speed, Kaffee und Cola light für den Rest des Tages. Falls ich nach der einen Mahlzeit noch etwas aß, kotzte ich es in der Gästetoilette wieder heraus.

Das ging eine ganze Weile so, bis ich eines Nachts, nachdem ich gerade einen besonders deprimierenden Bergmanfilm über Nekrophilie gesehen hatte, eine ganze Schachtel ungesunder Kekse mit weißem Zucker in mich hineinstopfte und gleich wieder erbrach. Ich saß zitternd auf dem Badezimmerboden und wollte nicht mehr leben. Zumindest nicht mehr auf diese Weise. Ich konnte es nicht länger ertragen, rund um die Uhr darüber nachzugrübeln, was ich essen würde, wann ich es essen würde und, am allerschlimmsten, was ich nicht essen durfte. (Abführmittel hatte ich auch schon ausprobiert, mit katastrophalem Ergebnis.) Also fasste ich den Entschluss, bei mir zu behalten, was ich aß, mochte geschehen, was wollte. So begann ein neues Kapitel in meiner Diätengeschichte.

Nachdem ich verheiratet war, hielt ich meine Essgewohnheiten geheim, aber da mein Mann fast jeden Abend auf der Bühne stand, war es einfach, mich in seiner Abwesenheit den schönsten Fressorgien hinzugeben.

Wir wohnten in Stratford, er spielte bei der Royal Shakespeare Company. Wir hatten eine neue Wohnung, er einen neuen Job, und ich eine neue Diät. Sie ähnelte der Hay-Diät, nur mit Ökozeugs. Jeden Tag aß ich ungefähr zwölf Kilo fleckiges, komisch geformtes, haariges Obst und Gemüse. Ich hatte dauernd Blähungen und roch wie gekochter Kohl.

Die Regeln waren einfach. (Genau wie Gesellschaftsspiele. Es gibt eigentlich keinen Unterschied, man spielt »Monopoly« mit Essen.) Man durfte Kohlehydrate mit Gemüse und Milchprodukten essen, aber nicht mit Fleisch. Fleisch durfte man nur mit Gemüse essen. Obst war so gefährlich, dass man es nur allein essen durfte, und zwar mehrere Stunden vor oder nach einer Mahlzeit. Also gab es Steak mit Salat, Hühnchen mit Salat, Fisch mit Salat. Aber keinen Käse. Käse war schlecht, das reinste Teufelszeug. Ich durfte zwar irgendeinen komischen Bioziegenfrischkäse essen, aber den gab es nur in einem Laden in Notting Hill, und außerdem schmeckte er wie Fensterkitt. Zum Mittagessen Salat. Salat mit Reis, Salat mit Nüssen, Salat mit Brot. Wenn ich Brot sage, meine ich einen glutenfreien, hefefreien Laib aus Hirse und Leinsamen. Er sah aus wie ein Ziegelstein, aber wenn man ihn toastete, war er ganz knusprig. (In Ermangelung von Geschmack musste es eben die Konsistenz tun.) Außerdem keinerlei Zucker, kein Koffein, kein Fett.

Im Ratgeber hörte sich das alles ganz einfach an, mehr als einfach sogar, als wäre man verrückt, sich anders zu ernähren. Auf dem Umschlag sah man ein breit grinsendes Paar um die siebzig beim Marathonlauf. Völlig koffeinfrei. Ich fühlte mich völlig unfähig, wenn ich die beiden nur ansah. Bohnen spielten bei dieser Diät eine große Rolle. Bohnen und Kohlsuppe, gewürzt mit Knoblauch. Sie hätten mich davor warnen sollen, dass ich zu einem kurz vor der Explosion stehenden Gaswerk mutieren würde. Ich musste mich in ein Zimmer mit weit geöffnetem Fenster einschließen. Mein Mann schlief auf der Couch.

Man sollte so viel Rohkost essen wie möglich. Ich knabberte jeden Tag ein Vermögen an rohem Gemüse in mich hinein, fühlte mich aufgebläht und trotzdem hungrig. Ich träumte von Hamburgern, Pommes und Shepherd's Pie, morgens wachte ich auf und nagte an meinem Kopfkissen. Anderen Leuten beim Essen zuzusehen wurde zu einer erotischen Erfahrung. Bei McDonald's starrte ich zum Fenster rein wie ein Spanner und war kurz davor, für ein Happy-Meal zu töten.

Angeblich sollte ich mich irgendwann besser fühlen, lebendig und energiegeladen. Meine Haut sollte strahlen. Doch alles, was ich bekam, war ein übler Fall von Reizdarm. Ich krümmte mich vor Schmerzen, also brachte mein Mann mich zum Arzt.

»Was essen Sie?«, fragte mich der Doktor, nachdem er mich untersucht hatte.

»Also, heute habe ich glutenfreies Müsli mit Reismilch gegessen, Brokkoli mit kurz angebratenem Hühnerfleisch und Ingwer, ein paar rohe Möhren, etwas Roggentoast mit Sojaaufstrich und zuckerfreier Himbeermarmelade …«

Er unterbrach mich mit erhobener Hand; er war spät dran für sein Golfmatch.

»Du lieber Gott!«, sagte er mit angewidertem Blick. »Essen Sie mal eine Kartoffel, Frau! Ein schönes Wurstbrötchen! Kein Wunder, dass Sie kaum noch aufrecht stehen können.«

»Aber… aber…« Ich traute meinen Ohren nicht. Wollte er denn keinen Marathon laufen, wenn er siebzig ist?

Anscheinend nicht.

Als ich zu Colin und Ria ziehe, bin ich schließlich so durcheinander von dem ganzen Diäthalten, dass ich mich für einen hoffnungslosen Fall halte. Der einzige Unterschied zu früher besteht darin, dass ich nichts mehr verbergen kann. Wir teilen uns eine Küche und essen häufig zusammen, und während Colin mich wegen meiner seltsamen Mahlzeiten neckt und mich gelegentlich zwingt, Hühnercurry und Pudding zu essen, beobachtet

Ria meine Essgewohnheiten schweigend und registriert unliebsame Dinge, die sie aus meiner Sicht lieber wieder ganz schnell vergessen sollte.

Dann ertappt sie mich eines Nachts in der Küche.

Es ist nach halb drei, ich bin im Schlafanzug und stopfe mir Kekse in den Mund. Es sind ihre Kekse, sie hat sie vor einigen Monaten zu Weihnachten geschenkt bekommen und auf dem Regal über der Spüle alt werden lassen, weil sie kein Fan von Süßigkeiten ist. Normalerweise würde ich nichts von ihren Sachen nehmen, ohne zu fragen, aber ich war verängstigt und hungrig aufgewacht und hatte selbst nichts mehr zu essen. Ich hatte nichts einkaufen wollen aus Angst, alles auf einmal in mich hineinzuschlingen. Jetzt hasse ich mich dafür, dass ich alte Kekse stehle. Es ist eine Sorte, um die ich normalerweise einen großen Bogen mache, aber hier hocke ich im Dunkeln und schiebe sie mir in den Mund, als sie hereinkommt und das Licht anknipst.

Ich blinzele aufgeschreckt wie ein wildes Tier, das beim Stöbern im Müll erwischt wird. Ich kann es auch so schon nicht ertragen, dass mich jemand beim Essen sieht, aber diese nächtlichen Beutezüge müssen unbedingt geheim bleiben.

»Was machst du da?«

Ich rapple mich vom Boden auf und versuche zu lächeln. »Tut mir Leid. Entschuldige.«

»Aber was machst du da?«, fragt sie wieder.

Ich möchte sterben, im Boden versinken, in den Äther gesaugt werden. Immer noch halte ich die Packung mit ihren Keksen in der Hand und stelle sie nun wie in Zeitlupe auf den Tisch, als ob das alles ungeschehen machen würde.

»Die sind alt«, sagt sie. »Warum isst du sie? Und warum isst du im Dunkeln?«

»Ich hatte Hunger. Tut mir echt Leid. Ich ersetze sie dir, ich kaufe morgen neue.«

»Louise, ich mag diese Kekse nicht, deswegen habe ich sie nie gegessen. Die Kekse sind mir egal. Aber was du da machst, ist ziemlich bedenklich.«

»Ich weiß. Entschuldige. Ich werde es nicht wieder tun.«

Sie sieht mich forschend an. »Doch, das wirst du.«

Es ist mitten in der Nacht, und kein Verkehrsrauschen, kein Presslufthammer in der Ferne reißt die Worte mit sich. Sie hängen ungemildert zwischen uns, und aus irgendeinem Grund lüge ich nicht, winde mich nicht heraus, lache weder noch protestiere ich.

»Du hast Recht«, höre ich mich sagen.

Bist du verrückt, das zuzugeben, flüstert es in meinem Kopf. Das soll doch niemand wissen, und jetzt stehst du hier und plapperst es heraus. Aber damit noch nicht genug.

»Ich kann nicht richtig essen«, spricht meine Stimme weiter, als wäre ich hypnotisiert. »Ich weiß einfach nicht, wie das geht.«

Wir stehen uns gegenüber. Aus der dichten Schwärze, die gegen das Haus drückt, weht ein Windstoß durchs offene Küchenfenster herein. Kalt und flüssig wie Quecksilber wirbelt er zwischen uns herum, fährt durch Rias Haare und lässt sie um ihr Gesicht tanzen. Ihr weißer Baumwollmorgenmantel bläht sich um sie wie ein Segel, und einen Augenblick lang ist sie eine schwerelose Erscheinung, die vor den stümperhaft angebrachten Hängeschränken schwebt. Dann braust er davon, streift ungeduldig an uns vorbei auf dem Weg zu interessanteren Orten, und wir sind wieder allein. Rias Morgenmantel legt sich still um ihre Knöchel, und ihre Haare landen sanft auf ihrem Kopf.

»Hast du immer noch Hunger?«, fragt sie.

»Nein.«

»Gut, dann können wir ja ins Bett gehen.« Sie streckt ihre Hand aus, und ich nehme sie. »Du denkst zu viel nach, Louise. Man muss nicht immer über alles so viel nachdenken.« Dann führt sie mich durch die Dunkelheit zurück zu meinem Zimmer.

Die Welt ist voller Ernährungsratgeber, aber ich bin auf eine ganz neue Idee gestoßen.

Essen Sie drei normale Mahlzeiten am Tag. Essen Sie, worauf Sie wirklich Appetit haben. Hören Sie auf, wenn Sie satt sind.

Zugegeben, das ist nicht immer so leicht, wie es sich anhört, aber um mit Madame Dariaux' unsterblichen Worten zu sprechen: »Gott hat Sie geschaffen, wie Sie sind.«

Und mit Rias: »Lass den Quatsch hinter dir.«

Qualität/Quantität

Einer der auffälligsten Unterschiede zwischen einer gut gekleideten Engländerin und einer gut gekleideten Pariserin liegt im Umfang ihrer jeweiligen Garderobe. Die Engländerin wäre vermutlich erstaunt über die begrenzte Anzahl von Kleidungsstücken im Schrank der Französin, aber sie würde zugleich feststellen, dass jedes davon von ausgezeichneter Qualität ist, eventuell auch teuer nach britischem Maßstab, und bestens an den Lebensstil seiner Trägerin angepasst. Die Französin trägt ihre Sachen immer wieder und mustert sie nur aus, wenn sie abgetragen oder unmodern geworden sind. Sie betrachtet es als Kompliment (und so ist es auch gemeint), wenn ihre beste Freundin sagt: »Wie schön, dass du dein rotes Kleid angezogen hast, das habe ich schon immer besonders gern an dir gemocht!«

Ausländische Besucher sind oft schockiert über die hohen Preise in den Pariser Modeboutiquen und fragen sich, wie eine junge, berufstätige Frau, die nicht mehr verdient als ihre britische Kollegin, sich eine Krokohandtasche und ein Kostüm von Balmain leisten kann. Die Antwort ist, dass sie nur sehr wenige Kleidungsstücke kauft, weil sie danach strebt, ein einzelnes perfektes Ensemble für jede Lebenssituation zu besitzen, statt eine große Auswahl an Kleidern für jede flüchtige Stimmung.

Es wäre zu überlegen, ob nicht auch die Engländerin davon profitieren würde, ihre Neigung zur Quantität hin und wie-

der durch ein Streben nach Qualität zu ersetzen. Sie würde vielleicht feststellen, dass dies nicht nur ihrer Eleganz zugute kommt, sondern auch der Freude und dem Selbstbewusstsein, die ihre Kleider ihr schenken.

Colin und ich haben uns ein neues Lebensmotto zu Eigen gemacht, das im Kern lautet: Das Leben ist viel zu kurz. Nicht gerade umwerfend originell, aber es passt zu unserer Stimmung.

Ich bin nicht sicher, wann wir zu dieser Schlussfolgerung gelangt sind, aber der entscheidende Moment könnte auf dem Oberdeck des 159er Busses stattgefunden haben. Es war ein regnerischer Morgen, und wir fuhren zusammen zur Arbeit, eingezwängt zwischen all den anderen Fahrgästen zur Stoßzeit. Alles war nass, die Fenster beschlagen, die Sitze durchweicht, der Gang voller tropfender Schirme. Colin hatte sich auf den Platz neben mir gequetscht. Auf dem Schoß balancierte er einen Plastiksack mit Patricks alten Anzügen, die er zu einem karitativen Secondhandladen bringen wollte, während er gleichzeitig seinen Rucksack und seinen Schirm umklammerte, damit sie nicht bei jedem Ruckeln des Busses in den Gang kullerten. Meine Füße steckten nass und eiskalt in frisch ruinierten neuen Wildledermokassins.

Ich machte gerade meine Post auf, um einen neuen Packen Scheidungspapiere herauszufischen, als der Bus schlingerte und ruckartig bremste, sodass ich gegen einen gut gekleideten Schwarzen auf dem Sitz vor mir geschleudert wurde. »Tut mir sehr Leid«, entschuldigte ich mich und sammelte mühsam die Briefe vom Boden auf.

»Kein Problem«, sagte er mit einem freundlichen Lächeln. »Ist ja nicht Ihre Schuld.«

Ich lächelte zurück.

»Wenn ich Sie noch einen Moment länger stören dürfte«, fuhr er fort, »würde ich Ihnen gerne von der selig machenden Freude eines Lebens in der Gnade Christi erzählen.«

Ich glaube, das ist der Moment, in dem es passierte. Col und ich sahen uns an.

»Das Leben ist viel zu kurz«, sagte er, was vermutlich der erste vollständige Satz war, den er an diesem Morgen von sich gab.

»Was machen wir überhaupt hier?«, redete er weiter, plötzlich nicht aufzuhalten in seiner Empörung. »Worauf warten wir? Ich habe es satt, an den Tod zu denken, ich habe es satt, mit dem Bus zur Arbeit zu fahren, ich habe es satt, abends zu Hause zu sitzen und darauf zu warten, dass mein Traumprinz an die Tür klopft!«

»Ich habe diese Scheidung satt«, stimmte ich mit ein. »Ich habe nasse Schuhe satt!«

»Zum Teufel mit nassen Schuhen!« Er stand auf und drückte das Haltesignal. »Ich habe es satt, vernünftig zu sein! Verdammt noch mal, Ouise, wir sind jung, wir sind sexy, wir sind talentiert! Das Leben ist viel zu kurz für diesen Scheiß, und ich finde, es ist höchste Zeit, dass wir mal ein bisschen Spaß haben!«

»Okay.«

Wir stiegen aus dem Bus und nahmen uns ein Taxi.

So fing es an. Auf einmal war es viel zu schwierig, erwachsen zu sein, also gaben wir es auf. Zur gleichen Zeit beschloss ich, mit den klugen, nüchternen Moderatschlägen von Madame Dariaux für eine Weile auszusetzen. Die Vorstellung, jeden Penny für das perfekte Kaschmirtwinset zu sparen, kam mir zu altmodisch, zu brav und zu verantwortungsbewusst vor, und vor allem dauerte es mir viel zu lange. Ich wollte zur Abwechslung mal eins von den Mädels sein, die so viele Outfits haben wie Männer – fröhlich, strahlend schön, lebenshungrig, mitten im Geschehen. Wie Colin hatte ich es satt, darauf zu warten, dass die Zeit meine Wunden heilte und ich mich wieder normal fühlte. Und wie Colin war ich bereit, zu neuen Ufern aufzubrechen.

In dieser Zeit entschied ich, dass Elegantsein mich nicht mehr zufrieden stellte. Ich wollte lieber fashionable sein, modisch, hip.

Es ist Donnerstagabend, und Col und ich sind mit etwa zwanzig unserer neuen besten Freunde in einer Bar namens »Cube«. Das Cube ist nicht viel anders als das Mink Bikini, nur dass das Mink Bikini im letzten Monat angesagt war, und jetzt ist es das Cube. Das Lokal ist gestopft voll, es wimmelt von Medienleuten mit stachelig gegelten Haaren und grauen Unisex-Klamotten, schmollenden, schlaksigen Möchtegernmodels in zerrissenen Chloe-T-shirts und Sandaletten mit Stilettoabsätzen und Werbetypen in schwarzen Armani-Anzügen mit neonfarbenen Krawatten – alles schreit, drängelt, verschüttet Drinks aufeinander und stolpert über die hellgrünen Ottomanen, die die Lounge-Area bilden.

Der Sound besteht aus tranceartigen französischen Remixes von KC and the Sunshine Band mit dem Gesang von Vanessa Paradis, und die Bar bietet jede Menge anzüglicher kleiner Gags, um das Publikum zu amüsieren, darunter eine diskret versteckte Videokamera in der Männertoilette und ein weniger diskreter Videobildschirm, auf dem die Action zu den Damen übertragen wird (gewarnt sein heißt gewappnet sein). Daneben gibt es eine große elektronische Anzeigentafel über dem Eingang, auf der jedes Mal unterschiedliche Botschaften aufleuchten, wenn jemand hereinkommt. »Jesus liebt dich, aber er wird seine Frau nicht verlassen«, steht da zu lesen, wie bei einem automatisierten chinesischen Glückskeks. »Ist es Liebe oder Wollust?«, leuchtet auf, als eine junge Frau aus dem strömenden Regen hereinstolpert, ihre Haare schüttelt und ihren Mikromini herunterzieht. Jemand brüllt »Wollust natürlich« durch den ganzen Saal, und alle lachen, während sie erstarrt wie ein Reh im Scheinwerferlicht dasteht und nichts von der Schrift über ihrem Kopf ahnt.

Die Stimmung ist aufgeheizt. Wir haben es alle geschafft. Wir sind am Portier und an den beiden weiblichen, in Gucci gewandeten Türstehern vorbeigekommen, die in aller Gelassenheit und mit ultragelangweilten Mienen diejenigen zurückweisen, die zu hässlich, zu dick, zu alt oder zu »gestrig« sind (daran ändern auch die diversen Retrolooks nichts). Wir feiern unseren Erfolg, indem wir wie wild mit Zwanzig-Pfund-Noten vor den tätowierten, blauhaarigen Barkeepern herumwedeln, über die betrunkenen Medientypen kichern, die (ohne ihr Wissen) auf dem Bildschirm pinkeln, und mit den ätzenden Werbeheinis flirten, die wiederum mit den schmollenden Models flirten, die mit niemandem flirten.

Ich habe einen engen schwarzen Rock von Kookai an, der fast genauso aussieht wie der von Prada in dieser Saison, ein kurzes Oberteil aus transparenten Stoffschichten wie das im Schaufenster von Versace (nur dass meins von einem Marktstand in Brixton ist) und schmerzhaft hohe Mules in Knallpink mit einem schmalen Riemchen von Office, die praktisch die Doppelgänger von den Manolo Blahniks sind, die Kate in der *Vogue* von diesem Monat trägt. Meine Haare habe ich zu einem glatten, blonden Vorhang mit einem »natürlich« wirkenden Mittelscheitel geföhnt, wozu ich bloß fünfzig Minuten und drei verschiedene Haarstylingprodukte gebraucht habe. Mein Lippenstift ist von Mac, der Nagellack auf den Zehen von Chanel, und ich dufte nach einer Mischung aus wilden Feigen und französischen Glyzinien, was zugleich erotisch und androgyn wirken soll. Von dem blauen Trägerkleid habe ich mich wirklich weit entfernt. Ich bin eins von den heißen, hippen Mädchen.

Leider sind nicht alle, mit denen ich unterwegs bin, so heiß und hip. Ein paar von meinen Freunden schaffen es beinahe nicht an den Türstehern vorbei. Sie kapieren einfach nicht, dass man sich in einem bestimmten Look präsentieren muss.

Darren zum Beispiel ist Musikstudent; er hat eine muffige alte Sporttasche dabei und trägt einen gelben Rupert-Bear-Schal. Als ob das nicht schon schlimm genug wäre, hat er auch noch eine knallrote Daunenjacke von Gap an, die mindestens zehn Jahre alt ist, und hält seine Monatskarte in der Hand, als wäre es ein Presseausweis bei einer Modenschau.

Die Gucci-Brigade geifert schon lüstern, als er ahnungslos auf den Eingang zuschlurft. Ich werfe mich dazwischen, wirbele um ihn herum wie ein Tornado und ziehe ihm Schal und Jacke aus, stecke seine Buskarte in seine Hemdtasche (er winselt, als ich vorschlage, sie in die Sporttasche zu tun) und glätte seinen White-Boy-Afro ohne viel Erfolg mit den Handflächen. Dann gebe ich das ganze Bündel samt Tasche dem angewiderten norwegischen Jungen an der Garderobe, der den Rupert-Bear-Schal mit spitzen Fingern anfasst, als wäre es Chemiemüll, und darauf besteht, uns für jedes Teil eine extra Marke zu geben, wie um uns sowohl für Darrens schockierenden Mangel an Geschmack als auch für seine Unfähigkeit, mit leichtem Gepäck zu reisen, zu bestrafen. Die Gucci-Girls mustern uns mit schmalen Augen, und die eine will gerade etwas sagen, gibt dann aber nach, winkt uns durch und verzieht die Lippen zu einem knappen Grinsen, als wollte sie sagen: »Ihr schuldet mir was.«

Dann stehe ich mit Darren da, der ratlos und ziemlich überwältigt seine Sammlung an Garderobenmarken in der Hand hält und zu mir sagt: »Mensch, Louie, das wusste ich ja nicht, ich meine, ich hab nicht gewusst, dass es *so* eine Bar ist …«

Ich lache wie Cruella DeVille und schiebe ihn zum Tresen. »Sei nicht albern, Darling!«, schreie ich durch das lethargische Gehauche von Mademoiselle Paradis hindurch. »Jetzt besorgen wir dir erst mal was zu trinken – sieh mal, du kannst zugucken, wie die Leute hereinkommen, und über die Sprüche lachen, die über ihren Köpfen aufleuchten.«

»Echt?« Mit der Weltgewandtheit eines Sonderschulkindes sieht er zu der Anzeigentafel auf. »Hey, das ist ja cool! Louie, komm doch noch mal rein, damit ich sehen kann, was für ein Spruch erscheint.«

»Nein, Darren«, sage ich fest und schiebe ihn noch entschlossener in Richtung Bar und hinaus aus der Gucci-Gefahrenzone. »Man darf nur einmal hereinkommen. Du musst warten, bis wieder jemand Neues auftaucht. Das sind die Spielregeln.«

»Wow«, macht er ehrfürchtig. »Wir sind in einem Lokal mit *Regeln.*«

In der Mode geht es immer um Regeln, ob bei Kleidern oder Lokalen. Wir wollten nach der Arbeit nicht im Pub um die Ecke was trinken gehen, wir wollten mal etwas anderes. Und Regeln machen es anders, sie geben uns etwas zu tun, etwas, womit wir uns beschäftigen können, statt uns miteinander zu beschäftigen. Das Ganze ist ein voller Erfolg. Jeder ist stolz und glücklich, hier zu sein, brüllt den anderen ins Ohr, gibt zu viel Geld für teure Runden aus, versucht, zwischen den Tischen zu tanzen, und fällt fremden Leuten auf den Schoß. Wir werden immer betrunkener, das Bargeld geht aus, und die Kreditkarten werden gezückt. Ich flattere zwischen verschiedenen Gruppen hin und her und unterhalte mich in Stichworten, fange hier ein Verb, dort ein Adjektiv auf und verteile meinerseits die gleichen Bruchstücke.

»Phantastisch!«, rufe ich und werfe einem Mann eine Kusshand zu, den ich auf dem Videoschirm habe pinkeln sehen.

»Sie haben sich total angeschrien!«, rufe ich dazwischen und klaue die Pointe von Colins Geschichte, zusammen mit einem Schluck von seinem Martini.

»Echt abstoßend!«, flüstere ich hörbar hinter vorgehaltener Hand einer Freundin zu, als eines der Models sich an uns vorbei zur Toilette hindurchzwängt.

Alle meine Äußerungen sind mit einem Ausrufezeichen versehen. Ich unterhalte mich mit niemandem länger, aber wir umarmen und küssen uns sehr viel und flöten: »Wir müssen uns wirklich bald mal treffen!« Nach Mitternacht, als es allmählich zu einer Herausforderung wird, aufrecht stehen zu können, klammern wir uns aneinander, vergraben die Gesichter am Hals des anderen und schluchzen: »Ich liebe dich! Ich liebe dich wirklich!« Dann versuchen wir, uns bedeutungsvoll in die Augen zu blicken, was nicht leicht ist, wenn man alles doppelt sieht.

Am nächsten Morgen versuche ich, mich von meinem Kater

zu erholen, trinke Kaffee und mampfe bergeweise Toast mit Ria. Sie konnte gestern Abend nicht mitkommen. Ich wollte sie von der Galerie abholen, in der sie arbeitet, aber sie sagte in letzter Minute ab und meinte, sie sei nicht in der Stimmung für so viele Menschen und so viel Lärm.

»So lernst du nie jemanden kennen, wenn du immer nur zu Hause herumhängst«, belehre ich sie mit erhobenem Zeigefinger vom Küchenschrank aus.

Sie blättert eine Seite der Zeitschrift um, in der sie gerade liest. »Wen hast du denn kennen gelernt?«

Ich habe verschwommene Erinnerungen an einen aufdringlichen Presseagenten, der mich am Arm zog, einen verheirateten Fotografen, der »künstlerische« Aufnahmen von mir und einem anderen Mädchen machen wollte, einen bisexuellen ehemaligen Soldaten …

»Darum geht es nicht«, schnauze ich sie an und habe Schwierigkeiten, mein Toast mit Butter zu bestreichen, ohne allzu heftig dabei zu zittern. »Ich bin wenigstens dort draußen, ich bin im Spiel. Du musst im Spiel bleiben, Ria. Glaub mir, ich weiß es.«

»Aha«, murmelt sie, blättert wieder eine Seite um und lächelt undurchdringlich wie Mona Lisa.

Sie liest die *Vogue*, und als ich mich zu ihr an den Tisch setze, stelle ich ungehalten fest, dass sie den ganzen Siebziger-Jahre-Look schon wieder fallen gelassen haben und jetzt eine Mischung aus aufgedonnerter Debütantin und Punkmieze anpreisen, die meine akribisch ausgesuchten sexy Fähnchen total überholt aussehen lässt. Die Models auf den Fotos schleichen in Hemdkleidern von Pucci für 700 Pfund herum, tragen zerrissene Netzstrümpfe und riesige, massige Toupierfrisuren. Das ist nicht nur ein neuer Look, sondern eine ganz neue Religion. Ich bin völlig fertig. Wie können sie mir das antun? Ich hatte doch gerade erst gelernt, mein Haar aalglatt zu fönen.

»Ich verstehe nicht, wie jemand so viel Geld für Designerklamotten ausgeben kann!«, schäume ich, und überlege dabei, ob sich noch irgendwo ein Paar Netzstrümpfe in meiner Wäschekommode verbirgt. »In ein paar Monaten ist dieser Look sowieso wieder passé. Warum 700 Mäuse für etwas ausgeben, das man in zwei Wochen für 35 Pfund bei Top Shop bekommen kann? Gib mir mal bitte den Zucker rüber.«

Ria schiebt ihn über den Tisch, ohne aufzusehen.

»Ernsthaft, was soll das Ganze?«, zetere ich weiter und löffele wie besessen Zucker in meinen Kaffee. »Wer gibt schon so viel Geld aus, nur um modisch auf dem neuesten Stand zu sein?«

»Nun ja«, sagt sie ruhig und trinkt einen Schluck von ihrem Tee, »erstens ist Mode nicht gleich Stil. Und zweitens kann ich mir sehr wohl vorstellen, dass jemand 700 Pfund für etwas ausgibt, das das Echte ist.«

Das Echte? Wird sie jetzt herablassend? »Was soll das denn heißen, das Echte? Was ist das genau?« Ich habe richtig Lust darauf, mich zu streiten. Jemand muss schließlich für all die kostbare Zeit büßen, die ich bei Miss Selfridge verschwendet habe.

»Das Echte ist das, was bleibt, wenn eine Mode überholt ist«, sagt sie und schenkt sich eine zweite Tasse Tee ein. »Es ist zeitlos, hat Charakter. Wie eine gut geschnittene Hose, ein perfekt sitzendes Kostüm, ein schwarzer Kaschmirrolli …«

»Ach so! Du meinst *langweilige* Klamotten!«, entgegne ich gereizt und völlig frustriert, weil meine neuen roten Stiefeletten aus Schlangenleder schon wieder out sind und sie mir etwas von schwarzen Rollis erzählt, als wären sie das Zen der Modewelt.

»Nein, Klassiker«, erwidert sie.

Ich funkle sie böse an. Hat sie in meinem Buch gelesen? Entweder das, oder sie redet genau wie Madame Dariaux. »Klassiker sind etwas für Leute, die aufgegeben haben«, sage ich betont. »Die es aufgegeben haben auszugehen, zu tanzen, modisch zu sein. Wenn man jung und sexy aussehen will, muss man mit der Mode gehen.«

»Vielleicht sind es auch Sachen«, sagt sie mit einem schlauen Blick, »die einem erst gefallen, wenn man erwachsen geworden ist.«

Es entsteht ein gespanntes Schweigen. Ich hasse sie. Und ich verachte schwarze Rollkragenpullover.

»Also, wie war's denn gestern Abend?«, wechselt sie das Thema.

Großzügig lasse ich ihr das letzte Wort, denn offenbar gehört auch sie zu den Leuten, die bereits aufgegeben haben, und es wäre zu unhöflich, weiter darüber zu sprechen.

»Oh, es war toll. Richtig super. Alle waren da, Colin, Sanam, Nelson, Darren.« Da schießt mir eine Idee durch den Kopf. »Du solltest wirklich mitkommen das nächste Mal. Ich glaube, du und Darren, ihr würdet euch gut verstehen.«

Sie zieht die Nase kraus. »Mal sehen.«

»Klar. Wie du willst«, sage ich achselzuckend und denke, wie gesetzt sie schon ist, die Gute, mit ihren selbst gekochten Mahlzeiten und ihren Stapeln von Kunstkatalogen. Hört sie denn nicht die biologische Uhr ticken? Ich tätschle liebevoll ihren Kopf, bevor ich mich auf den Weg zum Brixton Market mache, um nach etwas Pucci-artigem zu suchen, das ich kommenden Freitag anziehen kann.

Dann, eines Sonntags, bin ich allein mit Ria zu Hause. Ich habe mir eine besonders lästige und hartnäckige Erkältung zugezogen und widerstrebend all meine Wochenendpläne abgesagt, um mit dem Gesicht nach unten auf der Bettdecke zu liegen und zu schlafen. Den größten Teil des Tages verbringe ich in einem Dämmerzustand, bis es Abend wird und die Sonne untergeht. Als ich in die Küche tapse, um mir etwas zu essen zu machen, treffe ich auf Ria, die ihr Zimmer nach einem Lesenachmittag aus demselben Grund verlassen hat. Wir bewegen uns mühelos um die enge Kochzeile herum, weichen einander aus, teilen uns die Gerätschaften, reden miteinander, wenn uns danach ist, und schweigen entspannt, wenn nicht. Mir fällt zum ersten Mal auf, wie ruhig und gelassen ich in ihrer Gesellschaft bin.

Später machen wir den Fernseher an und entdecken, dass zufällig gerade die erste Folge eines aufwendigen Kostümschinkens gezeigt wird. Wir kuscheln uns in das riesige, durchhängende Sofa und freuen uns auf einen Abend mit wogenden Busen und zum Zerreißen gespannten Korsagen.

Irgendwann entsteht eine hitzige Debatte darüber, ob die geschundene Jungfer wirklich eine Ponyfrisur tragen sollte oder nicht, und ob der männliche Hauptdarsteller attraktiv genug ist oder nicht. (Kann eine Frau sich in einen Mann verlieben, dessen Frisur höher aufgetürmt ist als ihre? Ich finde, nicht, aber Ria meint, das sei alles eine Frage der körperlichen Proportionen.) Einig sind wir uns jedoch darüber, dass es in der ganzen Serie nur drei Komparsen gibt, die immer wieder in verschiedene Kostüme gesteckt werden und im Hintergrund jeder Szene auftauchen.

Als der Abend zu Ende ist, stelle ich überrascht fest, dass es mir besser geht und ich mich so erholt fühle wie schon lange nicht mehr, obwohl wir nichts Besonderes getan haben, nicht weggegangen sind und nur wenig geredet haben. Ich ertappe mich dabei, wie ich mich schon auf den nächsten Sonntag freue und den Sonntag darauf.

Sehr schnell wird der Sonntag zum schönsten Tag der Woche für mich.

Jetzt bitte die Vorspultaste drücken.

Es ist ein Jahr später, und wir feiern Rias Geburtstag. Colin, sein neuer Freund Andy und ich haben sie zum Abendessen in ein Restaurant eingeladen. Ich trage ein rotes Seidenkleid mit einer passende Kaschmirstrickjacke. Ich habe das Kleid in diesem Sommer schon hundertmal angehabt, es ist mein »Sommeroutfit«, aber es sitzt so gut und ist so schön geschnitten, dass es mir nichts ausmacht, wenn alle es schon an mir gesehen haben.

Ria wartet bereits vor unserem Lieblingsrestaurant namens

Villandry, als ich dort ankomme. Sie, Andy und Colin schlürfen Champagner und plaudern im warmen Licht der Spätnachmittagssonne. Sie hält einen Blumenstrauß in der Hand, den sie bei der Arbeit bekommen hat, und sieht frisch und hübsch aus in ihrer weißen Leinenbluse und der weißen Hose. Es ist keine große Gesellschaft, nur wir vier, aber ihr Gesicht strahlt, als ich aus dem Taxi steige, und sie ist so aufgeregt, als wir uns zu Tisch setzen, dass sie kaum etwas essen kann. Ich habe das Restaurant beauftragt, eine Torte für sie zu backen, die zum Kaffee feierlich herausgetragen wird. Und fast nur aus einem dicken, massiven Block reiner Schokolade besteht, auf dem um eine einzelne schlanke Kerze herum mit rosa Zuckerguss »Happy Birthday, Ria« geschrieben steht. Als wir »Happy Birthday« dazu singen, wird sie knallrot und fängt an zu weinen.

Ich sehe Ria praktisch jeden Tag, seit wir zusammen wohnen. Wir kennen uns inzwischen so gut, dass wir unsere Sätze füreinander beenden können. Ich gebe ihr mein Geschenk. Es ist ein Buch über Barbara Hepworth, das sie schon sehr lange haben möchte.

Und das weiß ich. Ich weiß, dass sie sich dieses Buch gewünscht hat. Ich weiß, dass sie Fisch als Vorspeise und Fisch zum Hauptgang bestellen wird. Ich weiß, dass sie nur ein Glas Champagner trinken wird, weil sie sich nicht viel aus Alkohol macht, und dass sie schon seit einer Ewigkeit nach der weißen Leinenbluse schmachtet, die sie heute anhat. Ich weiß, was sie für eine Schuhgröße hat, warum sie nicht gern U-Bahn fährt, und dass schöne, mit Sorgfalt hergestellte Dinge sie zum Weinen bringen können.

Sie ist das Echte. Ein Klassiker. Ein schwarzer Kaschmirrolli von einer Freundin.

Schließlich ist das Leben viel zu kurz, um sich mit weniger zufrieden zu geben.

Restaurants

Die Frage »Wohin gehen wir heute Abend?« sollte nie als müßig betrachtet werden. Die Antwort darauf liefert Ihnen wertvolle Informationen, die es Ihnen ermöglichen, Ihre Erscheinung auf die Umgebung abzustimmen, in der Sie sich im Laufe des Abends befinden werden. Denn für eine elegante Dame ist es genauso undenkbar, ein Restaurant in der falschen Aufmachung zu betreten, wie eine Stunde zu spät zu erscheinen.

Wenn Sie zum Beispiel zu einem glanzvollen Abend in einem schicken Bistro eingeladen werden, sollten Sie sich auf recht durchschnittliches Essen, aber eine Klientel einstellen, die mit Sicherheit die neueste Mode tragen wird. Sie werden sich am wohlsten fühlen, wenn Sie sich dem anpassen und etwas in der Richtung eines raffinierten kleinen Schwarzen wählen, das Sie mit hochmodischen Accessoires aufputzen. Falls Ihr Begleiter sich jedoch für ein exzellentes, gut eingeführtes Restaurant entschieden hat, würde ich ein ganz konservatives, vielleicht sogar ein wenig banales Ensemble aus edlen Materialien vorschlagen. Legen Sie sich auf jeden Fall eine Nerzstola um die Schultern und schmücken Sie sich mit Diamanten, denn das ist genau das, was er erwartet. Außerdem wären Ihre modischeren Avantgarde-Stücke wahrscheinlich sowieso an das ältere, wohlhabende Publikum verschwendet, das nur wegen des Essens da ist.

Vergessen Sie nie, dass Sie sich zum Abendessen nicht nur

für sich selbst ankleiden, sondern auch für das Vergnügen und Wohlbefinden des Gentlemans, der Sie ausführt. Wenn ein Mann ein kleines Vermögen für einen Abend ausgibt, möchte er im Allgemeinen von verschwenderischem Dekor, ausgezeichneter Cuisine und einer Begleiterin umgeben sein, die bestens zu beidem passt.

Eines Tages passiert es endlich. Lange nachdem ich ihm die verflixte Nachricht hinterlassen habe, lässt sich Oliver Wendt höchstpersönlich im Foyer blicken. Ich bin gerade auf allen vieren und zähle die Programme in einem der Ablageschränke, als ich plötzlich Zigarettenrauch schnuppere. Als ich mich umdrehe, sehe ich, dass er mich anstarrt, wobei er lässig im Türrahmen lehnt und Rauchringe in das staubige Sonnenlicht bläst, das durch die Buntglasfenster über dem Haupteingang hereinfällt. Er ist braun gebrannt und wirkt entspannt in seinem hellblauen Hemd und den Jeans.

»Ich schätze, man muss eine Krawatte tragen im Ritz«, sagt er nachdenklich, blickt den sich langsam auflösenden Ringen nach und schnippt die Asche mit einem geübten Drehen des Handgelenks in eine der zerbeulten Messingurnen.

Ich muss schlucken. Ganz ruhig bleiben, Mädchen. Kühl und unnahbar. Kühl und unnahbar.

»Vermutlich«, antworte ich mit hochgezogener Augenbraue. »Das heißt natürlich, falls jemand tatsächlich ins Ritz gehen will.«

Ich lächle schüchtern.

Er lächelt schüchtern.

Auf einmal fangen meine Hände an zu zittern. Ich werde rot und versuche das zu verbergen, indem ich den Stapel Programme an mich drücke, aber das macht es nur noch schlimmer. Ich bin besessen, meine Hände haben ein Eigenleben, und ich kann nur dümmlich grinsen, als der Stapel auseinander fällt und quer durchs Foyer schlittert wie auf Befehl einer übernatürlichen Macht.

»Mist!«, sage ich so kühl und unnahbar wie möglich, während ich hinterherkrieche und sie aufhebe. Oliver grinst, schiebt seine Zigarette bedächtig in den Mundwinkel und bückt sich, um mir zu helfen.

»Sie haben wirklich ein Talent im Umgang mit leblosen Objekten«, bemerkt er.

»Sonst bin ich nicht so schlimm«, verteidige ich mich und knalle wütend die Programmhefte aufeinander. Ich wünschte, ich wäre tot. »Ob Sie es glauben oder nicht, es gibt Zeiten, in denen ich geradezu anmutig sein kann.«

»Dann wollen wir mal hoffen, dass der kommende Freitag zu diesen Zeiten gehört«, erwidert er und steckt die Programme geschickt in eine leere Kiste.

Ich erstarre.

»Freitag?« Ich bemühe mich, locker und gleichgültig zu klingen. Leider hat sich ein seltsames Vibrato in meine Stimme geschlichen, sodass ich mich eher anhöre wie Edith Evans, wenn sie die berühmte Handtaschenzeile in *Ernst sein ist alles* spricht. Ihm scheint es nicht aufzufallen.

Nachdem wir die Programmhefte wieder aufeinander gestapelt haben, hebt er die Kiste an. »Wo möchten Sie die hinhaben?«, sagt er, meine Nachfrage überhörend.

»Äh…« Es fällt mir schwer, einen klaren Gedanken zu fassen. »Äh… hier. Hier ist gut.«

Er sieht mich an. »Hier«, wiederholt er.

»Ja, bitte, das wäre toll«, sage ich lächelnd.

»Aber Sie haben sie doch gerade von hier weggenommen.«

»Oh, ach so… Tja, wie wär's dann mit dort drüben.« Ich deute vage auf eine Stelle im Foyer. »Bringen wir sie doch dorthin.«

Er schleppt die Kiste zu der bezeichneten Stelle und setzt sie ab.

»Vielen herzlichen Dank! Das ist sehr nett!«, sprudle ich hervor. Ich werde warten müssen, bis er weg ist, bevor ich sie zurückholen kann.

»Gern geschehen.« Er nimmt einen tiefen Zug von seiner Zigarette.

Eine Weile betrachten wir schweigend die Kiste.

»Also, wegen Freitag«, beginnt er, und jetzt ist es seine Stimme, die seltsam nach Edith Evans klingt. Er tritt von einem Fuß auf den anderen. »Ich meine, es sei denn, Sie haben schon etwas anderes vor.«

»Nein.« Ich stehe wie betäubt da und bemühe mich nach Kräften, nicht zu lallen, zusammenzubrechen oder etwas kaputtzumachen. »Nein.« Angestrengt tue ich so, als würde ich im Geist meinen Terminkalender durchgehen. »Ich glaube, Freitag könnte ich.«

»Sehr schön. Soll ich Sie abholen?« Es klingt, als spräche er von einem Päckchen.

»Nein, nein!« Die Vorstellung, er könnte mein Zuhause, vor allem meine Abstellkammer von einem Zimmer und Colins zweifelhafte Sammlung von Kunstobjekten sehen, erfüllt mich mit Entsetzen. »Wir können uns gleich dort treffen.«

»Um sieben?«

Mein Mund ist ganz trocken. »Ja, sieben ist gut«, krächze ich.

»Gut, dann sehe ich Sie dort«, sagt er und macht sich auf den Weg in den Zuschauerraum.

Plötzlich fühle ich mich wie das Opfer eines Unfalls mit Fahrerflucht. »Ja, aber wo denn?«, rufe ich ihm hinterher.

Er dreht sich grinsend um. »Wo ich noch nie gewesen bin, Louise. Im Ritz.«

Dann ist es vorbei. Er ist weg. Nur die Kiste mit dem unglaublich ordentlichen Stapel Programmhefte und ein bisschen Zigarettenasche zeugen noch von seiner Anwesenheit.

»Man muss wohl was ziemlich Schickes tragen, wenn man ins Ritz geht«, zwitschere ich Colin zu, als ich an diesem Abend mit leuchtenden Augen nach Hause komme.

Er staubt gerade die Wohnung ab, insbesondere seine geliebte Sammlung von Porzellanfigürchen. Da stehen sie alle sorgfältig aufgereiht auf dem Esstisch, der unanständige Schäfer und seine Schäferin, der Tiger im Sprung und der ausgezehrte Don Quijote, der gerade die Windmühle ins Visier nimmt. Colin sieht auf.

»Ins Ritz! Tja, ich glaube schon, Darling. Jungs wie ich kommen allerdings kaum über das Kentucky Fried Chicken in Walthamstow hinaus, wenn sie abends groß ausgehen. Und wer«, fragt er mit einem verschmitzten Grinsen, »will meine kleine Amerikanerin ins Ritz ausführen?«

Ich hüpfe vergnügt in mein Zimmer. »Ach, niemand Besonderer. Sein Name fängt mit O an und hört mit ›liver Wendt‹ auf.«

»Mein Gott, er ist tatsächlich hetero! Hallelujah! Oh Ouise! Mein liebe kleine Ouise!« Er drückt das Staubtuch dramatisch an seine Brust. »Mein kleines Mädchen ist erwachsen geworden. Als Nächstes wirst du mich wahrscheinlich verlassen.«

»Col, hör auf, für ›Coronation Street‹ zu proben, und hilf mir lieber.«

»Warum sollte ich?«, schmollt er. »Du lässt mich nie eine Szene beenden.«

Einen Moment später steckt er den Kopf in mein Zimmer, wo ich alle Kleidungsstücke, die ich besitze, aus dem Schrank ziehe und aufs Bett werfe.

»Also, was wirst du anziehen?« Ich spüre, wie er mein Zimmer inspiziert. Die Post-it-Zettel sind verschwunden, aber das ist nicht das Einzige, was ihm auffällt. »Meine Güte, staubst du denn nie ab?«, entsetzt er sich mit Blick auf meinen überladenen Nachttisch. Kopfschüttelnd hockt er sich auf die Bettkante und wischt mit einem Ausdruck stiller Resignation meine Parfumflaschen ab. Colin leidet unter dem Fluch, an keiner Oberfläche vorbeigehen zu können, ohne sie auf Staub zu untersuchen.

»Ich weiß es nicht«, stöhne ich. »Ich habe nichts, absolut nichts anzuziehen!« Damit werfe ich einen neuen Kleiderberg aufs Bett.

»Ich habe eine gute Idee. Wenn du fertig bist mit Rauswerfen, können wir alles nach Farben geordnet wieder aufhängen. Sieh mal«, lächelt er, das Ergebnis seiner Arbeit ans Licht haltend. »Sieh dir das an, und sag mir, ob es nicht besser aussieht! Man kann jetzt sogar den Namen lesen, *Amerige*.«

»Colin! Du hörst mir überhaupt nicht zu! Ich habe nichts anzuziehen!«

»Sei kein Schaf, natürlich hast du das!« Er wirft das Staubtuch mit einer geistesabwesenden Bewegung über den Lampenschirm. »Aber ich merke schon, dass wir eine schöne Tasse starken Tee brauchen, ehe wir hier weiterkommen. Oh Ouise!«, tadelt er mich fassungslos, als ich eine weitere Bluse aufs Bett schleudere. »Ich verstehe nicht, wie ein Mädchen deiner Klasse immer noch diese Drahtbügel benutzen kann. Man möchte glauben, du wärst von einer Zigeunerbande aufgezogen worden.« Damit verschwindet er in die Küche, um den Kessel aufzusetzen.

Kurz darauf kommt er mit zwei »Doppelten« zurück, wie er sie nennt – als wäre es Espresso, nur mit Tee. Das ist eine Spezialität von ihm, die er braut, indem er eine Handvoll PG Tips in eine kleine Kanne stopft und sie ziehen lässt, bis der Tee die Farbe von Teer angenommen hat. Er behauptet, damit hätten die Engländer den Krieg gewonnen, was vor meinem inneren Augen immer den Anblick ganzer Truppen zuckender, schwitzender Koffeinjunkies hervorruft.

»So«, sagt er und lässt sich auf der einzigen noch freien Ecke des Betts nieder. »Jetzt lass uns mal systematisch vorgehen. Möglichkeit Nummer eins, bitte.«

»Okay, da wäre das hier.« Ich halte ein Tweedkostüm in die

Höhe. »Mit diesem Oberteil«, füge ich hinzu und zeige auf eine schwarze Spitzenbluse.

»Hmmm.« Er schürzt die Lippen und tippt mit dem Zeigefinger dagegen. »Sehr widersprüchliche Signale. Einerseits ›Ich bin eine prüde alte Jungfer‹ und andererseits ›Ätsch, bin ich doch nicht‹, wenn du verstehst, was ich meine. So ein bisschen ›Soll ich oder soll ich nicht‹. Eine Spur Chefsekretärin und eine Spur Matrone, was ich persönlich beides ganz gern mag, aber es passt leider nicht zusammen.«

»Na gut. Was ist mit dem hier?« Ich halte ein schwarzes Abendkleid hoch.

»Louise, das hat ja eine Schleife. Wie kann eine Frau in den Dreißigern etwas mit einer Schleife tragen?«

»Ich dachte, das macht mich jünger«, protestiere ich schwach.

»Jung ist eine Sache, infantil eine andere.« Mit einem Winken lehnt er es ab.

»Wenn du meinst. Dann habe ich noch den Rock im Pucci-Stil und das Top mit Nackenverschluss.« Wird ebenfalls abgelehnt.

»Ouise, dieser Look ist so was von tot.«

»Was soll ich machen?« Ich sinke zu Boden, ein niedergeschlagenes Häuflein.

»Was ist denn aus deinem kleinen Schwarzen geworden? Du weißt, welches ich meine.«

»Das Karen Millen.« Ich schüttle den Kopf. »Daran habe ich mir beim Tanzen im Mink Bikini den Saum aufgerissen und ihn noch nicht flicken lassen.«

»Tja, was würde Madame Wie-heißt-sie-doch-gleich? in so einem Fall sagen?«

Ich sehe ihn verblüfft an. »Col! Du bist wirklich der Letzte, von dem ich erwartet hätte, dass er mich an Madame Dariaux verweist.«

»Mein Engel, du musst ihr Buch ja auch nicht herunterbeten

wie das Evangelium, du könntest es einfach lesen und die Ratschläge nicht ganz so wörtlich nehmen; so wie jeder *normale* Mensch es tun würde.«

Ich strecke ihm die Zunge heraus. »Vergiss es.«

Er zuckt die Achseln. »Dann bleibt dir nichts anderes übrig. Du musst dir etwas von Ria ausleihen.«

»Von Ria! Du machst wohl Witze!« Ich will lachen, aber es kommt nur ein hohler, erstickter Laut heraus. Colin sieht mich ungerührt an.

»Sieh den Tatsachen ins Gesicht, Ouise. Hier geht es um ein Klasselokal und du, so Leid es mir tut, das sagen zu müssen, hast einfach keine Klassekleidung. Nimm's mir nicht übel, Süße, du bist hübsch und sexy, aber wenn wir von einem Abendessen für 200 Pfund reden, brauchen wir Audrey Hepburn und nicht Barbara Windsor. Außerdem«, er hebt eine Hand, um mich zum Schweigen zu bringen, »kannst du über unseren kleinen Diktator sagen, was du willst, aber sie ist immer erstklassig angezogen.«

»Sie trägt Sachen für *alte Leute*!«, schreie ich und muss mich sehr beherrschen, um ihm nicht meinen Tee an den Kopf zu schmeißen.

»Oh, da irrst du dich aber, meine kleine Freundin der Schnäppchenecke! Ria trägt Klassiker, und das Ritz ist ein Klassiker unter den Klassikern. Dein Ziel ist es, dich deiner Umgebung anzupassen, Engelchen. Anpassung bringt Anerkennung, Anpassung bringt Anerkennung … sprich mir nach.« Sein Blick wird streng. »Ouise, du musst mir in dieser Frage vertrauen. Ich bin eine alte Schwuchtel, ich weiß, wovon ich rede.«

»Du bist erst fünfunddreißig, Colin.«

»Ja, aber in Schwulenjahren bedeutet das fünfundsechzig und mit einem Hackenporsche einkaufen gehen.«

»Du verstehst überhaupt nicht, was ich bezwecken will. Ich will mich nicht anpassen, ich will auffallen! Ich habe monatelang darauf gewartet, dass er mich um eine Verabredung bittet. Ich will, dass er mich bemerkt.«

»Nein.« Er schüttelt den Kopf und droht mir mit dem Zeigefinger, als wäre ich ein ungezogener Hund. »Nicht im Ritz. Glaub mir, du *willst* dich anpassen, du weißt es nur noch nicht. Im Übrigen hat er dich schon längst bemerkt, sonst würdest du nicht mit ihm dorthin gehen.«

»Aber wenn er sieht, wie sexy ich sein kann …«, widerspreche ich, doch Colin schüttelt weiter entschieden den Kopf.

»Na schön, ich denk drüber nach«, sage ich mürrisch.

»Tu das. Am besten gleich.« Er steht voller Tatendrang auf. »Sollen wir deine Kleider jetzt nach Farben ordnen?«

»Nein, nicht jetzt. Ich will allein sein.« Ich schiebe ihn zur Tür.

»Ouise, du bist doch nicht böse auf mich, oder? Baby?«

Ich schiebe ihn hinaus und knalle die Tür zu.

»Ouise?« Er sieht durchs Schlüsselloch, aber ich halte die Hand davor. »Sei nicht sauer, es ist zu deinem eigenen Besten. Selbst Audrey war ein Niemand, bevor sie Givenchy begegnete.«

»Entschuldige bitte«, erwidere ich hochmütig, »ich bin zweiunddreißig Jahre alt und durchaus in der Lage, mich eigenständig anzukleiden. Und nun hätte ich gern ein wenig Privatsphäre, wenn es dir nichts ausmacht.«

Ria um etwas zum Anziehen zu bitten! Also wirklich!

Als ich meinen Pseudo-Pucci-Mini aufhebe und nach dem ärmellosen, transparenten Top krame, fällt mein Blick auf *Elégance*, das auf einem Stapel Bücher auf der Fensterbank liegt. Vielleicht hat Colin ja Recht. Vielleicht schadet es nichts, das Orakel noch einmal zu befragen.

Ich nehme es in die Hand, betrachte den abgegriffenen grauen Umschlag und fühle das vertraute Gewicht. Denke an all die Stunden, die ich über seinen Seiten gebrütet habe, auf der Suche nach Antworten und gutem Rat. Damals war ich verzweifelt.

Das bin ich jetzt nicht mehr. Immerhin hat mich ein Mann um ein Rendezvous gebeten. Ich muss also etwas richtig gemacht haben.

Trotzdem zögere ich. Ich schlage das Buch auf und blättere durch die Seiten, bis ich zum Eintrag »Restaurants« komme.

»... würde ich ein ganz konservatives, vielleicht sogar ein wenig banales Ensemble vorschlagen.«

Ich sehe wieder zu dem Tweedkostüm auf dem Bett hin. Okay, ich kann es ja mal versuchen. Kurz darauf betrachte ich mich im Spiegel auf der Innenseite der Schranktür. Von Kopf bis Fuß in braunen Tweed gekleidet, sehe ich nicht nur konservativ, sondern geradezu *einbalsamiert* aus. Angriff der asexuellen Bibliothekarin. Ich ziehe das Kostüm wieder aus und schleudere es frustriert aufs Bett. Es nützt alles nichts; ich wühle hinten im Schrank herum, bis ich das beschädigte Karen-Millen-Kleid finde. Ich werde es wohl selbst flicken müssen. Bei der Gelegenheit werfe ich *Elégance* hinter einen Stapel alter T-Shirts und mache die Schranktür zu.

Ich habe viel zu lange gewartet, um mir diese Chance durch die Lappen gehen zu lassen.

Und Hilfe von anderen brauche ich schon gar nicht.

Es ist Freitagabend. Ich komme aus der U-Bahn-Station Green Park, mit Wachs epiliert, rasiert, gepeelt, grundiert, geschminkt, geföhnt und toupiert. Ich bin, um es mit einem Ausdruck aus dem Supermarkt zu sagen, gewaschen und fertig zum Verzehr.

Das Zurechtmachen und Anziehen war der reinste Albtraum. Ich habe mir immer wieder gesagt, dass ich nur diese eine Chance bekomme und deshalb nichts dem Zufall überlassen darf. Wenn ich Oliver Wendt wirklich verführen will, muss ich schon schweres Geschütz auffahren. Also habe ich ein paar meiner Vorzüge geschickt betont.

Obwohl ich nicht gerade die beste Schneiderin der Welt bin

(auch nicht unter den ersten fünftausend), ist es mir gelungen, den aufgerissenen Saum des schwarzen Karen-Millen-Kleids festzunähen. Im Überschwang der Begeisterung, diese Aufgabe mit relativer Leichtigkeit bewältigt zu haben, beschloss ich, noch einen Schritt weiter zu gehen. Denn wenn das Kleid knielang schon sexy ist, wie viel wirkungsvoller wird es erst sein, wenn ich es noch um ein paar Zentimeter kürze? So richtig Versace. Und an diesem Abend bin ich entschlossen, sogar Liz Hurley in der Glamourabteilung den Rang abzulaufen. Um meinem Aussehen den letzten Schliff zu geben, habe ich hochhackige Riemchensandaletten an, die mich größer machen, Netzstrümpfe, die meine Beine schlanker wirken lassen, und einen neuen aufblasbaren Push-up-BH mit dem treffenden Namen »Wawumm«. Meine Haare habe ich zurückgekämmt, damit sie voller aussehen, meine Augen sind mit glitzerndem Goldpuder bestäubt, um ihre Farbe hervorzuheben, und mein Ausschnitt ist mit ein wenig Rouge gepudert. Ich bin nicht nur herausgeputzt, ich bin bewaffnet. Meine weiblichen Reize können ihm unmöglich entgehen.

So umwerfend ich auch für den MTV-Geschmack aussehen mag, errege ich in der U-Bahn doch ein wenig mehr Aufmerksamkeit, als mir lieb ist. Ein Rastatyp, der mir seine Fahrkarte verkaufen will, jagt mir praktisch auf dem Bahnsteig hinterher und ruft: »Uuh, Baby, du siehst ja so scharf aus!« Das ist nicht unbedingt die Reaktion, die ich beabsichtigt hatte.

Ich stehe vor der Station Green Park, habe meinen schwarzen Mantel bis zum Kinn zugeknöpft und fühle mich reichlich seltsam. Verglichen mit der ganzen Aufregung des Föhnens, Zupfens, Bügelns etc. ist das eigentliche Erscheinen zur Verabredung beinahe enttäuschend.

Es ist sieben Uhr. Ich gehe los und mache mich auf den Weg zum Ritz.

Aus der kühlen, feuchten Dunkelheit des Parks kommend, passiere ich eine Armee von Türstehern in Uniformen mit blitzenden Messingknöpfen und steifen Epauletten, Pagen mit runden Käppis und Portiers im Cut.

Das Erste, was mir auffällt, ist der goldene Glanz, der über allem liegt. Das Licht hier ist geradezu blendend, funkelt in Spiegeln, wird von Kristalllüstern reflektiert, schimmert auf vergoldeten Armaturen. Ich bleibe einen Moment stehen und halte mich wie eine Betrunkene an einer Ecke des Empfangstresens fest, während ich Atem schöpfe und meinen Augen Gelegenheit gebe, sich an diese Umgebung zu gewöhnen.

Das Zweite, was ich registriere, ist die ungeheure Pracht des Ganzen, die kühne, unangreifbare Autorität so vieler, schamlos an einem einzigen Ort versammelter Rokokoverzierungen. Pausbackige, rosige Putten tollen auf cremefarbenen Wolken über einen hellblauen Himmel, nicht unähnlich den Juniormitgliedern der konservativen Partei, die auf einem Parteitagsempfang losgelassen wurden. Kronleuchter strahlen über samtbezogenen Louis-Quatorze-Möbeln, und die Atmosphäre vibriert vor Selbstsicherheit. Aus dem Nachbarsaal dringt gedämpftes Klavierspiel herüber. »Isn't it Romantic?«, fragt es säuselnd. Oh ja, das ist es.

Dann fällt mir noch etwas auf: Die Wirkung der Schwerkraft scheint hier im Ritz stärker zu sein als anderswo. Alle scheinen sich ein wenig langsamer zu bewegen als normale Menschen. Ich bemerke eine blonde Frau, die an einem kleinen Ecktisch sitzt. Sie trägt ein schulterfreies schwarzes Cocktailkleid, geschmückt mit einer Perlenkette. Sie könnte fünfundzwanzig, fünfunddreißig oder gut erhaltene vierzig sein und ist mit einem eleganten Herrn um die fünfzig ins Gespräch vertieft, der ihr Vater, ihr Ehemann oder auch ihr Geliebter sein könnte. Er reicht ihr eine kleine, türkisfarbene Tiffany-Tasche, die zwischen ihren Händen zu schweben scheint. Sie lächelt, er lächelt. Sie öffnet das Täschchen und lacht leise, ehe sie es wieder schließt, worauf sie einen wissenden Blick wechseln. Es ist nichts Eiliges oder Impulsives an dieser Übergabe – sie bewegen sich in einer Art von emotionaler Zeitlupe, ausgelöst von einer stärkeren Droge als Prozac oder Valium. Der Reichtum selbst ist es, der ihr Leben zu einem feinen, hellen Blatt Papier mit Wasserzeichen glättet.

Allmählich wird mir bewusst, dass um mich herum auf den weichen, smaragdgrünen Samtpolstern entscheidende Szenen im menschlichen Leben aufgeführt werden: Heiratsanträge, Hochzeitstage, Seitensprünge. Kein Wunder, dass sich alle so langsam bewegen.

Hier stehe ich also und bin kurz davor, diesem exklusiven Club beizutreten und meine eigene entscheidende Szene zu erleben.

Ich sehe ihn, ehe er mich sieht. Er sitzt etwas verloren an einem der kleinen runden Tische im Salon, trinkt ein Bier und zerrt unbehaglich an seiner Krawatte. Es ist eine alte Schulkrawatte, das erkenne ich sofort an der seltsamen Farbzusammenstellung. Im selben Moment rutscht mir das Herz in die Magengrube, und mir wird klar, dass ich einen furchtbaren Fehler begangen habe.

Sex

Ob unbewusst oder bewusst wenden sowohl Männer als auch Frauen zahlreiche Listen an, um das andere Geschlecht für sich einzunehmen, doch es ist eine traurige Tatsache, dass Frauen dabei fast immer weniger Diskretion walten lassen als Männer. Oft zerstören sie gerade bei dem Versuch, ihre natürlichen Vorzüge zur Geltung zu bringen, jede Spur von Eleganz. Kleidungsstücke, die als »sexy« bezeichnet werden, sind niemals wirklich elegant und nur für Vamps in Gangsterfilmen oder Comicstrips geeignet.
Es scheint sich eine Art Mythos um die Vorlieben von Männern bei der Damenmode gebildet zu haben, mit dem Ergebnis, dass manche junge Frau, die sich mit dem Vorsatz kleidet, männliche Bewunderung auszulösen, lediglich Befremden hervorruft. Deshalb möchte ich hier ein für alle Mal die Tatsachen von den Mythen trennen.

Was Männer wirklich anziehend finden:

- *Lange Röcke, schmale Taillen, eine langbeinige Silhouette.*
- *Kleider, die modisch, aber nicht avantgardistisch sind – Männer verfolgen Modetrends aufmerksamer, als Sie vielleicht glauben.*
- *Pelze sowie alles, was eine dezent luxuriöse Ausstrahlung verleiht.*
- *Fast jede Schattierung von Blau, Weiß, sehr helles und sehr dunkles Grau; manche Männer mögen es gar nicht,*

wenn ihre Frauen Schwarz tragen, andere dagegen lieben es.
- *Parfum, wobei die heutigen Männer leichtere Düfte bevorzugen als ihre Väter und feine, raffinierte Mischungen lieber mögen als einfache, reine Duftstoffe.*

Was Männer glauben, anziehend zu finden (aber nur im Kino):
- *Hautenge Röcke und aggressiv vorgestreckte Busen*
- *Künstliche Wimpern*
- *Femme-fatale-Lingerie*
- *Moschusartige, orientalische Düfte*
- *Stilettoabsätze*
- *Lange schwarze Fransen und meterweise roten Chiffon*
- *Rüschen und Volants*

Kurz gesagt, Männer wollen gern um ihre Frauen beneidet werden, doch sie verabscheuen es, übermäßig aufzufallen. Vor allem aber mögen sie keine Vulgarität bei der Frau, die sie lieben.

Ich rufe Ria vom Telefon in der Damentoilette aus an.

»Louise? Was ist los? Wo bist du?«

»Ria, Ria, ich habe einen schrecklichen Fehler gemacht!«, presse ich mit tränenerstickter Stimme hervor.

»Beruhige dich, Schätzchen. Wo bist du?«

»Im Ritz.«

»Der Mistkerl hat dich doch nicht versetzt, oder?«

»Nein, er ist hier, aber…« Ich kann die Schande beinahe auf der Zunge schmecken. »Es liegt an mir… ich bin ganz falsch.«

»Falsch? Was meinst du damit?«

»Ich sehe aus, als käme ich von einer wilden Party im Studio 54! Ich habe das schwarze Karen-Millen-Kleid an.«

»Na und? Was stimmt denn nicht damit?«

»Ich… ich habe es gekürzt, Ria.«

»Um wie viel? Zwei Zentimeter? Drei?«

»Eher zehn«, flüstere ich.

Langes Schweigen am anderen Ende.

»Oh, Louise!« Ich kann richtig hören, wie sie den Kopf schüttelt.

»Ria, du musst mir helfen!«, flehe ich sie an. »Dieser Mann ist mein Schicksal. Ich weiß es. Aber ich kann so nicht zum Dinner im Ritz gehen.«

Sie seufzt. »Na gut«, sagt sie schließlich. »Bleib, wo du bist. Nein, ich meine natürlich, geh wieder raus und sprich mit ihm, es ist unhöflich, ihn warten zu lassen. Aber was du auch tust, zieh bloß nicht deinen Mantel aus. Ich bin schon unterwegs.« Damit legt sie auf.

Als ich zurück in den Salon komme, ist er noch da. Er steht zur Begrüßung auf und drückt dabei seine Krawatte gegen die Brust, als fürchte er, sie könnte in die Cocktail-Erdnüsse fallen. Ich blecke die Zähne zu einem gefrorenen Totenkopfgrinsen, ziehe meinen Mantel enger um mich und lache wie eine Hyäne auf Helium.

»Tut mir sehr Leid, dass ich zu spät komme… ich musste noch…«

»Schon gut«, sagt er lächelnd und rückt mir einen grünen Samtstuhl zurecht. »Bitte sehr.« Er deutet einladend auf den Stuhl und tritt hinter mich. »Darf ich Ihnen den Mantel abnehmen?«

Ich zucke zurück wie vor einer heißen Flamme. »Nein! Bloß nicht!«, zische ich wie ein Glenn-Close-Verschnitt. Als ich seinen schockierten Gesichtsausdruck sehe, verziehe ich meinen Mund wieder zu dem Totenkopfgrinsen und sage so sanft ich kann: »Mir ist so schrecklich kalt.« Dann plumpse ich auf den Stuhl wie ein Kartoffelsack.

Er macht dem Kellner ein Zeichen. Benimm dich wie ein normaler Mensch, benimm dich wie ein normaler Mensch, schelte ich mich. Reiß dich zusammen.

Okay, denke ich. Ich kann das überspielen. Er weiß nicht, was ich unter dem Mantel anhabe – ich könnte in Dior gehüllt und mit Diamanten behängt sein. Von diesem Moment an bin ich die Blonde mit dem Tiffany-Täschchen.

»Und was darf ich Mademoiselle bringen?«, schnurrt der Kellner.

Ich richte meine Schultern auf, sitze gerade und schlage die Beine übereinander. »Ich hätte gern ein Glas Chablis, bitte.«

Oliver lächelt. »Ein Glas Chablis für die Dame und noch ein Heineken für mich«, bestellt er.

»Sehr gern, Sir.« Der Ober löst sich wieder im goldenen Äther auf.

Oliver sieht mich bewundernd an und rückt seinen Krawattenknoten zurecht. »Ich glaube, wir werden hier einen schönen Abend verbringen. Ich muss gestehen, ich hatte so meine Zweifel bei diesem feinen Laden, weil ich eigentlich nicht der Typ für Anzug und Krawatte bin. Aber ehrlich gesagt gefällt es mir hier, die Atmosphäre, wie die Leute aussehen. Wahrscheinlich bin ich ein heimlicher Snob«, sagt er lachend.

Fröhlich stimme ich mit ein, wobei ich mit aller Macht das Bedürfnis unterdrücken muss, laut zu schluchzen. »Wer ist das nicht?«, erwidere ich leichthin. Ich bin die Tiffany-Frau, ich bin die Tiffany-Frau. »Ich liebe das Ritz. Es ist so ruhig und diskret.«

Er mustert mich erstaunt. »Ich dachte, Sie wären noch nie hier gewesen.«

Ich bin immer noch die Tiffany-Frau, die Tiffany-Frau. »Äh, ja, aber jetzt, wo ich hier bin, finde ich es wunderbar. Und es ist wirklich diskret«, zapple ich mich ab. »Diskretion wird heutzutage viel zu sehr unterschätzt, finden Sie nicht?« Ich klinge wie der Spießer in einem Stück von Oscar Wilde.

»Wohl wahr«, sagt er und reicht mir die Erdnüsse.

Ich lehne mit einem kleinen Handwedeln ab. Frauen mit Tiffany-Täschchen brauchen keine Erdnüsse; sie hatten zweifellos Sandwiches mit Räucherlachs zum Lunch.

Ein Schweigen droht sich zwischen uns auszubreiten. Wenn dir nichts einfällt, stell eine Frage. »Erzählen Sie mir von Ihrem Tag«, fordere ich ihn auf, nur allzu bereit, jede weitere Debatte über die Vorzüge der Diskretion fallen zu lassen.

»Also, bei der Arbeit haben mich heute alle aufgezogen, weil ich einen Anzug anhabe«, sagt er grinsend. »Sie wollten wissen, wen ich damit verführen will.«

Mein Herz setzt kurz aus. »Und was haben Sie ihnen geantwortet?«

»Ich habe gesagt, ich hätte eine Verabredung im Ritz, und wenn sie mit Anzug und Krawatte nichts anfangen könnten, sollten sie einfach die Klappe halten. Das hat sie natürlich nicht davon abgehalten, mir den ganzen Tag hinterherzulaufen, um Ihren Namen aus mir herauszubekommen.«

Plötzliche Panik. »Und, haben Sie es ihnen gesagt?« Ich versuche, ganz unbefangen zu klingen.

Er nimmt einen Schluck von seinem Bier. »Also, ich weiß nicht, wie es Ihnen geht, aber ich finde, Diskretion wird heutzutage viel zu sehr unterschätzt. Außerdem fand ich, dass eine Frau mit solch erlesenem Geschmack nicht so leicht preisgegeben werden darf.«

Ich möchte am liebsten sagen: »Mein Geschmack ist nicht immer so erlesen«, nippe aber bloß an meinem Chablis. Dann sehe ich Rias kleine Gestalt an uns vorbeihuschen und bedeutsame Blicke in meine Richtung schießen. Der rettende Engel ist da!

Ich springe auf. »Würden Sie mich bitte einen Moment entschuldigen?«

»Äh, sicher … ist alles in Ordnung?«

»Aber ja, absolut. Mir wird nur allmählich ziemlich warm, deshalb will ich meinen Mantel an der Garderobe abgeben.« Ich lächle ihn an und eile in Richtung Damentoilette davon, wo Ria schwer atmend am Waschbecken lehnt.

»Ich bin den ganzen Weg von der Galerie hierher gerannt«, keucht sie und fächelt sich mit der Hand Luft zu. »Er sieht ganz okay aus, oder? Wie läuft es denn?«

»Ehm, gut, glaube ich. Ehrlich gesagt, ich hab keine Ahnung.«

»Hm, vielleicht musst du dich einfach nur ein bisschen entspannen. Gut, dann lass uns den Schaden mal ansehen.«

Ich halte meinen Mantel auf und fühle mich wie ein Exhibitionist bei einem Sonntagnachmittagsausflug. Sie schaudert und scheint einen Moment innerlich zusammenzusacken, dann erholt sie sich und sieht mir ernst in die Augen. »Du sollst wissen, dass ich so etwas noch nie getan habe und es auch nie, ich wiederhole, *nie* wieder tun werde. Gut«, fährt sie grimmig fort, »es gibt nur eine Möglichkeit: Wir müssen unsere Sachen tauschen. Zieh das Ding aus.«

Sie beginnt ebenfalls, sich auszuziehen. Die alte Toilettenfrau lässt sich durch diese verrückte Tauschaktion nicht aus der Ruhe bringen. Ria kommt direkt von der Arbeit, und mich verlässt beinahe der Mut, als ich ihren strengen schwarzen Rock mit dem taillierten Gabardineoberteil sehe. Aber sie ist auch nicht gerade begeistert von meinem selbst gebastelten Mikromini und weigert sich strikt, ihn anzuziehen. »Falls ich bei einem Verkehrsunfall sterbe, will ich lieber nur in meiner Unterwäsche gefunden werden«, sagt sie und stopft ihn in ihre Handtasche.

Drei Minuten später habe ich mich wie durch Zauber von Sweet Charity in eine echte Tiffany-Frau verwandelt. Der Rock, der zuerst so streng wirkte in seiner Schlichtheit, schmiegt sich bei jeder Bewegung schmeichelnd um die Figur, und der U-Boot-Ausschnitt des taillierten Oberteils rahmt meine cremeweißen Schultern auf eine subtil erotische Weise ein.

Ria mustert mich kritisch und gibt mir ein Papiertaschentuch.

»Hier, wisch deinen Lippenstift ab. Beeil dich!« Dann entfernt sie vorsichtig den glänzenden Goldpuder von meinen Lidern.

»Jetzt sieht mein Gesicht käsig und langweilig aus«, protestiere ich.

»Still!« Sie holt einen hellroten Lippenstift hervor und malt mir einen hübschen Kirschmund. Zu meiner Überraschung sehe ich sogar jünger aus. Anschließend befeuchtet sie ihre Hände und streicht meine Haare glatt. Entsetzt sehe ich zu, wie sie in dreißig Sekunden kaputtmacht, wozu ich fünfundvierzig Minuten mit Kamm und Föhn gebraucht habe. Aber nachdem sie mein Haar zu einem flotten Bob geglättet hat, fällt mir auf, dass ich ohne meine steif frisierte Mähne lockerer und selbstbewusster wirke.

»So, was noch?« Ria begutachtet mich kritisch. »Das hier muss weg.« Sie nimmt meine funkelnde Halskette und die Ohrringe ab und streift mir ihren Georg-Jensen-Silberarmreif übers Handgelenk.

»Na also!« Sie tritt einen Schritt zurück, um ihr Werk zu betrachten, und bindet den Gürtel ihres Mantels fest zu. »Du bist eine Frau, keine Barbiepuppe. Lass dir das eine Lehre sein. Und jetzt mach, dass du hier rauskommst, sonst hält er dich noch für drogensüchtig.«

Ich umarme sie und zwinge sie, einen Zwanziger für die Taxifahrt nach Hause anzunehmen. »Ria, ich kann dir gar nicht genug danken, du bist ein echter Schatz! Du hast Wunder gewirkt!«

Sie schiebt mich zur Tür. »Nur weil du es bist, Louise. Und denk dran, wir dürfen nie wieder über diese Sache sprechen.«

Endlich, fast eine Stunde nach meinem Eintreffen, kann ich meinen Mantel abgeben. Als die tatterige Garderobenfrau mir die Marke gibt, beugt sie sich vor und flüstert: »Das nenne ich eine wahre Freundin.«

In meiner neuen, schicken Hülle stolziere ich durchs Foyer und nehme wieder neben dem Herrn Platz, der möglicherweise der Mann meiner Träume ist. Doch dann passiert etwas Seltsames, Unerwartetes. Kleider machen Leute, und Rias Kleider haben mich auch innerlich verwandelt. Ich fühle mich auf einmal verletzlicher, ungeschützter. Keine aufgebauschte Frisur, kein sexy Zubehör, kein Hollywood-Make-up mehr, um mich dahinter zu verstecken.

Auch Oliver scheint verändert. Er hat sich in meiner Abwesenheit noch ein Bier bestellt, raucht eine Zigarette und spielt mit seinem Feuerzeug.

»Sie sehen phantastisch aus. Ich bin froh, dass Sie doch noch Ihren Mantel ausgezogen haben.« Er lächelt mich an, und mir kommt der Gedanke, dass er tatsächlich stolz ist, mit mir gesehen zu werden. Doch auf seine nächste Bemerkung bin ich nicht vorbereitet. »Darf ich Sie etwas fragen?«

»Natürlich.«

»Sind Sie verheiratet?«

Da haben wir's – das ist der Beweis, dass die Schwerkraft im Ritz tatsächlich stärker wirkt.

»Ja«, sage ich verlegen, als wäre ich aufgeflogen. Jetzt kann ich mich nicht länger als unabhängige Singlefrau ausgeben. »Wir wollen uns scheiden lassen. Im Moment leben wir getrennt.«

Er sieht mich aufmerksam an. »Was ist passiert?«

»Nichts weiter.« Ich habe wirklich keine Lust, darüber zu reden. »Wir haben uns einfach nicht verstanden.«

Jede Hoffnung auf ein erotisches Geplänkel löst sich auf, und eine schwere Wolke der Ernsthaftigkeit sinkt auf uns nieder. »Und was wollen Sie von mir?«, fragt er.

Bis zum heutigen Tag schaudert es mich, wenn ich an meine Antwort denke.

Ich sehe ihn an, wie er im Ritz sitzt und an seiner Zigarette zieht, und denke an all die Male, die ich durch das leere Theater gewandert bin, in der Erwartung, ihm zu begegnen und meine Gefühle erwidert zu finden.

»Ich will spielen«, sage ich. Es klingt irgendwie kläglich, also lächle ich und versuche, es niedlich und verführerisch wirken zu lassen. »Wie als Kinder, verstehen Sie, einfach nur spielen und Spaß haben.«

Er sieht mich sehr ernst an, überhaupt nicht wie ein Kind, das Spaß hat.

»Verstehe«, sagt er und lehnt sich wieder auf seinem Stuhl zurück.

Ich bin Schauspielerin. Ich habe für die Rolle der Geliebten vorgesprochen, aber der Regisseur ist nicht überzeugt.

»Ich war sieben Jahre mit jemandem zusammen«, beginnt er.

Mir ist, als würde ich aus großer Höhe herabstürzen. Das ist nicht die Unterhaltung, die ich mir in all den Monaten des Besessenseins von ihm ausgemalt habe. Offenbar werden wir keinen romantischen, Funken sprühenden, magischen Abend miteinander verbringen. Stattdessen werden wir über unsere Verflossenen reden.

»Wir hätten beinahe geheiratet.« Er klopft mit einem Päckchen Marlboro gegen den Tisch. »Stört es Sie, wenn ich rauche?«

Ich schüttle den Kopf. Schließlich tut er es ja schon die ganze Zeit.

»Sie war schwanger und hat das Baby verloren.« Er winkt dem Kellner. »Möchten Sie noch etwas trinken?«

Ich starre auf mein unberührtes Glas Chablis. »Nein, danke.«

»Noch ein Heineken«, bestellt er. »Und einen Whisky dazu.«

Der Kellner nickt und verschwindet wieder.

»Sie hieß Angela. Sie war eine tolle Frau.«

Und plötzlich ist alles vorbei, bevor es überhaupt angefangen hat.

Er raucht und trinkt und erzählt mir von Angelas Fähigkeiten, von ihrem Mut und ihrer Selbstsicherheit. Er zeigt mir das Feuerzeug, das sie ihm mal zu Weihnachten geschenkt hat, und lässt mich fühlen, wie schwer es in der Hand liegt. Er spricht davon, wie hart es ist, zwei Hypotheken auf einmal abzuzahlen, weil sie immer noch in dem Haus wohnt, in dem sie zusammen gelebt haben, während er in ein kleines Ein-Zimmer-Appartement nicht weit davon gezogen ist. Sie hat ihn wegen seines Trinkens kritisiert und ihm vorgeworfen, Alkoholiker zu sein, obwohl er sicher ist, dass es sich nur um eine vorübergehende Phase handelt.

Ich lächle und nicke und spiele mit dem Georg-Jensen-Armreif an meinem Handgelenk. Hier sitze ich im goldenen Licht eines mit Musik erfüllten Salons im vornehmsten Hotel der Welt, tadellos gekleidet, hübsch frisiert und zehn Pfund leichter denn je und muss erkennen, dass ich nicht bekommen werde, was ich will. Ich werde nicht durch eine stürmische, alles verzehrende Affäre mit Oliver Wendt gerettet werden, und auch das Aussehen der Tiffany-Frau kann mich nicht vor den harten Realitäten schützen, die sich bedrohlich vor mir abzeichnen. Ich habe meinen Mann verlassen, und es ist zu spät, zu ihm zurückzukriechen. Ich werde heute Abend nach Hause kommen und morgen früh aufwachen, ohne dass etwas da ist, um mich abzulenken.

Ich bin allein. Lange habe ich in schlimmster Furcht vor diesem Moment gelebt, und jetzt ist er da – ganz sachlich und unspektakulär wie ein Eintrag in einem Terminkalender.

Freitag, 18. März, 20.21 Uhr – Du stellst fest, dass du allein bist. Wirklich allein.

Die Frage ist, wie soll es jetzt weitergehen? Was passiert um 20.22 Uhr?

Vielleicht zum ersten Mal überhaupt sehe ich mir Oliver Wendt richtig an. Er hat einen Bierbauch. Unter seinen Augen liegen schwere, dunkle Ringe. Er raucht Kette und bestellt sich einen Drink nach dem anderen. Aber vor allem sitzt er neben einer schönen Frau und spricht von einer anderen, die ihn vor vier Jahren verlassen hat.

Ich muss lächeln.

Freitag, 18. März, 20.22 Uhr – Du stellst fest, dass du allein besser dran bist. Wirklich.

Das ist es wohl, was man einen Moment der Klarheit nennt. Meine Großmutter hat meine verwitwete Tante immer mit dem Spruch getröstet: »Besser allein durchs Leben gehen als in schlechter Gesellschaft.« Damals hat mir das Angst gemacht, aber heute Abend beginne ich, den Sinn zu verstehen.

Nach einer Weile stehe ich auf, strecke meine Hand aus und danke Oliver dafür, dass er sich mit mir getroffen hat.

»Aber ich dachte …«, stammelt er verdattert und erhebt sich ebenfalls. »Ich dachte, wir könnten zusammen essen und uns besser kennen lernen.«

»Sie sind immer noch in Angela verliebt«, sage ich.

Er reagiert ehrlich schockiert, als er das hört. »Nein, das bin ich nicht! Ganz bestimmt nicht. Ich meine, ich werde sie natürlich immer lieben, aber …«

»Außerdem«, unterbreche ich ihn, »denke ich, dass ich heute Abend lieber allein essen möchte.«

Er schwankt leicht, und ich merke, dass er betrunken ist.

»Ich habe einen Fehler gemacht«, sagt er. »Ich hab's vermasselt, stimmt's?«

Ich weiß nicht, was ich darauf sagen soll. Er wirkt Mitleid erregend, verwirrt und hilflos.

»Möchten Sie ein Taxi?«, frage ich ihn ruhig.

»Ja, ja, das ist wohl das Beste«, murmelt er, sucht vergeblich nach einem Mantel, den er nicht dabeihat, und kann mir nicht ins Gesicht sehen.

Wir gehen hinaus in die belebende Kälte, wo der Portier ein schwarzes Taxi herbeiwinkt und ihm die Tür aufhält. Er steht einen Moment zögernd vor mir und verlangt plötzlich heiser: »Küss mich.«

Da sind sie, die Worte, von denen ich geträumt habe. Ich merke, dass ich völlig empfindungslos bin, und halte ihm automatisch, ohne nachzudenken, die Wange hin. Er guckt verdutzt über meine Auslegung seiner Aufforderung, küsst mich dann aber doch, indem er mit trockenen Lippen über meine Haut streift. Dann fällt er ins Taxi, und der Portier schlägt die Tür zu. Ich sehe zu, wie der Wagen in der Dunkelheit verschwindet.

Langsam gehe ich wieder hinein. So habe ich mir den Abend nicht vorgestellt. Was soll ich jetzt tun? Ich stehe allein mitten im Foyer. Soll ich meinen Mantel holen und gehen?

Was würde eine Dame von Welt in einem solchen Fall tun?

Der Oberkellner lächelt, als ich herannahe. »Guten Abend, Madam.«

»Guten Abend.«

»Ein Tisch für eine Person?«, fragt er, als wäre es das Natürlichste von der Welt.

»Ja, bitte«, sage ich. »Ein Tisch für eine Person.«

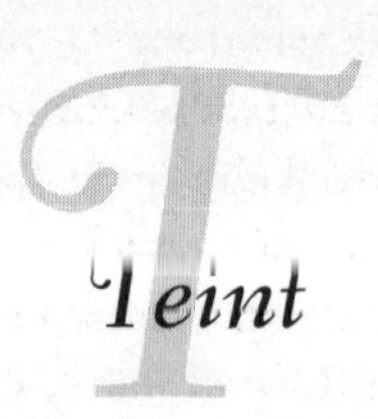

Teint

Auch wenn ich sehr hoffe, Sie nicht mehr vor den Gefahren ausgiebigen Sonnenbadens für Ihren Teint warnen zu müssen, weiß ich doch, dass sich diejenigen unter Ihnen nicht davon abhalten lassen werden, die nach wie vor entschlossen sind, ihren Sommerurlaub als ein verbranntes Stück Toast zu verbringen. Es gab einmal eine Zeit, als es unverzichtbar war, tief gebräunt aus dem Urlaub zurückzukehren, um den Neid der armen Freunde zu erregen, die die Sommermonate in der Stadt verbringen mussten. Doch aufgrund der modernen Reisemöglichkeiten hat heutzutage jeder Zugang zu sonnigem Klima, sodass ein gebräuntes Gesicht absolut nichts Besonderes oder Exklusives mehr ist. Wozu sich dann also die Mühe machen?

Während eine leichte Bräune frisch und gesund wirkt, macht eine übertrieben dunkle Haut alt und ist sehr unelegant, wenn man am Ende des Sommers in die Stadt zurückkehrt. Um überhaupt attraktiv zu sein, bedarf dunkle Bräune der frischen Luft, tiefer Ausschnitte und heller, klarer Farben (besonders Blau, Gelb und Weiß). Die eher neutralen Töne der Stadtkleidung lassen eine sonnengebräunte Strandschönheit häufig wie eine anämische Afrikanerin aussehen, und daran ist rein gar nichts elegant!

Im Leben jeder Frau kommt der Zeitpunkt, an dem sie merkt, dass sie bereit ist, sich weiterzuentwickeln.

Das Debakel mit Oliver Wendt war dabei schon eine gewisse Hilfe. Aber nun, zwei Wochen später, liegt mein Scheidungsurteil in der Post, so überdeutlich und unpersönlich wie die Gasrechnung. Die Botschaft ist unmissverständlich: Jetzt bin ich Single. Und zwar nicht nur in dem Sinn, dass ich schmachtend vor dem Telefon sitze und auf irgendeinen Rückruf warte, sondern ich bin jetzt auch vollkommen ohne Bindung an einen anderen Menschen, weder was alte Liebesgefühle noch was einen Funken Hoffnung auf eine gemeinsame Zukunft betrifft. Und weil ich mich jetzt ganz auf mich selbst und mein Leben konzentrieren kann, wird mir klar, dass auch meine Zeit beim Phoenix Theatre allmählich ihrem Ende zugeht.

Diese Arbeit war einmal ein Zufluchtsort für mich. Als ich frisch verheiratet war, fing ich dort als Platzanweiserin an und verdiente mir an den Wochenenden ein zusätzliches Taschengeld. Jetzt bin ich eine von zwei sich turnusmäßig abwechselnden Leiterinnen der Theaterkasse (oder stellvertretenden Verkaufsleiterinnen, wie man es gerne nennt). Ich will nicht leugnen, dass ich vielleicht immer noch glücklich und mit einem dümmlichen Grinsen auf dem Gesicht Verkaufsberichte zusammenstellen würde, wenn es zwischen mir und Mr. Wendt etwas anders gelaufen wäre, aber nun, da der Gedanke, ihm zufällig in den Fluren zu begegnen, mich nicht mehr mit Entzücken erfüllt, bin ich gezwungen, mich ganz auf meinen Job zu konzentrieren. Und dieser Job ist öde.

»Ich überlege, mich beruflich zu verändern«, sage ich zu Colin in einer Mittagspause.

»Ach ja?« Er stochert in seinem Essen herum. »Feuerwehrfrau oder Polizistin?«

»Also, es gäbe da eine Position im Kulturmanagement des Royal Opera House«, erkläre ich zögernd. »Ich habe mich vor einer Weile beworben und bin für nächste Woche zum Vorstellungsgespräch eingeladen worden.«

Bange warte ich auf seine Antwort, denn schließlich arbeiten wir schon seit Jahren als Kollegen zusammen. Aber er seufzt nur müde. »Klingt toll, Ouise. Sag mir Bescheid, wie's gelaufen ist.«

Er schiebt einen Rest Fischpastete auf dem Teller hin und her. Etwas stimmt nicht, so viel steht fest. Ich hatte Enttäuschung oder Aufregung erwartet, aber auf dieses vollkommene Desinteresse war ich nicht gefasst. »Col, du scheinst mir heute ziemlich geistesabwesend zu sein. Ist alles in Ordnung?«, frage ich.

Er schüttelt betrübt den Kopf. »Es hat alles keinen Sinn, fürchte ich.«

»Was hat keinen Sinn?«

Er sieht mich mit dem verlorensten, hoffnungslosesten Ausdruck an, der mir je begegnet ist. »Älteste Geschichte der Welt, Ouise. Ich bin verliebt.«

Erleichtert lache ich auf. »Aber das ist doch wunderbar! Du solltest im siebten Himmel schweben!«

Er schiebt seinen Teller weg und schafft es, noch niedergeschlagener dreinzublicken. »Ja, mag sein. Das Problem ist nur, dass er mich noch nicht einmal beachtet. Für ihn bin ich bloß eine blöde alte Tunte.«

Vor mir taucht das Bild eines Siebzehnjährigen auf, der noch in der Schuluniform steckt. »Wie alt ist er?«

»Dreiundzwanzig«, antwortet er mit der Resignation eines Verurteilten, der sein Strafmaß wiederholt.

»Aber das ist doch prima, Darling. Du hast mir einen richtigen Schrecken eingejagt – ich dachte zuerst, du würdest an irgendeinem Schultor herumlungern.«

Er schüttelt wieder den Kopf. »Du verstehst mich nicht, Louise. Dieser Junge ist ein Adonis, er ist absolut göttlich. Eine Sahneschnitte wie er würde mich nur ansehen, wenn ich ein reicher alter Knacker wäre. Sehen wir den Tatsachen ins Gesicht – drei Armani-T-Shirts, eine Wohnung in Streatham und eine Monatskarte für den Bus machen mich nicht gerade zum Sugar Daddy.«

Ich traue meinen Ohren nicht. »Du solltest dich schämen, Colin! Wie kannst du nur so reden. Damit setzt du nicht nur dich selbst herab, sondern bist auch total ungerecht ihm gegenüber. Denkst du wirklich so gering von euch beiden? Wenn du tatsächlich diesen Eindruck von ihm hast, frage ich mich, warum du überhaupt hinter ihm her bist.«

»Ich bin nicht hinter ihm her, ich verzehre mich nach ihm«, korrigiert er mich. »Weshalb ich es mir auch erlauben kann, verbitterte, überzogene Urteile über das Objekt meiner Begierde zu fällen. Aber ich erwarte kein Verständnis von dir«, fügt er großmütig hinzu. »Ich leide an einer Krankheit, von der du keine Ahnung hast, an einer Liebe, die ihren Namen nicht zu nennen wagt.«

Ich überhöre den dramatischen Zusatz. »Wo hast du diesen Adonis denn kennen gelernt?« Dabei stelle ich mir eine der herumwirbelnden Gestalten im *Heaven* vor oder einen knackigen Hintern aus der Zeitschrift *Gay*.

Colin wird rot und fummelt am Gurt seines Rucksacks herum wie ein Vierzehnjähriger. »Er ist... ich habe ihn kennen gelernt, als du mich rüber zu Copy Cat, der Druckerei, geschickt hast, mit den Korrekturfahnen für das Herbstprogramm.«

»Der Drucker?« Ich kann es nicht fassen. »Col, du bist in Andy, den Drucker, verliebt?«

Überrascht glotzt er mich an. »Du weißt, wie er heißt?«

»Na klar! Er ist supernett und verwaltet unser Budget, ich kenne ihn schon seit einer Ewigkeit.«

»Andy«, wiederholt er den Namen leise, als würde er damit ein Zauberwesen herbeirufen.

»Col, das ist keine Liebe, die ihren Namen nicht zu nennen wagt. Hier geht's um Andy, den Drucker. Er ist ein Schatz, verabrede dich einfach mit ihm!«

Wieder habe ich einen stammelnden Vierzehnjährigen vor mir. »Na ja, mal sehn... ich kann ja mal drüber nachdenken...«

»Denk nicht lange, handle!«, dränge ich ihn.

Er murmelt noch ein bisschen weiter vor sich hin, wobei die Worte »aber«, »kann nicht« und »Adonis« wiederholt zu hören sind.

»Sag mal, was war das eigentlich mit diesem Vorstellungsgespräch?«, fragt er auf einmal, offensichtlich begierig, das Thema zu wechseln.

»Tut mir Leid, dass ich dir nicht früher davon erzählt habe, aber ich dachte, falls sie mich nicht einladen, brauche ich es gar nicht erst zu erwähnen.«

»Noch dazu im Kulturmanagement.« Zugehört hat er wohl doch. »Sehr nobel!«

Ich lächle ihn an, und er nimmt meine Hand.

»Du willst uns also wirklich verlassen?«

Ich nicke. »Zeit, sich weiterzuentwickeln, Darling. Zeit für was Neues.«

In den darauf folgenden Tagen tue ich das, was ich immer tue, wenn große Veränderungen anstehen: Ich gerate in Panik. Ich zerbreche mir den Kopf wegen meiner Herkunft, meines Alters, meines Mangels an Erfahrung, meiner Qualifikationen, meiner Haare, darüber, was ich zum Bewerbungsgespräch anziehen soll, was passieren wird, wenn ich die Stelle bekomme und was, wenn nicht, was sie mich fragen werden, und vor allem, was ich auf diese hypothetischen Fragen erwidern soll. Ich sitze allein an einem Tisch in der Kantine und antworte in aller Ausführlichkeit einem Phantom, bis einer meiner Kollegen mich bittet, damit aufzuhören, weil ich ihnen langsam Angst einjage.

Colin dagegen scheint wieder ganz obenauf zu sein. Nicht nur, dass sich seine Niedergeschlagenheit verflüchtigt hat, er strahlt geradezu vor Gesundheit und Lebensfreude. Als ich schließlich lange genug den Kopf aus meiner Versunkenheit hebe, um es zu bemerken, stelle ich verblüfft fest, dass er wie ausgewechselt ist.

»Dir scheint es ja gut zu gehen«, sage ich, als er mit einem einzigen Satz von seinem Schreibtisch zum Schrank mit dem Büromaterial springt.

Er grinst mich nur an.

»Hast du abgenommen?« Irgendetwas ist anders an ihm, auch äußerlich, aber ich kann es nicht richtig benennen. Es bringt mich auf die Palme, ich werde sogar regelrecht eifersüchtig auf ihn, was in meinem nervösen Zustand mehr ist, als ich ertragen kann.

»Los, raus damit«, blaffe ich ihn an. »Was ist es? Was hast du gemacht?«

»Du meine Güte, Ouise, reg dich mal ab«, kichert er, doch als er den psychopathischen Ausdruck auf meinem Gesicht sieht, fügt er freundlich hinzu: »Ich wollte es dir sowieso verraten. Es ist eine neue Selbstbräunungscreme, wirklich phantastisch. Sie lässt dich über Nacht zehn Jahre jünger und zehn Pfund leichter aussehen! Ich sage dir, Schätzchen, dass ist genau das richtige Pepmittel, das du brauchst, du und der Rest dieser regendurchweichten Stadt.« Er beugt sich vertraulich vor. »Ich werde sogar auf dem Nachhauseweg bei der Druckerei vorbeischauen und versuchen, Andy mit einem Drink zu ködern! Wirklich, du solltest es auch versuchen. Es hat Wunder für mein Selbstbewusstsein bewirkt.«

Ich sehe ihn skeptisch an. »Du redest doch wohl nicht von diesem orangenen Zeug in der Plastikflasche?«

Er tippt sich an den Nasenflügel. »Wenn ich heute Abend nach Hause komme, *falls* ich nach Hause komme, zeige ich es dir. Versprochen.« Damit hüpft er davon, ehe ich antworten kann.

Als ich später allein mit dem Bus nach Hause fahre, frage ich mich, ob ich mir am Vorabend meines Vorstellungsgesprächs nicht auch ein wenig Selbstbewusstsein aus der Flasche gönnen sollte. Obwohl ich mich auf jeden vorstellbaren Ausgang und jede erdenkliche Situation vorbereitet habe, einschließlich Feuersbrunst, Terroranschlag und plötzlicher Lähmung aller Gliedmaßen, fühle ich mich immer noch nicht sicherer und entspannter bei dem Gedanken an meinen großen Tag. Außerdem, was kann es schaden, wenn es Colin auf so vollständige und doch subtile Weise verändert hat? Ich beschließe, sein Angebot anzunehmen.

Nachts um halb eins ist Colin immer noch nicht zu Hause. Falls ich noch einen Beweis brauchte, wie gut die Selbstbräunungscreme wirkt – das ist er. Doch nachdem ich dreieinhalb Stunden geduldig auf ihn gewartet habe, steigere ich mich allmählich in die ängstliche Sorge hinein, dass ich nicht genug Schlaf bekommen könnte, um morgen frisch und ausgeruht zu sein. Kurz vor einem hysterischen Anfall und entschlossener denn je, zu meinem Vorstellungstermin als sonnengebräunte Schönheit zu erscheinen, gehe ich ins Bad und plündere eigenmächtig Colins Kosmetikregal. Ich werde ja wohl kaum ein Handbuch und einen persönlichen Assistenten brauchen, um mir ein bisschen falsche Bräune auf die Haut zu klatschen.

Colins Regal enthält mehr Pflegeprodukte als Rias und meines zusammen. Es ist nicht leicht, schwul zu sein. In der gnadenlosen Welt der Soho-Bars und One-Night-Stands überleben nur die jüngsten und stärksten. Da finden sich Tönungscremes, Feuchtigkeitscremes, Pickelstifte, Make-up, Abdeckstifte und Tiegelchen voller Antifaltencremes, dazu die normale männliche Pflegepalette aus Rasierschaum, Deodorants, Aftershaves und Eaux de Toilette, von denen er eine verblüffende, umfassende Sammlung besitzt, die in alphabetischer Ordnung, von Armani bis YSL, auf der Fensterbank aufgereiht ist. Ich brauche eine Weile, um zu finden, was ich suche, aber dann entdecke ich die Wunderflasche mit der Selbstbräunungslotion hinter einer extra großen Flasche Haarwuchs-Shampoo.

Also setze ich mich auf den Rand der Badewanne und lese die Gebrauchsanweisung.

Zuerst die Haut mit einem Peeling und einer Feuchtigkeit spendenden Lotion vorbehandeln.

Wieder durchsuche ich Colins umfangreiche Kollektion von Cremes und Mittelchen, aber das Richtige finde ich nicht. Typisch. Man kauft ein Produkt, und schon muss man noch zehn weitere kaufen. Was soll's, wenn Colin dieses umwerfende Ergebnis ohne Peeling und spezielle Lotion erzielt hat, kann ich das auch. Ich gehe zum nächsten Punkt über.

Anschließend die Bräunungslotion gleichmäßig und glatt auftragen und dabei eine Körperzone nach der anderen behandeln, um Streifenbildung zu vermeiden. Die Verwendung von Plastikhandschuhen wird dringend empfohlen.

Plastikhandschuhe? Ich sehe mich im Bad um. Abgesehen von einem Paar alter gelber Gummihandschuhe, die zerknüllt neben dem Badreiniger liegen, kann ich keine Handschuhe entdecken. Ist wahrscheinlich nicht so wichtig. Bestimmt ist der Hersteller bloß übervorsichtig, falls jemand an irgendeiner seltenen Allergie leidet. Außerdem kann ich das Zeug jederzeit abwaschen.

Vermeiden Sie den Kontakt mit Textilien und anderen Materialien, bis die Lotion vollkommen getrocknet ist. Nach Anwendung sollte das Produkt innerhalb von zehn Minuten getrocknet sein.

Klingt ganz leicht. Also, gehen wir's an!

Ich ziehe mich aus und fange an, das Zeug aufzutragen. Es sieht viel dunkler aus, als ich erwartet hatte, und fühlt sich an, als würde ich mich mit einem öligen Schlamm einreiben. Ich konsultiere erneut die Gebrauchsanweisung.

Der Farbton wird anfangs etwas dunkler aussehen. Die dunklere Schicht lässt sich am Morgen nach dem Auftragen abduschen, und Sie erhalten eine seidenweiche, glatte Haut und eine goldschimmernde, natürliche Bräune

Sehr gut. Alles richtig. Ich schmiere mir noch etwas ins Gesicht und auf den Hals, stehe dann nackt mitten im Badezimmer und warte darauf, dass es trocknet. Eine halbe Stunde später fühlt es sich immer noch klebrig an; nach einer Dreiviertelstunde entscheide ich schließlich, dass die Definition von »trocken« auch auf »nicht mehr klatschnass« ausgedehnt werden kann. Gegen halb zwei Uhr morgens falle ich endlich ins Bett und in einen tiefen, erschöpften Schlaf.

Am nächsten Morgen taumle ich schlaftrunken in die Küche, um einen Kaffee zu trinken, und werde von einem spitzen Schrei begrüßt. »Mein Gott, Louise! Was hast du denn angestellt?«

Das hätte ich fast vergessen. »Keine Panik, Ria, das ist nur diese tolle neue Selbstbräunungscreme. Sobald ich geduscht habe, wirst du es sehen. Die obere Schicht wäscht sich ab, und dann hat meine Haut einen wunderbaren goldenen Schimmer.«

»Du siehst aus wie eine Statistin aus *Am Anfang war das Feuer.*« Fassungslos schüttelt sie den Kopf. »Und deine Hände, Louise, die sind ja orange!«

Tatsächlich – meine Handflächen sind noch mindestens zwei Schattierungen dunkler orange als der Rest der Hände, was wohl daher kommt, dass ich nicht die empfohlenen Plastikhandschuhe verwendet habe. Es sieht verstörend affenartig aus. Meine Zuversicht bekommt einen Knacks. Ich stelle die Kaffeetasse ab und stecke die Hände in die Taschen des Morgenmantels. »Glaub mir, das wäscht sich ab, Ria. Warte, ich werd's dir beweisen.« Damit verschwinde ich im Bad und drehe die Dusche an.

Zehn Minuten später steige ich nass und triumphierend wieder heraus. »Siehst du«, brüste ich mich, »was hab ich dir gesagt? Sehe ich zehn Pfund leichter und zehn Jahre jünger aus oder nicht?«

Sie starrt mich noch immer entsetzt an. »Du bist orange«, sagt sie dann. »Vielmehr orange *gestreift*.«

Langsam geht sie mir wirklich auf den Wecker. »Ha, ha, sehr komisch, Ria.«

Doch sie schüttelt den Kopf. »Nein, gar nicht komisch.«

Ich renne in mein Zimmer und sehe in den Spiegel. Sie hat Recht. Mein Körper ist mit seltsamen orangefarbenen Rändern überzogen, die mich weder zehn Pfund leichter noch jünger aussehen lassen, sondern den Eindruck vermitteln, ich könnte im Dunkeln leuchten. »Mist! Was soll ich jetzt tun?«, rufe ich verzweifelt. »Ria, was kann ich nur tun?«

Ein boshaftes kleines Lächeln stiehlt sich auf ihr Gesicht. »Dich um einen Job in Willie Wonkas Schokoladenfabrik bewerben?«

Ich funkle sie böse an und breche dann, sehr zu meiner Beschämung, in Tränen aus. »Ich habe um elf ein Vorstellungsgespräch!«, heule ich, während zwei dicke Tränen über meine Wangen kullern. »Im Royal Opera House, und ich glaube kaum, dass sie orangefarbene Leute einstellen!«

»Okay, okay, beruhige dich. Keine Witze mehr, ich verspreche es. Komm mit.« Sie nimmt mich bei der Hand und führt mich zurück ins Bad. Nachdem sie eine Weile in einem Weidenkorb herumgekramt hat, zieht sie einen riesigen Luffaschwamm hervor. »Steig wieder in die Wanne«, befiehlt sie. »Wenn wir Glück haben, können wir es abschrubben.«

Ich bin noch nie wegen Strahlenverseuchung behandelt worden, aber Teil einer solchen Prozedur wird es wohl sein, nackt und fröstelnd in einer Wanne zu stehen, während jemand, der einen eigentlich nie nackt sehen sollte, die obersten drei Hautschichten mit einem trockenen, rauen Gegenstand abschmirgelt. So denkwürdig das Ganze auch als Höhepunkt demütigender Erfahrungen sein mag, mildert es doch kaum die rotgelbe Tönung, die meine »goldschimmernde, natürliche Bräune« verbirgt.

Schließlich geben wir es auf. »Hör zu, Louise, auch wenn mich diese seltene Gelegenheit, aktive weibliche Solidarität zu üben, sehr gefreut hat, muss ich jetzt zur Arbeit, und du hast einen Vorstellungstermin. Es hilft nichts, du musst es einfach so durchstehen.«

Vorsichtig wickle ich meine aufgescheuerten Glieder in ein Badetuch. »Vielleicht sollte ich absagen. Ich könnte behaupten, ich hätte eine Lebensmittelvergiftung oder so etwas.«

Sie zuckt die Achseln. »Das liegt an dir. Aber wenn sie heute mehrere Gespräche führen, entscheiden sie sich vielleicht für jemand anderen, ehe sie dich gesehen haben. Und es macht immer einen zweifelhaften Eindruck, wenn jemand nicht zum ersten Termin erscheint.«

Sie hat Recht. Ich muss hingehen.

Um den Schaden möglichst gering zu halten, ziehe ich einen dunkelblauen Hosenanzug an und verstecke meine Affenhände in den tiefen Taschen des Jacketts. Das hübsche rote Kleid, das ich extra habe reinigen lassen, und die neuen Kurt-Geiger-Schuhe, für die ich mich in Unkosten gestürzt habe, locken verführerisch, würden aber viel zu viel Haut frei lassen. Außerdem, wie Ria betont, passen Rot und Orange nicht gut zusammen. Nachdem ich die Bluse bis zum Kinn zugeknöpft habe, muss ich nur noch etwas gegen mein karottenfarbenes Gesicht unternehmen. Mit Make-up sieht es bloß stumpfer aus, aber ein leichtes Bestäuben mit lichtdurchlässigem Puder mildert die neonfarbenen Streifen zum Glück deutlich ab.

Um zehn vor zehn verlasse ich das Haus und bete auf dem Weg zur Bushaltestelle, dass das Gespräch nicht in einem Raum mit Neonlicht stattfindet.

Eine Stunde später sitze ich auf einer Bank vor einem der privaten Cafés der Oper und warte darauf, hereingerufen zu werden. Nach einer Weile kommt eine Frau von Mitte vierzig heraus und gibt einer Mitbewerberin die Hand.

»Es war schön, Sie kennen zu lernen, Portia«, sagt sie lächelnd. »Wir hören voneinander. Und grüßen Sie Ihren Vater bitte herzlich von mir.«

Beschwingt geht die Frau, die mindestens zehn Jahre jünger ist als ich und eine vollkommen normale Hautfarbe hat, durch den Flur davon, wobei das lange blonde Haar ihr weich über den Rücken fällt. Ich verliere den Mut und wünschte, ich hätte doch eine Lebensmittelvergiftung vorgetäuscht.

Die ältere Frau wendet sich mir zu. »Louise Cassova?«

»Canova«, verbessere ich, stehe auf und strecke die Hand aus. »Ein italienischer Name.«

»Wie schön.« Sie wirft meiner Affenpfote einen argwöhnischen Blick zu, worauf ich sie schnell wieder in der Tasche verschwinden lasse. »Kommen Sie doch bitte herein.« Ich folge ihr in das leere Café, und sie weist auf einen Tisch am Fenster. »Bitte nehmen Sie Platz. Ich bin Charlotte Thorne, Leiterin der Personalabteilung. Der Leiter der Abteilung Kulturmanagement, Robert Brooks, wird gleich bei uns sein, aber ich würde Ihnen gern selbst schon ein paar Fragen stellen.«

Ich nicke eifrig und merke, wie sich mein Gesicht zu einem vor Furcht versteinerten Grinsen verzieht.

Sie setzt sich und schlägt die Mappe mit den Lebensläufen vor sich auf. »Wie ich sehe, gehören Sie zu den Glücklichen, die über Ostern wegfahren konnten.« Offenbar will sie ein bisschen Smalltalk machen, während sie in ihren Papieren kramt. »Wo waren Sie denn?«

»Wie bitte?«

»Mir ist Ihre Bräune aufgefallen. Waren Sie irgendwo im Süden?« Sie hat gefunden, was sie suchte, und richtet nun ihre ganze Aufmerksamkeit auf mich, wobei sie die Hände gesittet übereinander legt.

Ich denke fieberhaft nach. Wo fahren denn Leute hin, die über Ostern weg waren? Auf die Cayman-Inseln? Skilaufen? Sie sitzt da und sieht mich fragend an. Ich höre geradezu, wie die Zeit dahintickt, während ich sie hilflos anglotze. »Äh, nein. Nein, ich war dieses Jahr nicht weg … es kommt daher … na ja, Sie wissen ja, wie das bei Italienern so ist. Ein paar Sonnentage, und schon sind wir knackig braun!«

Ich lache albern, worauf sie lächelt und dann sofort zu ihrer erprobten Angriffstaktik übergeht. »Schön für Sie. Also, Louise, weshalb möchten Sie unserem Team hier in der Royal Opera beitreten?«

Das ist zum Glück eine der Fragen, auf die ich vorbereitet bin. Ich hole tief Luft. »Nun, Charlotte, ich denke, der Hauptgrund ist, dass ich eine große Leidenschaft für das Theater habe …« Ich fahre fort, sie mit meinem Enthusiasmus zu bearbeiten, bis Mr. Brooks auftaucht.

Alles in allem läuft es besser, als ich zu hoffen gewagt hatte, auch wenn es ein paar heikle Momente gibt, nachdem Ms. Thorne mich als »mulitkulturell« vorgestellt hat und Mr. Brooks darauf besteht, Italienisch mit mir zu sprechen (wovon ich kein Wort verstehe) und Geschichten über seine Studentenabenteuer in Florenz zum Besten zu geben (wo ich nie gewesen bin). Aber irgendwie entgeht ihm meine Unwissenheit, vermutlich weil er zu sehr mit seiner Italienbegeisterung beschäftigt ist. Obwohl ich jedes Mal nervös kichere, wenn er mich anspricht, scheint er von mir angetan zu sein.

»Wir sind zwar eine berühmte britische Institution, aber auch eines der führenden internationalen Häuser der Welt, Ms. Canova.« (Er achtet so sehr auf die korrekte italienische Aussprache meines Nachnamens – oder was er dafür hält –, dass ich diesen kaum wiedererkenne.) »Meiner Ansicht nach ist es höchste

Zeit, dass sich das auch in unserem Personal widerspiegelt.« Er schüttelt mir kräftig die Hand. »Ich bin sicher, wir werden uns wiedersehen.«

Danach verlasse ich das Gebäude, so schnell ich kann, ehe ihm eine weitere abgelegene Kunstsammlung oder ein verstecktes Café in Florenz einfällt, das ich kennen müsste.

Nachdem ich ihm entronnen bin, stehe ich keuchend vor Erleichterung auf der Treppe zum Eingang, wo ein gut aussehender junger Mann mich anspricht.

»Entschuldigen Sie, haben Sie Feuer?«

Ich bin noch so benommen, dass ich ihn verständnislos anstarre. »Feuer?«, wiederhole ich, als würde er sich einer Geheimsprache bedienen.

»Ja, für meine Zigarette«, hilft er mir auf die Sprünge.

»Ach so!« Mein Gehirn fängt wieder an zu arbeiten. »Ja, natürlich. Moment, ich sehe nach.« Ich wühle auf dem Boden meiner Tasche herum, bis ich eine zerdrückte Streichholzschachtel finde, ausgerechnet die, die ich im Ritz habe mitgehen lassen. Ich fummele ein Streichholz heraus und merke zu meiner Verlegenheit, dass meine Hände heftig zittern.

Als ich es anzünde, wackelt meine Hand gefährlich vor seinem Gesicht herum. »Verzeihen Sie«, greift er ein und hält sanft mein Handgelenk fest, ehe er sich vorbeugt. »Ich hoffe, Sie haben nichts dagegen.«

»Nein, nein. Tut mir Leid, ich komme gerade von einem Vorstellungsgespräch und bin immer noch ein bisschen zittrig«, gestehe ich.

Er lächelt. »Gestatten Sie mir, mich zu revanchieren.« Er bietet mir eine Zigarette an. »Sie sehen aus, als könnten Sie eine vertragen.«

Ich zögere. »Ich rauche eigentlich nicht.«

»Besser so«, nickt er. »Schlechte Angewohnheit. Geradezu widerlich.«

Ich sehe zu, wie er einen langen, genüsslichen Zug nimmt.

»Ach, vielleicht kann eine mal nicht schaden.«

Er zündet sie mir an, und wir rauchen einen Moment schweigend. Obwohl es erst halb eins ist, war es schon ein ganz schön langer Tag für mich.

»Und, wie ist es gelaufen?«, fragt er, sich lässig an ein Plakat für *Schwanensee* lehnend. Als er mich so im warmen Sonnenschein anlächelt, kommt er mir plötzlich wie der schönste Mann vor, den ich je gesehen habe. Er ist schlank, nicht übermäßig groß und mit einem dichten, wirren Schopf dunkler Haare und noch dunkleren, großen Augen gesegnet. Wenn er lächelt, entspannen sich seine vollen Lippen zu einem fröhlichen Grinsen, das zugleich etwas Spitzbübisches und Gutmütiges hat.

Auf einmal wird mir bewusst, dass ich ihn anstarre. »Entschuldigung«, sage ich, wieder zu mir kommend. »Was haben Sie gesagt?«

»Der Job … glauben Sie, Sie bekommen ihn?«

Ich schüttle den Kopf. »Keine Ahnung. Schwer zu sagen. Arbeiten Sie hier?«

»Nur während des Sommers. Ich bin klassischer Pianist. Meine Schwester arbeitet hier und hat mir einen Job als Begleiter bei den Proben des Royal Ballet verschafft. Ich gehe im Herbst zum Studium nach Paris, und die Bezahlung hier ist ziemlich gut.«

»Meine Güte, das Royal Ballet und dann Paris. Sie müssen unheimlich gut sein!«

Er grinst, plötzlich ganz schüchtern. »Ich hatte Glück«, sagt er. »Waren Sie schon einmal in Paris?« Schnell wechselt er das Thema. »Es ist meine absolute Lieblingsstadt! Man hat nicht gelebt, solange man nicht einen ganzen Nachmittag damit vertrödelt hat, in einem Café auf dem Boulevard St. Germain Champagner zu trinken und Zigaretten zu rauchen.«

Ich muss lachen. »Ich war zwar schon in Paris, aber dazu bin ich irgendwie nie gekommen.«

»Dann müssen Sie noch mal hinfahren«, sagt er sanft.

Ich blicke auf, und wir sehen uns direkt in die Augen. Er lächelt wieder, worauf ich rot werde.

»Mögen Sie Ballett?«, fragt er.

»Und wie. Zumindest habe ich es immer sehr gemocht, vor vielen Jahren. Ich habe lange keines mehr gesehen.«

»Hier.« Er greift in seine Hosentasche und zieht eine Eintrittskarte hervor. »Ich weiß ja nicht, was Sie heute Nachmittag vorhaben, aber im Moment findet gerade die Kostümprobe für *Schwanensee* statt. Ständig geben sie mir diese Freikarten, und ich vergesse sie jedes Mal, bis es zu spät ist. Apropos zu spät« – er sieht auf seine Uhr – »ich hätte schon vor fünf Minuten in der Probe sein sollen.«

»Wie nett von Ihnen …«, stammele ich, ganz durcheinander von seiner Großzügigkeit.

Er tritt die Zigarette mit dem Absatz aus und wendet sich zum Gehen. »Viel Spaß! Und wer weiß, vielleicht bekommen Sie ja die Stelle, und ich sehe Sie öfter.«

Einen Augenblick später ist er verschwunden.

Ich ziehe noch einmal an meiner Zigarette. Das ist wirklich ein ungewöhnlicher Tag geworden, vor allem wenn man bedenkt, wie katastrophal er angefangen hat.

Eigentlich hatte ich vorgehabt, sofort nach Hause zu gehen und mich für den Rest des Nachmittags zu verkriechen. Wieder sehe ich auf die Eintrittskarte in meiner Hand.

Es ist lange her, dass ich zum letzten Mal in einem Ballett war. Achtzehn Jahre, um genau zu sein. Es war in dem Sommer, in dem ich aufhörte zu tanzen, demselben Sommer, in dem meine Mutter einen Selbstmordversuch beging.

Ich hatte eine Einladung zum Vortanzen beim städtischen Ballett bekommen, doch als der Tag da war, ging ich nicht hin. Ich gab meiner Mutter die Schuld, sagte mir, dass ich zu viel anderes im Kopf hätte, dass ich mich um sie kümmern müsse.

Vielleicht konnte ich den Gedanken an die Möglichkeit eines Versagens nicht ertragen. Vielleicht wollte ich auch nur mal ein ganz normaler Teenager sein, ohne den Druck, eine Tanzkarriere unter Dach und Fach bringen zu müssen, bevor ich erwachsen war. Es war immer der Traum meiner Mutter gewesen, dass ich Tänzerin würde. Doch nach diesem Sommer kam mir das alles sinnlos vor.

Ich hatte versagt.

Ich hole tief Luft, atme langsam aus und schließe die Augen. Lange Reihen von Mädchen strecken ihre Beine zu unmöglichen Positionen an der Stange. Kolophonium knirscht unter meinen Füßen. Die Luft ist schwer von Schweiß und Konzentration, und dann ist da Musik, immer Musik.

Ich schlage die Augen auf.

Achtzehn Jahre und eine lange Zeit, um sich als Versager zu fühlen.

Ich ziehe noch einmal an der Zigarette, ehe ich sie wegwerfe. Dann drehe ich mich um und gehe hinein.

»Sie sind leider zu spät dran, um Ihren Platz noch einzunehmen«, informiert mich die junge Platzanweiserin. »Aber sie können bis zum Ende des ersten Aktes hinten im ersten Rang stehen.«

Als ich ihr die prächtige Haupttreppe hinauf folge, bemerke ich, dass ihr Jackett ein kleines Stück zu groß ist, genau wie bei mir, als ich noch Platzanweiserin im Phoenix war.

»Sind Sie Studentin?«, frage ich, als wir oben ankommen.

Sie nickt. »Gesangsstudentin an der Royal Academy. Nur noch ein Jahr bis zum Abschluss.«

Ich denke an all die Stücke, die ich hinten im Parkett stehend in meinem schlecht sitzenden Blazer gesehen habe.

»Viel Glück!«, flüstere ich, als sie die Tür aufmacht und ich hineinschlüpfe.

Und dort, in dem warmen, dunklen Halbrund des ersten

Rangs, umgeben von der überwältigend schönen Musik Tschaikowskys, passiert noch etwas Unerwartetes.

Als ich da im Dunkeln stehe und einigen der besten Tänzerinnen der Welt zusehe, kommt mir langsam die Erkenntnis, dass mich keine Schuld trifft, dass ich sie sowieso nicht hätte retten können, egal, wie viel Mühe ich mir weiter gegeben hätte.

Darcy Bussell springt über die Bühne, überwindet die Schwerkraft – überwindet sämtliche Naturgesetze –, und eine ausgelassene, zu Kopf steigende Freude durchströmt mich.

Ich habe niemanden enttäuscht. Am wenigsten mich selbst.

Zwei Tage später bestellt man mich zu einem zweiten Gespräch. Am selben Nachmittag werde ich als erster orangefarbener Mensch vom Royal Opera House eingestellt.

Uniformität

Dank des hohen Lebensstandards im Westen und der zunehmenden Massenproduktion westlicher Mode muss ein ungeübter Beobachter den Eindruck gewinnen, dass alle Frauen gleich gekleidet sind. Ich kenne die Ursache dieser modernen Form von Bescheidenheit nicht, die die weibliche Bevölkerung von San Francisco bis Paris ergriffen hat und alle Frauen dazu bringt, einander möglichst ähnlich sein zu wollen, obwohl sie zugleich immer mehr Geld für Kleidung, Kosmetik und Frisör ausgeben. Falls Sie wirklich Freude daran haben, genau wie alle anderen auszusehen, steht Ihnen eine rosige Zukunft bevor. Uniformität ist das unvermeidliche Nebenprodukt einer automatisierten Gesellschaft, und wer weiß, vielleicht wird Individualität eines Tages sogar als Verbrechen angesehen. Bis es so weit ist, können Sie ja schon einmal in die Armee eintreten.

Wir kleiden uns weniger mit Blick auf das, was wir sind, als auf das, was wir sein möchten.

In London gibt es für verschiedene Straßen und Stadtteile jeweils eine Uniform. Soho hat seine eigene Kleiderordnung, ebenso wie die City und die Kings Road. Dann gibt es noch Orte, wo diese verschiedenen Welten aufeinander stoßen. Das Theater ist einer davon.

Zu einer Inszenierung, die in aller Munde ist, kommt ein völlig gemischtes Publikum: konservative Geschäftsleute, alternde

Popper, Studenten im Hippieschick, reiche Bohemiens aus Notting Hill, in Prada und Armani gehüllte Minimalisten, Schwule, Lesben, Heteros, Junge, Alte – eine bunte Mischung, und doch so deutlich voneinander abgegrenzt, als würden sie T-Shirts mit aufgedruckten Markennamen tragen.

Es ist ein Freitagabend Anfang Juni. Ich trinke lauwarmen Weißwein im Gedränge der Bar des Royal Court im Ambassadors Theatre und plaudere mit meiner Freundin Sally, die in einem kassandraartigen Anfall von Voraussicht die Karten für diesen Abend schon vor Monaten reserviert hat. Die Vorstellung ist ausverkauft, und die wogende Menschenmenge in der Bar wird immer dichter, als die Glocke ertönt und Sandy – wie manche Frauen das geradezu zwanghaft tun – beschließt, dass zwei Minuten vor Vorstellungsbeginn der ideale Zeitpunkt für einen Gang zur Toilette ist. Die Menge schiebt sich langsam in Richtung Zuschauerraum, und plötzlich erhasche ich einen Blick auf ein Profil, das mir bekannt vorkommt. Es gehört zu einem schick gekleideten Mann, der gerade sehr interessiert einem anderen, jüngeren Mann zuhört.

In meinem Kopf entsteht eine seltsame Leere. Doch, ich kenne ihn, aber woher?

Dann geschieht dieses merkwürdige Phänomen, zu dem es manchmal in besonders wichtigen und schrecklichen Momenten kommt und bei dem alles andere in den Hintergrund tritt – die Menge, der Lärm, die Theaterglocke –, sodass nur noch diese eine erschütternde Erkenntnis vor einem steht.

Ja, ich kenne diesen Mann.

Es ist mein Exgatte.

Wie hypnotisiert starre ich ihn an, als er sich lachend umdreht und seinem Freund auf die Schulter klopft.

Beinahe hätte ich ihn nicht wiedererkannt.

Er sieht völlig anders aus, alles an ihm ist verändert. Seine Haare sind kurz geschnitten, und zwar nicht einfach geschnitten wie vom Frisör um die Ecke, sondern geschnitten wie vom Star-Coiffeur und obendrein gefärbt, mit hellen, honigblonden Strähnen. Er trägt eine enge, dunkelbraune Samtjeans und einen hellblauen Rolli von Hugo Boss, dessen Rollkragen in weichen Falten hochsteht und nicht umgeschlagen ist, als hätte er ihn gerade im Moment übergezogen. Eine feine schwarze Lederjacke ist lässig über seinen Arm geschlungen, und an den Füßen trägt er Camper-Schuhe.

Er ist nicht einfach bloß irgendwie angezogen, er ist gekleidet, gestylt.

Das ist derselbe Mann, dessen Garderobe aus Hemden von Marks & Spencer bestand, die ihm seine Mutter zu Weihnachten schenkte und die er ungebügelt und mit aufgescheuerten Manschetten trug, bis sie ihm vom Leib fielen. Der es als körperlich schmerzhaft empfand, sich ein neues Paar Schuhe zu kaufen. Jetzt ist er völlig verwandelt, flattert schmetterlingsgleich durch die volle Bar zum Tresen, um sein Glas abzustellen, und trägt den angesagten Modeartikel der Saison – die Camper-Schuhe – ohne eine Spur von Unbehagen oder Ironie.

Er ist ein anderer Mann, aber ein Typus, den ich kenne.

Es liegt an der Uniform. Sie ist mir vertraut. Ich habe sie schon öfter gesehen.

Die Leere in meinem Kopf implodiert. Wenn ich mich nicht bewege, wird er mich nicht sehen. Also bleibe ich stehen, so stocksteif, dass sogar die Tische und Stühle neben mir belebt wirken, und halte den Atem an, als sie sich zum Zuschauerraum hindurchzwängen und sich dabei locker unterhalten, ohne etwas von meiner Existenz zu ahnen. Er bewegt sich mit erstaunlicher Geschmeidigkeit, gleitet fast die Treppe hinauf. Mir ist schwindlig vor Schock, und doch bin ich gleichzeitig fasziniert.

Auf einmal ist Sandy wieder bei mir, sucht nach den Eintrittskarten in ihrer Tasche, fürchtet, kein Kleingeld für die Programmverkäuferin zu haben und überlegt laut, ob sie ihren Mantel zusammengefaltet unter ihren Sitz schieben oder doch noch schnell bei der Garderobe abgeben soll. Ehe ich es gewahr werde, sitzen wir auf unseren Plätzen, eingezwängt neben einem deutschen Touristenpärchen, das seine Rucksäcke auf den Knien festhält. Die Lichter werden schon dunkler, als mir auffällt, dass ich immer noch mein Glas mit dem warmen Wein in der Hand halte.

An den ersten Akt kann ich mich überhaupt nicht mehr erinnern, weil ich die ganze Zeit den Kopf meines Exmannes im Publikum ausfindig zu machen versuche, den auffälligen neuen Haarschnitt zwischen all den anderen Frisuren. Manchmal glaube ich, ihn gefunden zu haben, und dann wieder nicht. Aber ich will ihn sehen, will ihn anstarren, kann und will meinen Augen nicht trauen. Also richte ich meinen Blick in die Dunkelheit des Zuschauersaals statt auf die hell erleuchtete Bühne. Die Zuschauer lehnen sich gespannt nach vorn, lachen an den richtigen Stellen und schnappen beim Höhepunkt nach Luft, doch ich kann ihn einfach nicht finden.

Schließlich ist der erste Akt zu Ende, und die Lichter gehen an.

»Das war phantastisch!«, schwärmt Sandy begeistert. »Findest du nicht auch, dass das absolut phantastisch war?«

Dort sind sie, ich habe sie entdeckt. Sie gehen lachend nebeneinander durch den Mittelgang.

»Unglaublich«, murmele ich.

Sandy steht auf und streicht sich den Rock glatt. »Wollen wir?«

Nun betrachte ich seinen Freund genauer. Er trägt den gleichen modischen Haarschnitt und die gleichen Camper, ist aber noch jünger, als ich zuerst gedacht hatte. Sein Gesicht wirkt außerordentlich gepflegt – ob er sich die Augenbrauen zupft? – und er trägt Diesel-Jeans zu einem engen, schwarzen T-Shirt. Jetzt gehen sie an uns vorbei. Ich halte die Luft an. Sandy schiebt mich zum Ende unserer Reihe, wo wir uns hinter ihnen einordnen. Das Aftershave des jungen Mannes umweht mich mit seinem frischen, leichten Duft, und dann sehe ich, wie er die Hand hebt und sie meinem Exmann kurz in den Nacken legt.

Es ist nur eine kleine Geste, flüchtig und leichthin, aber sie bringt mich abrupt zum Stillstand – es ist wie eine Nahaufnahme in Zeitlupe von etwas, das ich nie zu Gesicht bekommen wollte. Immer noch starre ich hin, aber nicht auf die Hand, sondern in Erwartung der Reaktion meines Exmannes.

Er zeigt keine.

Ich kann meine Füße nicht vorwärts bewegen. Hinter uns staut sich die Menge auf der Treppe.

»Ist alles in Ordnung?«, fragt Sandy und gibt mir einen sanften Schubs. Aber ich stehe wie festgewachsen.

»Ich habe mein Programm vergessen«, krächze ich und wende mich gegen den Strom, weg von der Bar. »Ich will nur schnell mein Programm holen.«

Ich stolpere die Treppe hinunter, an unserer Reihe vorbei und bis zur Bühne, wo ich mich mit klopfendem Herzen an die Balustrade des Orchestergrabens lehne.

Ich weiß Bescheid. Jetzt weiß ich Bescheid.

Ich habe es immer gewusst, aber erst jetzt weiß ich es wirklich.

Man soll einen Menschen nicht nach seinem Äußeren beurteilen, aber man kann viel über jemanden erfahren, wenn man sich seine Schuhe ansieht.

Vorzeigefrauen

Auch wenn sie etwas aus der Mode gekommen sind (was ich überhaupt nicht verstehe), gehören Schleier zum Schmeichelhaftesten, womit eine Frau sich schmücken kann. Wenn Sie zugleich verführerisch, geheimnisvoll und weltgewandt wirken möchten, wird ein Schleier Ihren Zwecken aufs Beste dienen. Der einzigartige Charme dieses Accessoires liegt darin, dass er es selbst dem unscheinbarsten, langweiligsten Geschöpf ermöglicht, wie Anna Karenina oder die Garbo auszusehen. Allein die Tatsache, dass ein Teil des Gesichts den Blicken entzogen ist, schafft eine gewisse Spannung, die erregend und faszinierend wirkt. Ob Sie sich für einen großen, grob gewebten Schleier entscheiden oder für eine feine, zarte Tüllwolke, spielt dabei keine Rolle. Frauen, die einen Schleier tragen, haben eine Vergangenheit, ein Geheimnis. Und was könnte eleganter sein als das?

»Aber ich trage keine Hüte«, protestiere ich. »Niemand trägt heutzutage mehr Hüte!«

»In Ascot schon«, entgegnet Colin unnachgiebig. »Du wirst noch nicht mal eingelassen, wenn du keinen Hut auf dem Kopf hast, also finde dich besser damit ab. So, und jetzt sei ein Schatz, und reich mir dieses Stück Sandpapier dort, ja?«

Ich bücke mich und krame in den Werkzeugen, schmutzigen Lumpen und giftigen Lösungen, mit denen Colin die Wohnzimmertür abbeizt. Als ich auf etwas Raues, Braunes stoße, gebe ich es ihm. »Das ödet mich alles total an!«, schmolle ich. »Ich weiß überhaupt nicht, weshalb ich zu dieser blöden Veranstaltung gehen muss. Diese ganzen Firmenunterhaltungsprogramme gehen mir total auf den Wecker.«

»Nun« – Colin taucht eine Zahnbürste in Terpentin und bearbeitet damit den Lack –, »es hat dich schließlich niemand gezwungen, die Stelle an der Oper anzunehmen, oder? Du hättest das Angebot, mehr Geld zu verdienen, in einer inspirierenden Umgebung bei einer der führenden Kunst schaffenden Institutionen des Landes zu arbeiten und noch mehr tolle Schuhe zu besitzen, ja auch ablehnen können. Du hast die Wahl. Die Rückkehr zu Mittelmäßigkeit und geisttötender Langeweile kostet dich nur einen kurzen Telefonanruf.«

»Okay, hab schon verstanden.« Ich kehre ihm den Rücken zu und lasse mich in einen Sessel fallen.

Colin sieht mich streng an. »Spiel mir hier nicht die beleidigte Leberwurst. Was ist eigentlich in dich gefahren? Du solltest glücklich und aufgeregt sein. Die meisten Frauen wären ganz aus dem Häuschen, wenn sie Ascot besuchen dürften und auch noch dafür bezahlt würden.«

»Die meisten Engländerinnen«, korrigiere ich ihn erbittert.

Er runzelt die Stirn. »Was hat das denn damit zu tun?«

»Alles! Du kapierst überhaupt nichts, stimmt's?« Ich schlage theatralisch die Hände vors Gesicht.

Colin legt die Zahnbürste weg und betrachtet mich nachdenklich. »Louie, ist hier jemand vielleicht ein ganz klein bisschen prämenstruell?«

»Nein!«, schnauze ich ihn an. »Sei nicht so herablassend!«

»Ich finde, ich halte mich ganz gut«, erwidert er. »Vor allem, wenn man bedenkt, dass ich mit Dr. Jekyll und Mrs. Hyde zusammen wohne. Erst überschlägst du dich vor Freude, weil du deinen Traumjob bekommen hast, und im nächsten Moment spuckst du Gift und Galle, weil du zu einem der begehrtesten gesellschaftlichen Ereignisse des Jahres gehen sollst und dazu nichts weiter tun musst, als einen Hut aufzusetzen! Offen gesagt hast du schon die ganze Woche eine Stinklaune, und wenn deine Periode nicht unterwegs ist, solltest du eine verdammt gute Entschuldigung parat haben.«

Schweigend sitzen wir uns gegenüber und funkeln uns böse an.

»Es tut mir Leid«, sage ich schließlich. »Es ist einfach viel schwerer, als ich es mir vorgestellt habe.« Wie kann ich es ihm erklären? »Das Problem ist, Col, dass ich keine Engländerin bin.«

»Soll ich dir was verraten, Louise? Du bist noch nie eine gewesen.«

»Ha, ha. Nein, ich meine es ernst. Diese anderen Mädchen, meine Kolleginnen, sie sind – wie soll ich es ausdrücken? – berufsmäßige Engländerinnen. Als wäre es ihr ganzer Lebenszweck, englisch zu sein. Zum Beispiel haben sie alle diese Namen wie Flora, Poppy, Hyacinth und Ginista. Es ist, als würde man in einer Staudenrabatte arbeiten. Der Job ist für sie bloß ein Zeitvertreib, bis sie ihre Freunde heiraten, die alle Banker in der City sind, und sie haben ihn durch ihren Vater bekommen, der entweder den künstlerischen Direktor kennt oder selbst der künstlerische Direktor ist.«

»Miau, miau, Louie! Zieh die Krallen wieder ein!«

»Es ist nicht so, dass sie nicht nett wären«, räume ich ein und versuche, objektiv zu bleiben (was mir nicht gelingt). »Sie sind schon in Ordnung auf ihre durch Inzucht hervorgerufene, mutierte Art und Weise. Aber langsam kommt es mir so vor, als würden wir ständig die Väter und Mütter ihrer alten Schulfreunde umwerben und unterhalten. Der Chef der Investment-Banking-Abteilung bei Goldman Sachs ist zum Beispiel der Vater von Floras bester Freundin. Sie haben den ganzen Abend über seinen Sohn in Eton und ihren Bruder in Harrow geredet. Am nächsten Tag reserviert er eine Loge für die gesamte Spielzeit und spendet einen Scheck in solcher Höhe, dass die Oper seinen Namen im ganzen Gebäude einmeißeln lassen muss, überall, wo ein freies Plätzchen ist!«

»Gut, aber was hat das mit dir zu tun?«

»Ich kann da nicht mithalten, Col! Ich kann es einfach nicht! Und obendrein«, jammere ich, »haben sie alle tolle Beine *und* Titten, was so was von unfair ist!«

Er grinst mich an. »Du bist eifersüchtig.«

»Natürlich bin ich eifersüchtig!«, tobe ich. »Aber ich fühle mich auch so verflixt hilflos. Ich kann nicht mithalten bei diesem ganzen Privatschulklüngel. Ich war noch nie auf der Jagd oder beim Pferderennen oder bei Annabel's oder Tramps oder in *Harper's and Queen* abgebildet. Mich hat noch nie jemand auf seinen Landsitz eingeladen, und ich wüsste auch gar nicht, wie ich mich dort benehmen sollte. Ich bin aus Pittsburgh, Herrgott noch mal! Und jetzt müssen wir Leute von BP und Reuters in Ascot unterhalten, und ich weiß genau, es wird die Hölle auf Erden, mit komischen Hüten und Regeln und Insiderwissen, von dem ich keinen blassen Schimmer habe.«

Er drückt mein Knie. »Louise, diese Mädchen sind so nützlich in diesem Beruf, weil ihre Herkunft und Erziehung eine gewisse Anzahl von einflussreichen Verbindungen garantiert. Aber dich hat man schließlich auch nicht ohne Grund eingestellt. Ich schlage vor, dass du dich auf deine eigenen Qualitäten konzentrierst. Du bist zu alt für diesen kindischen Mist. Außerdem, meine Liebe, auch wenn ich es dir nur ungern sage, aber es ist eine ziemlich unattraktive Haltung.« Er fixiert mich nachdrücklich. »So, und jetzt könntest du mir einen Gefallen tun und die Unordnung beseitigen, die du in der Küche veranstalt hast. Andy kommt nachher vorbei, und er soll nicht denken, ich wohne in einem Schweinestall.«

Damit wendet er sich wieder seiner Zahnbürste und dem Terpentin zu.

Zwei Tage später lümmele ich an meinem Schreibtisch, picke matschige Tomaten aus meinem kalorienarmen Salatsandwich und bemühe mich halbherzig, meinem Standardbettelbrief an finanzkräftige Unternehmen etwas mehr Schliff zu verleihen, ohne allzu Mitleid erregend zu klingen, als Poppy mit ihrer ganzen Größe von einssiebenundsiebzig herbeigeschlendert kommt und mich fragt, ob ich mit ihr Hüte kaufen gehen will. Sie scheint nur aus Armen und Beinen zu bestehen und erinnert an eine verlegene Giraffe, als sie ihren langen Pony aus den Augen schüttelt und mich schüchtern anlächelt.

»Ich habe absolut nichts, was ich anziehen kann!« Sie lehnt sich mit krummem Rücken an meinen Schreibtisch und zupft an den Manschetten ihrer Bluse in dem vergeblichen Versuch, ihre Handgelenke zu bedecken. »Ich meine, ich habe diesen echt süßen Hut von der Hochzeit meiner Schwester im letzten Jahr, aber er musste unbedingt fliederfarben sein, weil sie darauf bestand.«

Auf einmal ertönt ein Schrei hinter der Filztrennwand zwischen den Schreibtischen. »Nein!!!« Floras kleiner hübscher Kopf mit dem blonden Bob guckt um die Ecke. »Du hast mir ja gar nicht erzählt, dass Lavender geheiratet hat!«

»Dir nicht erzählt!« Poppy verdreht die Augen. »Flora, du bist *dabei* gewesen!«

»Oh!« Sie ist richtig schockiert. »Habe ich ihnen silberne Tischkartenhalter in der Form von Schweinchen geschenkt?«

»In der Form von Ananas«, korrigiert Poppy.

»Ananas? Wirklich?« Flora runzelt die Stirn und kaut heftig auf ihrem Stift herum. »Mit wem war ich denn da?«

»Flora! Du bist wirklich unmöglich! – Sie ist schon mit drei Jahren oder so ins Internat gekommen«, flüstert sie mir hinter vorgehaltener Hand zu. »Du hast ihnen silberne Tischkartenhalter in der Form von *Ananas* geschenkt und warst mit Jeremy Bourne-Houthwaite da. Erinnerst du dich? Du warst praktisch mal mit ihm verlobt.«

Floras blassblaue Augen erhellen sich. »Ach, Lippy Houthwaite, natürlich!« Beide fangen an, unkontrollierbar zu kichern.

»Lippy Houthwaite?« Ich bin nicht sicher, ob ich das wirklich wissen will.

»Ich sage dir, Louise, er hatte unglaublich wulstige Lippen«, erklärt Flora. »Ihn zu küssen war, als würde man von einem Labrador abgeschleckt. Ich war noch nie im Leben so nass im Gesicht.«

Sie kichern noch mehr, bis Poppy einen Hustenanfall bekommt. Ich klopfe ihr auf den Rücken.

»Also, wenn ihr Mädels shoppen geht, muss ich unbedingt mitkommen«, bettelt Flora.

»Schön, wo sollen wir hingehen?«, frage ich.

»Zu Locks«, zwitschern sie wie aus einem Mund, um dann »Zwei Blöde, ein Gedanke!« zu rufen und sich von neuem auszuschütten vor Lachen und mit den Füßen zu trampeln.

Ich habe das Gefühl, in einem Paralleluniversum gelandet zu sein.

»Locks ist in der St. James's Street«, klärt mich Poppy auf. »Es ist *das* Geschäft, um einen guten, passenden Hut zu kaufen.« Sie sieht mich unnachgiebig an, was ein bisschen komisch ist, weil Poppy und jede Form von Ernst oder Strenge nicht gut zusammenpassen. »Du willst doch keinen *ausgefallenen* Hut, oder?« (Sie sagt das Wort »ausgefallen«, wie Footballmachos »Schwuchtel« sagen.)

»Äh, nein…«, antworte ich zögernd und denke im Stillen, dass ein ausgefallener Hut genau das ist, was ich will. Das ausgefallenste, schönste Modell, das man für Geld kaufen kann.

»Nein, man braucht einen *richtigen* Hut!« Flora nickt überraschend nachdrücklich mit ihrem hellen Schopf. »Einen richtigen englischen Hut!«, fügt sie bedeutsam hinzu, wie ein Freimaurer, der ein Codewort in ein harmloses Gespräch einflicht. Da ist es – das Wort mit E. Ich knicke sofort ein.

»Aber ja, unbedingt!«, pflichte ich ihr bei, wobei mich das seltsame Gefühl überkommt, sie könnten jeden Moment »Rule Britannia« anstimmen – und ich kenne den Text nicht. Ich lächle, und sie lächeln zurück. (Das ist meine neueste Verteidigungsstrategie gegen alles, was über meinen Verstand geht. Es bedeutet allerdings, dass ich den größten Teil des Tages mit einem idiotischen Grinsen auf dem Gesicht herumlaufe.)

Ich bin nicht sicher, was sie unter »richtig« und »englisch« verstehen, aber es ist ganz offensichtlich das Gegenteil von »ausgefallen«, was aus Gründen, die sich mir als Ausländerin entziehen, als vollkommen indiskutabel gilt. Wenn ich diesen Shoppingtrip heil überstehe, werde ich in eine der geheimnisvollsten gesellschaftlichen Verhaltensvorschriften der englischen Oberschicht eingeweiht sein.

»Keine ausgefallenen Hüte für mich!«, rufe ich fröhlich und möglicherweise ein wenig voreilig.

Erst als ich am späten Nachmittag mit Floras und Poppys Vorstellung von einem richtigen englischen Hut konfrontiert werde, beginne ich, meinen anfänglichen Enthusiasmus zu bereuen. Diese Hüte haben alle den Umfang von kleinen Planeten.

»Hier, probier mal den«, sagt Flora und drückt mir eine kolossale rosa Zuckerwattekreation auf den Kopf. Sie rutscht über meine Augenbrauen, und als sie endlich zum Stillstand kommt, hängt die riesige Krempe schlaff und lustlos über meinen Schultern.

Sie treten bewundernd einen Schritt zurück.

»Toll!«, keucht Poppy begeistert. »Einfach umwerfend.«

Ich versuche, mich so vor den Spiegel zu stellen, dass ich das ganze Ding sehen kann, werfe aber mit der Krempe nur einen Stapel zusammenklappbarer Panamahüte um, der mehr als einen halben Meter weit weg ist.

»Er kommt mir ein bisschen groß vor«, wage ich einzuwenden.

»Groß!«, ruft Flora empört. »Aber darum geht es doch!«

»Eine breite Krempe lässt die Hüften schmaler wirken«, belehrt mich Poppy. »Außerdem«, flüstert sie verschwörerisch, »musst du deine Haare nicht frisieren.«

»Und wenn es ein richtiges Mammutmodell ist«, fügt Flora fröhlich hinzu, »brauchst du noch nicht mal Make-up!«

»Verstehe.« Der Hut als Allzweckwaffe.

Die beiden probieren ein paar ebenso einschüchternde Wagenräder an, und ich bemerke, dass gut ein Meter Abstand zwischen uns ist, wenn wir Krempe an Krempe nebeneinander stehen. Da geht mir ein Licht auf. Genauso wie Zeitungen in der U-Bahn und Gartenhecken dienen diese Hüte in erster Linie dazu, die Privatsphäre zu schützen, und sind damit nur ein weiterer Ausdruck der undurchdringlichen englischen Reserviertheit.

Eine kleine Kollektion in der Ecke zieht mich viel mehr an: zierliche, schicke Modelle, die von einer selbstbewussten Frau keck in der Stirn getragen werden. Sie haben leuchtende Edelsteinfarben wie Smaragdgrün, Saphirblau und Rubinrot und sind mit Federn verziert, die sich in raffinierten Linien um den Kopf winden.

»Wie wär's mit so etwas?«, schlage ich vor.

Poppy zieht die Nase kraus. »Ein bisschen ausgefallen, findest du nicht?«

Flora greift an mir vorbei und nimmt einen in die Hand. »Der schmeichelt den Hüften überhaupt nicht.«

»Mir gefallen sie.« (Was haben die Engländerinnen nur immer mit ihren Hüften?) In einem Anfall von Trotz probiere ich einen auf.

Wenn ich ehrlich bin, sehe ich ziemlich blöd damit aus. Die smaragdgrüne Feder, die an der weißen, haarlosen Puppe so bezaubernd wirkte, sprießt wie eine seltsame Wucherung aus meinem Hinterkopf und baumelt mit einer rasiermesserscharfen Spitze vor einem Auge, sodass jeder, der ihr zu nahe kommt, sich bedroht fühlen muss. Wie ich sie auch lege, sie springt hartnäckig wieder zurück und lässt mich eher wie eine amateurhafte Performancekünstlerin aussehen als wie eine weltgewandte Femme fatale.

Poppy schürzt abfällig die Lippen. Flora kneift die Augen zusammen.

»Ehrlich gesagt, der bemüht sich zu sehr«, sagt Poppy.

»Sie hat Recht«, stimmt Flora zu.

Dann versetzt sie ihm den Todesstoß. »Er sieht ein bisschen *gewöhnlich* aus.«

Es gibt keine schlimmere Beleidigung als den Vorwurf, gewöhnlich zu sein. Sogar ich, die unbedarfte Exilantin aus der Heimat der Freien und dem Land der Tapferen, erschauere innerlich bei der Endgültigkeit dieses Urteils. Und natürlich gibt es kaum etwas Gewöhnlicheres in den Augen der englischen Oberschicht, als etwas, das sich zu sehr bemüht. Mühe an sich ist nämlich der Arbeiterklasse vorbehalten. Mit beschämter Miene reiße ich mir den Hut vom Kopf, und das Thema ist beendet.

Poppy und Flora treffen ihre Wahl im Nu und müssen sich nur zwischen großen Hüten und unverschämt großen Hüten entscheiden, während ich lustlos herumstehe.

»Kommst du mit zurück ins Büro?«, fragt Poppy, als Flora ein Taxi herbeiwinkt. (Sie sind außerstande, mit ihren Hutschachteln zu Fuß zu gehen.)

»Ich, äh… ich glaube, ich schau nochmal bei Fortnum rein«, sage ich unentschlossen. Als ich zusehe, wie sie vergnügt ins Taxi klettern und Richtung Piccadilly davonfahren, bin ich enttäuschter denn je.

Dann gebe ich mir einen Ruck und bummele zu Fortnum hinüber. In der ersten Etage gibt es eine Hutabteilung, die der bei Locks täuschend ähnlich sieht, und wieder versuche ich, eine Wahl unter den breitkrempigen Modellen zu treffen. Ich schiele gerade unbehaglich unter einer besonders scheußlichen, pastellfarbenen Kreation hervor, als eine Stimme hinter mir ausruft: »Meine Liebe, bei allem Respekt, aber der steht Ihnen wirklich nicht.«

Ich drehe mich um und sehe mich einer ausgesprochen elegant gekleideten, winzigen alten Dame gegenüber. Sie trägt einen cremefarbenen Kaschmirmantel über einem klassischen, elfenbeinfarbenen Chanelkostüm und eine Krokohandtasche. Als sie mich anlächelt, funkeln ihre bemerkenswert blauen Augen schelmisch.

»Es geht mich natürlich nichts an«, sagt sie mit vornehmer Aussprache und leichtem, österreichischem Akzent, »aber es schmerzt mich, solche Torheit bei einer jungen Frau zu sehen. Obwohl ich sagen muss«, fährt sie fort, »dass mir nur selten eine Dame Ihres Alters begegnet, die sich überhaupt für Hüte interessiert. Ich hatte den Eindruck, sie würden heute als ganz und gar altmodisch angesehen.«

»Ich fahre nach Ascot«, erkläre ich und entferne den Stein des Anstoßes von meinem Kopf. »Ich brauche einen Hut, und meine Kolleginnen tragen alle diese großen Modelle. Ich weiß nicht so recht, was da erwartet wird… was das Beste ist.«

»Ich verstehe«, sagt sie nickend. »Sie sind Amerikanerin?«

»Ja, das stimmt«, gestehe ich, als wäre es ein schmutziges Geheimnis.

Sie richtet sich zu voller Höhe auf (etwa ein Meter zweiundfünfzig). »Solche Hüte sehen gut an Engländerinnen aus, weil sie groß sind und sich nicht gern lange mit ihrer Frisur abgeben. Ich würde vorschlagen, dass Sie etwas Kleineres, Flotteres tragen, vielleicht etwas mit einem Schleier.« Sie sieht sich um und reicht mir einen dunkelblauen Glockenhut mit einem locker gewebten Schleier an der Krempe. »So etwas zum Beispiel.«

Ich setze ihn auf und fühle mich sofort ganz erhaben. Der Schleier tritt zwischen mich und die Außenwelt und schafft eine überlegene Zurückhaltung, die sowohl verführerisch als auch unnahbar wirkt. Und unglaublich elegant.

Sie lächelt triumphierend. »Na also, sehen Sie! Das ist schon viel besser.«

Ich kann kaum die Augen von mir wenden; ich sehe aus wie ein Filmstar. Trotzdem bin ich noch unentschlossen. »Es ist nur so... na ja, die anderen Mädchen werden so etwas nicht tragen«, erkläre ich stockend. »Er ist möglicherweise unangemessen, ein bisschen zu...«

Sie unterbricht mich mit erhobener Hand. »Wie gesagt, es geht mich nichts an, aber nach meiner Erfahrung ist es besser, sich den Engländern nicht allzu sehr anzupassen. Englischsein ist ein exklusiver Club, in den noch nicht einmal die Engländer hineinkommen. Und sie respektieren einen nicht dafür, wenn man es versucht.«

Damit dreht sie sich um und entschwindet in die Abteilung für Damenwäsche, gerät außer Sicht zwischen den Bademänteln aus Kaschmir und Nachthemden aus ägyptischer Baumwolle.

Mich durchfährt ein Schrecken, weil die einzige vernünftige Stimme, die ich den ganzen Tag über gehört habe, sich verflüchtigt. »Warten Sie!«, rufe ich und laufe ihr hinterher.

Augenblicklich sehe ich mich einer Person gegenüber, die ein als Transvestit auftretendes Mitglied des leitenden Verkaufspersonals sein muss. (Die Frau ist gebaut wie ein Linebacker der New Zealand All Blacks, der sich in ein übergroßes Polyesterkostüm gezwängt hat.)

Sie faltet ihre riesigen Pranken über ihrer Brust und sieht mich strafend an. »Möchte Madame den Hut vielleicht *kaufen?*«, fragt sie betont und hebt dabei eine allmächtige, buschige Augenbraue.

Mit einem dummen Gefühl fasse ich mir an den Kopf, und meine Hand landet auf der dunkelblauen Glocke.

»Oh, tut mir Leid! Ich habe gar nicht gemerkt...«, stammle ich und spüre, wie ich rot werde. Dann lächle ich auf eine, wie ich glaube, gewinnende Art. »Ich habe nur jemanden gesucht und ganz vergessen, dass ich den Hut noch aufhatte und … und …«

Es funktioniert nicht. Sie starrt mich an, als wäre ich eine Verbrecherin, und langsam fühle ich mich auch so. Ich kichere albern. »Also wirklich, Sie denken doch wohl nicht, dass ich diesen Hut …« (Wie soll ich es sagen?) »… *entführen* wollte!«

Sie sieht mich unverwandt an und atmet schnaubend durch die Nasenlöcher aus wie ein Stier vor dem Angriff.

Also probiere ich eine neue Taktik, reiße mir den Hut vom Kopf und drücke ihn ihr trotzig in die Hand. (Im Zweifelsfall benimm dich wie ein verwöhntes Kind.) »Hier!« Ich verdrehe die Augen und tue so empört und überheblich wie möglich. »Da haben Sie Ihren Hut! Und jetzt muss ich leider gehen!«

Gerade als ich an ihr vorbeistolzieren und mich in dem verzweifelten, selbstmörderischen Versuch, die Freiheit zu erlangen, die Treppe hinunterstürzen will, taucht meine kleine österreichische Freundin wieder auf.

»Nun, wie steht's? Nehmen Sie ihn?«, fragt sie, ohne die peinliche Situation zu bemerken. »Er ist wirklich der beste.«

Ich will gerade antworten, als ich sehe, dass etwas mit der Verkäuferin geschieht. Sie wird rot und fängt an, sich kräftig abzuzappeln. »Lady Castle!« Ihre monströsen Augenbrauen schnellen hinauf bis zum Haaransatz. »Ich bitte um Entschuldigung … ein kleines Missverständnis … was für eine Freude, Sie zu sehen!«

Lady Castle nickt ihr kurz zu und beachtet sie nicht weiter. »Es ist doch wirklich der hübscheste, finden Sie nicht?«

»Aber ja, unbedingt.« Die Verkäuferin überschlägt sich vor Diensteifer. »Er ist zweifellos sehr schick … ein sehr … äh … einzigartiges Design …« Ich beobachte, wie meine Feindin zu einem wabbeligen Gelee auf dem Fußboden zusammenschmilzt.

»Lady Castle, haben Sie vielen Dank, dass Sie mir bei der Auswahl geholfen haben.« Siegreich nehme ich den Hut wieder an mich. »Ihr Rat ist von unschätzbarem Wert gewesen.«

»Es war mir ein Vergnügen«, erwidert sie. »Ich habe viel Erfahrung in solchen Dingen. Einen Hut mit Schleier habe ich immer als sehr nützlich empfunden – er schmeichelt dem Gesicht und hat etwas Geheimnisvolles. Das hebt einen von den anderen ab.«

»Tja, das ist es ja gerade«, gestehe ich ihr. »Ich hebe mich schon genug ab, ein bisschen zu viel für meinen Geschmack. Eigentlich würde ich mich lieber anpassen.«

Sie schüttelt energisch den Kopf. »Anpassung ist etwas für Schulmädchen. Anderssein ist kein Verbrechen, meine Liebe, sondern ein Vorzug.«

Ich zucke die Achseln und lächle selbstironisch. »Da bin mir ich nicht so sicher.«

Lady Castle macht ein entsetztes Gesicht. »Aber natürlich ist es das! Sie sind doch ein Individuum, eine Frau mit einer Vergangenheit, einer Geschichte. Niemand kann Ihnen das nehmen.«

Ich bin ganz verzückt. Sie spricht mit einer solchen Leidenschaft und Überzeugung, dass mich erneut der starke Wunsch überkommt, sie nicht einfach so gehen zu lassen.

»Würden Sie mir gestatten, Sie auf eine Tasse Tee einzuladen?«, sage ich und finde, dass ich mich anhöre wie die altmodische Tante aus einem Roman von P. G. Wodehouse.

Doch ohne Zögern nimmt sie meine Einladung an, als wäre es das Selbstverständlichste auf der Welt, von einer Unbekannten, die sie gerade in der Hutabteilung eines Nobelkaufhauses kennen gelernt hat, zum Tee eingeladen zu werden. Diese bemerkenswerte Selbstsicherheit ist genau die Eigenschaft, die mir fehlt. Nachdem ich meinen Hut gekauft habe, gehen wir hinunter in den prächtigen Tea Room von Fortnum, wo Lady Castle prompt und ohne falsche Bescheidenheit einen kompletten Nachmittagstee mit getoasteten Teekuchen und Scones bestellt.

Ich höre ihr gebannt zu, als sie ihre Lebensgeschichte in England erzählt und dabei mit der Mühelosigkeit einer Frau Tee einschenkt und Gebäck verteilt, für die dies eine tägliche Gewohnheit ist.

»Die Engländer sind ein wunderbares Volk, das ich liebe und bewundere«, sagt sie und tut ein Scheibchen Zitrone in ihren Tee. »Wenn die Engländer nicht gewesen wären, wäre ich nicht mehr am Leben, so einfach ist das. Während des Krieges wurde ich als Kind von Österreich hierher geschickt. Meine Mutter setzte mich in den Zug, und ich fuhr davon. Ich bin die Einzige meiner Familie, die überlebt hat. Die Einzige«, wiederholt sie leise. »Ich weiß nicht, warum ausgerechnet ich so viel Glück hatte, nur, dass ich es eben hatte. Jetzt sind die Engländer meine Familie.« Mit dem Teelöffel drückt sie ihre Zitrone sorgsam am Rand ihrer Porzellantasse aus. »Doch wie in den meisten Familien ist unser Verhältnis zueinander nicht immer einfach.«

»Aber Sie sind doch jetzt eine Lady«, wende ich ein. »Das macht bestimmt einen großen Unterschied.«

Wieder sieht sie mich überrascht an. »Meine Liebe, ich war schon immer eine Lady! Selbst als ich noch ein dürres Immigrantenkind war, das kein Wort Englisch sprach. Ich musste nicht erst auf einen Lord warten, der mir einen Heiratsantrag machte, um eine Lady zu werden.«

»Was ich meine, ist…« Ich suche mühsam nach Worten. »Jetzt, wo Sie eine Lady sind, gehören Sie zu ihnen, sind keine Außenseiterin mehr.«

»Außen, innen… Sie messen dem zu viel Bedeutung bei.« Sie nimmt einen Schluck von ihrem Darjeeling, wobei ihre klugen Augen stets auf mich gerichtet sind. »Worauf die Leute negativ reagieren, ist nicht, dass Sie anders sind, sondern dass Sie sich *schämen*, anders zu sein. Das ist immer ein Fehler.«

Sie lächelt und schiebt sich noch ein Obsttörtchen auf ihren Teller. »Dieses Gebäck hier ist einfach zu gut. Ich werde heute Abend fasten müssen zum Ausgleich. Tun Sie alles mit Stil,

Louise, mit Ihrem ganz persönlichen Stil. Glauben Sie mir, niemand wird dann etwas darauf geben, wo Sie herkommen.«

Zurück im Büro erweist sich der Hut eher als Flop denn als Hit bei den Mädels.

»Er ist so ernsthaft«, sagt Flora und dreht ihn in der Hand, als wäre es eine Bombe.

»Ja, er ist wirklich sehr erwachsen«, stimmt Poppy zu. »Du bist mutiger als ich«, sagt sie und gibt ihn mir schnell zurück.

Unverzagt lege ich ihn wieder in die Schachtel.

»Möchte jemand eine Tasse Tee?«

»O ja, bitte!«, rufen sie im Chor mit einer Begeisterung, wie sie nur Engländer für Tee aufbringen können.

Am selben Abend, während ich die Hutschachtel auf meinen Kleiderschrank schiebe, plagt mich das nagende Gefühl, Lady Castle von irgendwoher zu kennen. Ich setze mich aufs Bett und denke nach. An wen erinnert sie mich bloß?

Dann fällt es mir ein. Ich mache den Kleiderschrank auf, fördere das Bändchen mit dem Titel *Elégance* zu Tage, schlage es auf und blättere durch den Schatz an zeitlos gültigen Ratschlägen. Lady Castle erinnert mich an Madame Dariaux, und mit einem Stich im Herzen wird mir bewusst, wie sehr ich sie vermisst habe. Sie war für mich zu einem wirklichen Gegenüber geworden, und selbst als ich mich gegen ihre treffsichere Klugheit auflehnte, hat sie mich nie im Stich gelassen. Ich erkenne, dass es dumm von mir war, sie ins Exil zu schicken, staube das Buch gründlich ab und lege es zurück auf seinen Ehrenplatz auf meinem Nachttisch.

Als der große Tag gekommen ist, stelle ich fest, dass Lady Castle Recht hatte. Ich kombiniere den Hut mit einem schlicht geschnittenen dunkelblauen Kleid aus Rohseide und passender Jacke, und natürlich ist er der Star der Show. Inmitten eines Meers von meterbreiten Krempen hebe ich mich distinguiert hervor. Zusätzlich habe ich den Vorteil, mich problemlos durch die Menschenmenge bewegen zu können, was zweifellos eleganter ist als das ständige Anstoßen mit einem Wagenrad. Der Schleier zeigt eine ganz erstaunliche Wirkung, indem er mir einen Status verleiht, den ich nie erwartet hätte. Die Männer sind alle unglaublich zuvorkommend und ebenso fasziniert wie die Frauen. Als ich durch den abgeteilten Zuschauerbereich für die königliche Familie auf Flora und Poppy zugehe, kann ich sogar unter der mächtigen Krempe ihrer Zuckerwattekreation erkennen, wie Floras Kinnlade herunterklappt.

»Oh, Louise!«, ruft sie und fasst mich hilflos am Arm. »Du siehst genauso aus, wie ich gerne aussehen würde, wenn ich es nur könnte.«

Zum ersten Mal sehe ich Flora und Poppy in einem ganz anderen Licht. Sie wirken seltsam verletzlich in dem einschüchternden Gedrängel aus Cuts und Designerkleidern – klein und jung und nur mit ihren großen Hüten angetan, um sich zu schützen. Ich muss an Lady Castles Worte denken: innen, außen, es macht keinen Unterschied.

Es wird ein langer, aufregender und anstrengender Tag. Das Wetter, das Anfang Juni so oft grau und trüb ist, überrascht mit strahlendem Sonnenschein, und unsere Kunden scheinen sich wirklich gut zu amüsieren. Es ist fast schon vier Uhr, als ich mich endlich für ein paar Minuten ruhigen Alleinseins verdrücken kann. Ich schlendere gerade durch die Menge und überlege, ob ich es wagen soll, auf ein Pferd zu setzen, da entdecke ich ein bekanntes Gesicht.

»Hallo!«, sage ich. Es ist der junge Mann, der mir die Eintrittskarte für die Oper geschenkt hat, nur dass er diesmal einen richtigen Cut trägt.

»Hallo!« Er strahlt mich an. »Wie ist es ausgegangen, haben Sie die Stelle bekommen?«

»Ja, das habe ich, und ich wollte Ihnen noch vielmals für die Karte danken. Ich kann Ihnen gar nicht sagen, wie toll es war!«

Die Menge keilt uns ein und schiebt uns in entgegengesetzte Richtungen, als die Glocke ertönt.

»Ich muss vor dem nächsten Rennen noch schnell diese Wette für meinen Großvater platzieren«, ruft er über das Stimmengewirr hinweg. »Trinken Sie was mit mir?«

»Ich kann leider nicht«, rufe ich zurück, gerade als die Glocke zum zweiten Mal ertönt. »Ich muss wieder zurück. Laufen Sie, sonst verpassen Sie Ihre Chance.«

Er kämpft sich zu der kürzesten Schlange vor den Wettschaltern durch, doch ehe ich ihn aus dem Blick verliere, dreht er sich noch einmal um und brüllt durch die Wetthalle: »Übrigens, Sie sehen phantastisch aus!«, was zu einem gutmütigen »Hört, hört« von den umstehenden Gentlemen führt.

Er grinst mich an, und kurz darauf ist er verschwunden.

Ich spüre ein Kribbeln am ganzen Körper, und als ich zum Zuschauerbereich für die königliche Familie zurückgehe, ist mein Schritt eindeutig beschwingt.

Ascot ist ein Fest der Mode – manche Aufmachungen sind katastrophal, andere bezaubernd. Bei aller Vielfalt überrascht es mich jedoch, so wenige Frauen Hüte mit Schleiern tragen zu sehen. Um genau zu sein, trägt Lady Castle den einzigen anderen, den ich den ganzen Tag über ausmachen kann. Es ist eine kleine, silbergraue Pillbox mit einer umwerfenden Schwade schwarzen Tülls, die über das Gesicht fällt. Darunter lächeln ihre perfekt geschminkten mattroten Lippen schalkhaft, und sie deutet ein Zwinkern an.

»Ich bin wirklich beeindruckt«, sagt sie und nimmt meinen Arm, als ich herankomme. »Sie sehen aus wie eine Lady – die anderen mögen vielleicht adelige Ladys sein, aber Sie sehen aus wie eine. Eine echte Wallis Simpson! Eine schreckliche Frau natürlich, aber immer so elegant gekleidet, das können Sie sich nicht vorstellen. Und nun« – sie lenkt mich auf ihre Loge zu – »müssen Sie mir erlauben, Sie einigen Leuten vorzustellen. Ich könnte mir vorstellen, dass Sie sie interessant finden.« Sie präsentiert mir einen untersetzten, rotgesichtigen Mann, der sein Champagnerglas hält, als wäre es ein Bierkrug. »Das ist Frederick von Hassel. Louise – Mr. von Hassel hat eine Passion für alte Musik.«

Er streckt mir eine geschwollene, rosa Pranke entgegen, die ich schüttle.

»Frederick sammelt Caravaggios«, fährt Lady Castle fort. »Wie ich höre, wird die Royal Opera demnächst eine neue Inszenierung von *Orfeo* auf die Bühne bringen, ist das richtig?«

Ehe ich antworten kann, legt Mr. von Hassel schon los.

»Niemand führt Monteverdi heute mehr richtig auf«, bellt er. »Immer wollen sie irgendeine ›Aussage‹ machen und die Geschichte aktualisieren. Dabei ist es eine große Erzählung von Liebe und Tod!«, brüllt er, wobei sein Gesicht zusehends roter wird. »Ich kann diese neuen Inszenierungen nicht ertragen! Ich protestiere gegen so etwas! Ich protestiere!«

Dies ist einer der Momente, in denen sich ein Schleier als wirklich nützlich erweist. Ich sehe ihn an. Ich lächle. Ich nehme mir die Freiheit, etwas von Mr. von Hassels Spucke von meinem Revers zu wischen, und sage dann ruhig: »Das ist wirklich schade. Vor allem, da Caravaggio die Inspirationsquelle für das Bühnenbild unserer neuen Produktion ist und ich sehr gerne Ihre Meinung dazu hören würde.«

Ich glaube, es ist die glamouröse Ausgefallenheit des Schleiers, die mir den Mut gibt, mich abzuwenden. Kühne Gesten und das Aushalten von Schweigen fallen einem sehr viel leichter hinter einem luftigen Schutzwall aus Tüll.

Augenblicklich ist er an meiner Seite.

»Caravaggio?«, stammelt er. »Ich bitte Sie, erzählen Sie mir mehr davon.«

Die Von-Hassel-Inszenierungen alter Musik gehören jedes Jahr zu den Höhepunkten der Wintersaison. Sie sind wohl durchdacht, einfühlsam und wunderschön ausgestattet. Meistens sind sie schon Monate im Voraus ausverkauft, also reservieren Sie rechtzeitig Karten.

Am besten fragen Sie nach Plätzen in der Loge von Lord und Lady Castle.

Wochenendaufenthalte

Nach fünf Tagen allmählichen Erstickens in der Stadt fliehen immer mehr Städter am Wochenende aufs Land, um ihre Lungen 48 Stunden lang mit frischer Luft zu füllen. In der Folge hat sich eine ganze Industrie um dieses Bedürfnis nach ländlicher Idylle entwickelt, und noch nie zuvor ist so viel Sportkleidung verkauft worden.

Wichtig ist jedoch festzuhalten, dass 48 Stunden in einem Landhaus beinahe genauso viele Kleidungsstücke erfordern wie ein Urlaub im Ausland, und wenn man ein angenehmer Hausgast sein möchte, darf keines der folgenden Dinge in der Reisetasche fehlen.

Dazu gehören ein schickes, sportliches Kostüm aus Tweed oder sommerlichem Leinen für die Fahrt hinaus, vernünftige Schuhe mit flachem Absatz, ein Paar solide Wanderstiefel, ein seidener Morgenmantel für das Frühstück – niemals durchsichtig oder irgendwie enthüllend –, eine lange Hose mit einer passenden, taillierten Bluse, ein warmer Pullover oder eine Strickjacke, ein langes Abendkleid für formelle Diners oder ein kürzeres, legereres für das gemütliche Beisammensein am Abend, ein leichtes Baumwollkleid und passende Sandalen für Erkundungen der Umgebung bei warmem Wetter, ein maskuliner Seidenpyjama und, nicht zu vergessen, eine Wärmflasche in einer weichen Hülle, ein Stück Ihrer Lieblingsseife und ein geheimer Vorrat an Gebäck (weil man nie weiß, ob und wann man etwas zu essen bekommt).

Diese Liste wird noch länger und komplizierter, wenn Ihre Gastgeber erwarten, dass Sie an sportlichen Aktivitäten irgendeiner Art teilnehmen. Zum Reiten müssen Sie natürlich Reitstiefel und eine Reithose mitnehmen, Tennis bedeutet, dass Sie einen sauberen weißen Rock, ein weißes Oberteil und Tennisschuhe dabeihaben sollten, und vor allem dürfen Sie nicht vergessen, Ihren eigenen Tennisschläger mitzunehmen beziehungsweise die Golfschläger oder was sonst an Gerätschaften für eine gute Partie erforderlich ist. Sie werden sich bei niemandem beliebt machen, wenn Sie sich die nötige Ausstattung von Ihren Gastgebern oder den anderen Hausgästen zusammenborgen müssen.
Seien Sie also gewarnt und gut vorbereitet. Wochenendaufenthalte auf dem Land sind schon der Untergang so mancher Freundschaft gewesen, und möglicherweise sollten Sie sich die Frage stellen, ob es die ganze Mühe überhaupt wert ist. Ich selbst bin keine große Naturfreundin, fühle mich aber nach einem Wochenende auf dem Land immer ungeheuer erfrischt und wohl gelaunt, und sei es nur, weil ich sehe, wie wunderbar einfach das Leben in der Stadt doch ist.

Nach Ascot habe ich im Büro den Ruf einer Dame von Welt erlangt. Ich gebe Flora und Poppy den Spitznamen »Blumenkinder«, und im Gegenzug nennen sie mich »Shanghai Lil«, zu Ehren meines verschleierten Erfolgs.

»›It took more than one man to change my name to Shanghai Lil‹«, intoniert Poppy jeden Morgen, wenn ich mit meinem doppelten Caffelatte in der Hand hereinkomme. Ich zwinkere ihr zu, presse meine Stimme zwei Oktaven tiefer und singe den Anfang von »Falling in Love Again«, bis es zu mörderisch tief wird. Nach und nach gewöhnen wir uns aneinander, dann lernen wir uns gegenseitig schätzen, und schließlich werden wir Freundinnen. Trotz unserer unterschiedlichen Herkunft entdecke ich bald, dass meine lieben Blumenkinder genauso viele geheime Laster haben wie ich: Poppys größter Ehrgeiz ist es, einen Mann kennen zu lernen, neben dem sie hohe Absätze tragen kann, und zwar möglichst, während sie ihn in ihrem wöchentlichen Salsakurs verführt, und Flora hegt eine gefährliche Leidenschaft für alte *Dallas*-Folgen. Wenn uns langweilig ist (was oft vorkommt), unterhält sie uns mit überzeugenden Imitationen von Sue Ellen, wie diese gerade aus einer Ohnmacht erwacht; allerdings behauptet Poppy immer, sie seien ein wenig zu realistisch, um noch lustig zu sein.

Daher ist es keine allzu große Überraschung für mich, als Poppy mich eines feuchtheißen Donnerstagnachmittags im August beiläufig fragt, ob ich Lust hätte, das Wochenende mit ihr und Flora im Haus ihrer Familie in Berkshire zu verbringen.

»Es wird nichts Großartiges«, sagt sie, »aber wir könnten mal wieder ein bisschen frische Luft schnappen, und es ist sehr erholsam dort draußen. Wir können einfach faulenzen ...«

Der Gedanke, aus dem stickigen London in die kühle, grüne Oase der englischen Landidylle zu fliehen, ist geradezu berauschend. Ich sehe gedeckte Teetische unter dem Blätterbaldachin von Kastanienbäumen vor mir, Hängematten, die im leichten Sommerwind schaukeln, Abendessen im Freien unter den Sternen, begleitet vom Gesang der Grillen, Mädchen in weißen Kleidern mit blauen Satinschleifen ... Ich könnte mich in diesen Träumen verlieren.

»Klingt wunderbar«, seufze ich.

»Toll!«, sagt Poppy. »Wir fahren morgen Abend gleich nach der Arbeit. Flora wird uns chauffieren, also rate ich von jeder festen Nahrung ab, bis wir ankommen. *Falls* wir ankommen! Wirklich, Louise«, strahlt sie, »ich freue mich sehr, dass du mitkommst. Es wird nur eine kleine Hausgesellschaft sein, ganz gemütlich.«

»Hausgesellschaft?« Ich falle aus allen Wolken. Ein Wochenende auf dem Land ist eine Sache, aber eine Hausgesellschaft eine ganz andere.

Sie sieht die Furcht in meinem Gesicht. »Wirklich nur eine kleine, geradezu winzig«, beruhigt sie mich geschwind. »Nur mein Bruder und seine Frau, Mum und Dad, meine Schwester Lavender und ihr Mann, der ein furchtbarer Langweiler ist und ein kleiner Lüstling, also geh ihm besser aus dem Weg, mein Bruder Tarquin, der gerade aus Eton rausgeflogen ist, weshalb man vor meinen Eltern nichts erwähnen darf, was mit Schule, Schulfreunden, akademischen Hoffnungen für die Zukunft, Sitzenbleiben, Büchern, Uniformen, Prince William, Rugby oder Alkohol zu tun hat. Am besten ist es, gar keine Notiz von ihm zu nehmen. Das werden wir alle tun, es ist am einfachsten so. Dann also du, ich und Flora, Floras Bruder Eddie, der Klavier spielt, meine Großeltern, Hazel, die Schwester meiner Mutter, meine Cousine Daisy und ihr Freund Sascha und eventuell die Drews, Freunde meiner Tante, die sich vielleicht scheiden lassen wollen.« Sie strahlt mich wieder an. »Also wirklich niemand Besonderes. Es wird bestimmt ganz lustig!«

»Lustig«, wiederhole ich schwach. »Ja, sicher.« Aber mein Herz sackt in sich zusammen wie ein alter Gummistiefel.

Ich war noch nie gut darin, bei anderen Leuten zu Gast zu sein. Schon als Kind hatte ich Schwierigkeiten bei den Schlummerpartys meiner Freundinnen, und was ist eine Hausgesellschaft anderes als eine große Schlummerparty für Erwachsene? Ich bekomme Panik, wenn ich nicht essen kann, was ich will und wann ich will, und ich kann es nicht leiden, mir Bad und Toilette mit fremden Leuten teilen zu müssen. Man schleicht mitten in der Nacht durch unbekannte Flure, lauscht an Badezimmertüren auf Lebenszeichen und versucht, so leise zu pinkeln wie möglich, falls die Wände aus Papier sind – schon bei der Vorstellung bekomme ich eine Gänsehaut. Außerdem habe ich furchtbare Angst davor, an einer von diesen Freiluftsportarten teilnehmen zu sollen, für die man jahrelang trainieren muss. Dann ist da noch die spezielle Kleidung fürs Reiten, Schießen oder Golfspielen. Ich sehe schon, wie alle anderen in tadelloser Reitkleidung über Zäune fliegen, während ich auf einem altersschwachen Moultier eine halbe Meile hinterhertrotte.

»Es wird supertoll«, jubelt Poppy. »Wir können Charaden spielen!«

Das Leben ist manchmal wirklich grausam.

»Was soll ich bloß tun?« Ich ducke mich hinter die Trennwand aus Filz und flüstere am Telefon mit Colin. »Ich habe schon zugesagt!«

»Süße, natürlich wirst du mitfahren. Sei doch nicht dumm. Der einzige Trick ist, gut vorbereitet zu sein.«

»Col, du verstehst mich nicht!«, zische ich. »Ich bin nicht gut darin, mit anderen unter einem Dach zu wohnen. Ich habe Monate gebraucht, um mich an dich und Ria zu gewöhnen.«

Er seufzt. »Also schön. Heute Abend, wenn du nach Hause kommst, werden wir alles zusammen durchgehen, und ich helfe dir beim Packen, einverstanden? Aber es wird sich nicht gedrückt, klar? Es ist nämlich so: Da Ria übers Wochenende zu ihrer Schwester fährt, könnten Andy und ich die Wohnung endlich mal für uns haben. Er ist schon zu Marks & Spencer einkaufen gegangen, und ich darf aussuchen, was wir uns für Videos ansehen.«

»Okay, abgemacht«, stimme ich zu. Schön zu wissen, dass wenigstens einer von uns ein Liebesleben hat.

Als ich abends nach Hause komme, empfängt mich Colin an der Tür mit einem Glas eisgekühltem Chablis.

»Du bist ein Engel!« Dankbar werfe ich mich auf die Couch. »Woher hast du das gewusst?«

»Ich weiß immer Bescheid«, grinst er und lässt sich neben mir nieder. »Hör mal, ich hoffe, es macht dir nichts aus, aber ich habe mir mal deinen Moderatgeber von Madame Dingsbums ausgeliehen und einen Blick hineingeworfen. Dabei sind mir ein paar

Ideen gekommen. Das hier wirst du meiner Meinung nach als absolute Grundausstattung brauchen.« Er reicht mir mehrere DIN-A4-Seiten.

Ich sehe ihn an. »Du machst wohl Witze.«

»Trink noch einen Schluck, und sei nicht gleich voreingenommen, ja?«

Die Liste ist vorausschauend in verschiedene »Stilsektionen« unterteilt:

Für die Fahrt:
1 Jeans, nicht zu abgerissen
1 schlichter Kaschmirpulli
1 einfaches weißes T-Shirt (plus zwei zum Wechseln)
1 Paar bequeme, mokassinartige Schuhe zum Autofahren

»Ich fahre doch gar nicht selbst, Col.«
»Ist ja nur ein Vorschlag. Möchtest du Kartoffelchips?«
»Ja, gern.«
Er verschwindet in die Küche.

Für Spaziergänge auf dem Land:
1 Paar Gummistiefel
1 Barbourjacke oder andere Jacke im Barbourstil
oben genannte Jeans, frisches T-Shirt, Kaschmirpulli

»Das ist unmöglich! Ich habe keine Gummistiefel, ganz zu schweigen von einem Kaschmirpulli, und Barbourjacken sind wirklich das Allerletzte!«

»Wenn du in Rom bist, benimm dich wie die Römer, Ouise. Normal oder mit Käse-Zwiebel-Geschmack?«

»Mit Käse-Zwiebel bitte.« Ich nehme mir wieder die Liste vor, die ich langsam verabscheue.

Für die Stadt und abends:
1 sportliches Leinenkleid (für Stadtbesuche)
1 schlichtes langes Futteralkleid aus Jersey fürs Dinner

»Ein schlichtes langes Futteralkleid aus Jersey? Hast du je ein schlichtes langes Futteralkleid aus Jersey gesehen? Ich nicht.« Langsam wird es beängstigend. »Col, du denkst doch nicht wirklich, dass die sich zum Abendessen fein machen, oder?«

Er kommt mit einer Schüssel Chips zurück und gibt sie mir. »Na ja, man weiß nie.«

Zum Schlafengehen:
1 mitteldicker Pyjama mit passendem Morgenmantel
1 Paar Hausslipper
2 saubere Unterwäschesets für den Fall, dass jemand versehentlich zur Tür hereinplatzt

»Col!«

»Das kann jedem passieren, Louise.« Er streckt seine langen Beine von sich und mampft einen Kartoffelchip.

Zum Sport:
weiße Tennissachen, Tennisschuhe und Schläger
Reitstiefel (können geliehen werden)
Badeanzug

Mir schwirrt der Kopf.

»Das ist einfach zu viel! Ich kann doch jetzt nicht losgehen und mir extra einen Tennisdress oder Reitstiefel oder ein Paar Gummistiefel kaufen. Meinst du nicht, sie werden es mir nachsehen, wenn ich nicht die ganze Ausrüstung habe?

Er sieht mich bloß an, und ein unnachgiebiges Schweigen breitet sich zwischen uns aus.

Ich probiere einen neuen Ansatz. »Es muss doch noch andere Leute bei dieser Hausgesellschaft geben, die nicht reiten oder schießen gehen oder was man sonst auf dem Land so tut. Ein spezielles Outfit zum Spazierengehen? Das kapier ich einfach nicht! Ich meine, es hat doch nicht jeder einen passenden Morgenmantel zum Pyjama, und nicht jeder wird den heutigen Abend damit zubringen, seine Unterwäsche auszuwaschen, für den Fall, dass die Badezimmertür nicht abzuschließen geht. Ich kann doch nicht die Einzige sein!«

Er zuckt die Achseln. »Du hast mich um Hilfe gebeten, und hier ist sie. Ich kann auch nichts dafür, wenn die Leute diese Sachen auf dem Land tragen, oder? Von mir aus kannst du gern mit nichts als einer frischen Unterhose im Gepäck dorthin fahren, aber was ist, wenn man sich doch zum Abendessen umkleidet, hm? Was machst du dann?«

Ich will es ihm gerade sagen, als Ria zur Wohnungstür hereinkommt.

»Worum geht's denn?« Sie sinkt neben mir aufs Sofa und nimmt sich ein paar Chips.

Ich seufze schwer. »Poppy hat mich fürs Wochenende in ihr Haus auf dem Land eingeladen, und wie sich herausstellt, wird es eine ganze Hausgesellschaft mit lauter fremden Leuten sein, und ich weiß nicht, was ich mitnehmen soll oder was ich wirklich brauche, und Colin versucht, mich zu beraten …«

Sie trinkt einen Schluck von meinem Wein. »Tja, ich hoffe bloß, du hast ein Paar Gummistiefel.«

Mist.

Später am Abend krame ich meine himmelblaue Nylonreisetasche hervor und werfe sie aufs Bett. Ich habe sie irgendwann in den Achtzigern mal auf dem Flughafen von L. A. gekauft, als ich zu viele Flip-Flops angesammelt hatte, die nicht mehr in meinen Koffer passten. Schlaff und offen liegt sie in ihrer ganzen grellen Pracht da, wie ein schmutziger, zerschlagener Mund, bedeckt mit

Aufklebern von Fluggesellschaften und Eincheckstreifen. Ich reiße die alten Streifen ab, aber sie sieht immer noch billig und lächerlich bunt aus, und ich werde immer niedergeschlagener.

Als Nächstes mache ich meinen Kleiderschrank auf und überlege, was als Passendes in Frage kommen könnte: eine an den Beinen ausgestellte Diesel-Jeans, eine kurze Strickjacke, ein Futteralkleid aus Leder, das bei jeder Bewegung mehr Lärm macht als eine Militärparade auf dem Roten Platz.

Dann fällt mir ein, dass Colin bei der Aufstellung seiner Liste meine alte Freundin Madame Dariaux konsultiert hat. Ich setze mich aufs Bett, schlage bei ›W‹ auf und lese ihren Ratschlag.

Seien Sie gewarnt und gut vorbereitet.

Jetzt verlässt mich auch noch das letzte Restchen Mut. Colin hat also Recht.

Während ich mit meinem Buch in der Hand dasitze, beginne ich mich zu fragen, ob ich den Lehren von Madame Dariaux je entwachsen werde. Immer, wenn ich endlich durchzublicken glaube, taucht ein neues, unerwartetes Problem auf. Am liebsten würde ich einfach ein paar saubere Klamotten in die blaue Nylontasche werfen und fertig. Aber ich kann es nicht, denn dazu habe ich schon zu viel gelernt. Vor allem, dass Eleganz auf der Bereitschaft beruht, sich ein entscheidendes Quäntchen mehr Mühe zu geben und den Ereignissen des Lebens mit Heiterkeit und Anmut zu begegnen. Wenn die Leute sich für ein Wochenende auf dem Land nun einmal so anziehen, wird es mich nicht umbringen, es ihnen gleichzutun.

Ich klopfe an Rias Tür.

»Ja?«

Zögernd stecke ich den Kopf ins Zimmer. »Kennst du jemanden, der mir ein Paar Gummistiefel borgen kann?«

Sie grinst. »Ich glaube, meine Schwester hat welche. Ich seh mal, was sich machen lässt.«

Am Freitagnachmittag, nach stundenlangem hektischem Betteln und Borgen, habe ich es schließlich geschafft, eine Reisetasche von vernünftigem Umfang zu packen (das Wort »vernünftig« ist dabei großzügig auszulegen). Ich bin für so gut wie jede Gelegenheit gerüstet, außer für Tennis, was ich dadurch zu lösen beschlossen habe, dass ich einfach als bewundernde Zuschauerin posieren werde. Man wird mich zwar nicht als Ikone des lässigen Countryschicks feiern, aber ich kann mich zumindest damit trösten, dass mein Pyjamaoberteil zur Pyjamahose passt und ich ein Kleid eingepackt habe, das nicht allzu schlimm knittern dürfte, sowie ein Paar Schuhe für draußen und eins für drinnen. Ich klopfe mir gerade selbst auf die Schulter, weil ich das alles doch noch ganz gut hingekriegt habe, als Flora in ihrem alten, sonnengelben Käfercabrio vor dem Büro vorfährt und auf die Hupe drückt.

»Sie ist da!« Poppy strahlt vor Freude, lehnt sich aus dem Fenster und winkt. Da fällt mir plötzlich die eine Sache ein, die ich vergessen habe.

»Mist! Verdammter Mist! Ich kann's nicht fassen!«

»Was ist los?«, fragt Poppy, die sich beeilt, ihren Computer aus- und den Anrufbeantworter einzuschalten.

»Ich habe vergessen, ein Geschenk für deine Eltern zu besorgen.« Schnell schnappe ich mir mein Portemonnaie aus meiner kirschroten Strohhandtasche und renne zur Tür. »Sei ein Schatz, und tu meine Tasche schon mal in den Kofferraum. Ich bin gleich wieder zurück, ich schwöre es! Sag Flora, sie soll warten!« Dann laufe ich die Treppe hinunter zum Personalausgang.

Einer der Vorteile, an der Royal Opera zu arbeiten, ist, dass man sich mitten in Covent Garden befindet. Ich brauche nur eine Viertelstunde, um zu Penhaligon hineinzuschießen, eine schon als Geschenk verpackte Schachtel mit Duftkerzen zu kaufen und zurück zum Auto zu flitzen, wo Flora und Poppy auf mich warten.

»Fertig?« Flora lässt den Motor aufheulen und setzt ihre rosa getönte Sonnenbrille auf.

»Fertig!«, rufe ich und schwinge mich auf den Rücksitz.

Der Käfer macht einen Satz nach vorn, fährt beinahe einen Verkäufer der Obdachlosenzeitung *Big Issue* um, und los geht's, hinaus aus London und mit Windeseile hinein in ein grüneres, schöneres Land, das im warmen, schattengefleckten Licht der Abendsonne daliegt.

Irgendwo zwischen Oxford und Reading fahren wir von der Schnellstraße ab und befinden uns plötzlich, wie Alice im Wunderland, in dem unwirklichen, undurchdringlichen Labyrinth der kleinen Nebenstraßen, die sich durch die Landschaft ziehen und, an endlose Hecken geschmiegt, sich von einem seltsam benannten Weiler zum nächsten winden. Three Mile Cross, Rotherfield Peppard, Nettlebed, Russell's Water, Gallowstree Common – die Namen scheinen mir weniger Ortsbezeichnungen zu sein als links liegen gelassene Wege auf einer mystischen, magischen Reise bei J. R. R. Tolkien oder C. S. Lewis. Wir fahren durch Tutts Clump, entkommen knapp Rotten Row und bewegen uns auf ein Schicksal zu, das Sheffield's Bottom heißt, als Flora scharf rechts abbiegt. Von der Straße schlingern wir auf eine geteerte Allee mit alten Kastanienbäumen, die etwa einen halben Kilometer lang durch eine Parklandschaft führt. Als wir uns dem Haus nähern, wird die Parklandschaft von einem gewellten grünen Teppich aus tadellos gepflegtem Rasen abgelöst, und dort, vor uns ausgebreitet, liegt das Haus von Poppys Familie, ein riesiges Herrenhaus aus roten Ziegeln im Stil der Zeit von Queen Anne, mit Bleiglasfenstern, zwei kleinen Türmchen und einem Paar zähnefletschender Wasserspeier über der massiven Eichentür.

Ich weiß nicht, ob es an der beeindruckenden Größe des Hauses oder an Floras Fahrstil liegt, aber ich bekomme auf einmal keine Luft mehr.

»Wir sind da!« Poppy springt für eine Frau ihrer Größe mit erstaunlicher Wendigkeit aus dem Auto.

»Mein Gott, Poppy!«, keuche ich. »Hier wohnst du?«

»Ja, es ist ganz nett«, räumt sie ein, »aber in allen Ritzen sitzt die Feuchtigkeit, und es kostet ein Vermögen, es zu beheizen. Kein Vergleich zu meinem gemütlichen kleinen Nest in Notting Hill.«

Sie schiebt den Beifahrersitz nach vorn, und ich versuche, auszusteigen, aber meine Knie sind so weich, dass ich auf der Auffahrt einknicke.

»Hoppla!« Flora zieht mich ungerührt vom Kiesweg hoch (offenbar fallen ständig Leute aus den Autos, die sie fährt). »Tief durchatmen, Louise, dann geht es gleich vorbei. Ist diese Luft nicht herrlich?«

Ehe ich mich's versehe, bin ich von Hunden umgeben. Nicht nur von zweien oder dreien, sondern von einem guten Dutzend verschiedener Rassen und Größen, die an mir hochspringen, bellen, lecken, schnüffeln, kurzum, mir viel zu nahe treten und sehr stark und unverwechselbar nach Hund riechen. Inmitten dieser Meute taucht eine Frau in Gummistiefeln auf, die nie ein Kinn besessen zu haben scheint und sogar Poppy noch überragt, während sie eine bedrohlich wirkende Gartenschere schwingt.

»Platz!«, donnert sie mit einer Stimme, die ein ganzes Reich regieren (oder zerstören) könnte. »Platz, Jungs. Jasper, nein! Nein, hab ich gesagt! Stoßen Sie ihn einfach weg«, weist sie mich an. »Er ist noch nicht fertig ausgebildet und eine regelrechte Plage.«

»Mummy!« Poppy beugt sich über das schwanzwedelnde Gewimmel, um ihre Mutter auf die Wange zu küssen, doch dieses edle Ansinnen wird nicht nur durch die Hunde, sondern auch durch Mrs. Simpson-Stock selbst vereitelt, die einen flinken Schritt zur Seite macht, um geschickt jedem körperlichen Kontakt auszuweichen. Die Bewegung bringt Poppy aus dem Gleichgewicht, sodass sie schwer auf der Schulter ihrer Mutter landet.

»Also wirklich, Poppy!«, schnaubt sie und schiebt sie weg. »Ungeschickt wie immer.«

»Klar, Mummy«, kichert Poppy. »Du kennst mich doch.«

»Hallo Flora.« Mummys Hand schießt nach vorn, als wäre sie an einer Feder befestigt. Sie schüttelt Floras Hand so kräftig, dass deren blonder Bob auf und nieder hüpft und die Sonnenbrille von ihrem Kopf fliegt, um in das Meer der Hunde abzutauchen. Dann richtet sie ihre Furcht erregende Gastfreundschaft auf mich. »Und Sie müssen die Amerikanerin sein!«, bellt sie und schüttelt meine Hand auf die gleiche, hirndurchrüttelnde Weise.

»Louise, Mummy. Sie heißt Louise«, erinnert sie Poppy.

»Gut, Louise, willkommen in Lower Slaughter. Fühlen Sie sich wie zu Hause. Wir haben nur ein paar wenige Regeln hier. Erstens, Einfinden zum Abendessen um halb acht, um acht wird gegessen. Pünktlich. Zweitens, kein Füttern der Hunde! Sie sind schon fett genug, stimmt's, Jungs? Stimmt's, meine süßen Babys? Ja, jaaa! Drittens, die Waffenkammer ist für Fremde verboten. Wenn sich hier jemand den Kopf wegschießt, möchte ich lieber, dass es ein Mitglied meiner eigenen Familie ist. Verstanden?«

»Vollkommen«, scherze ich. »In meiner Familie haben wir ganz ähnliche Regeln in Bezug auf Waffen.«

Mit versteinerter Miene sieht sie mich an.

Niemand regt sich. Sogar die Hunde spüren, dass ich einen Fauxpas begangen habe, und erstarren mitten im Schwanzwedeln. Irgendwo in der Ferne schreit unheimlich ein Pfau. Der Wind pfeift durch die Kronen der Kastanien. Die Zeit, die für keinen Menschen sonst still steht, macht für Mrs. Simpson-Stock offenbar eine Ausnahme.

»Nun, das mag sein, wie es will«, sagt sie endlich, und die Filmrolle dreht sich wieder. »Poppy wird euch eure Zimmer zeigen. Ich erwarte, dass du diesmal auch in deinem *schläfst*, Flora«, fügt sie mit vielsagender Miene hinzu, worauf Flora in immer tieferen Schattierungen errötet und nervös kichert.

In dem verzweifelten Versuch, den angerichteten Schaden wieder gutzumachen, gebe ich ihr schnell die Geschenkschachtel von Penhaligon. »Das ist für Sie«, sage ich lächelnd, ein Ausbund an Unterwürfigkeit. »Nur ein kleines Dankeschön.«

»Sehr verbunden«, erwidert sie brüsk und klemmt sich das Päckchen unter den Arm, ohne einen Blick darauf zu werfen. »Sind bestimmt Duftkerzen oder Seifen. Alle schenken mir ständig Duftkerzen und Seife. Ich bin garantiert die sauberste, wohlriechendste Frau der christlichen Welt. Ist aber sehr nett von Ihnen. Eine wohlerzogene junge Dame. So gutes Benehmen hätte ich gar nicht erwartet von einer Amerikanerin. So, jetzt muss ich noch die Rosen fertig beschneiden vorm Abendessen. Denkt dran, pünktlich um acht, und Poppy, lass um Himmels willen die Schultern nicht so hängen. Kommt, Jungs!«

Damit stapft sie davon, umgeben von der Hundemeute.

Wir bleiben eine Weile wie unter Schock stehen, bis Poppy tief aufseufzt. »Ist sie nicht ein Schatz? Ich glaube, sie hat dich schon ins Herz geschlossen.«

»Eindeutig«, bestätigt Flora. »Es hat zwei Jahre gedauert, ehe sie überhaupt mit mir gesprochen hat.«

Poppy lädt die Taschen aus dem Kofferraum, knallt die Tür zu und sammelt ihre Sachen zusammen. »Lasst uns reingehen, dann führe ich dich herum.«

Ich starre auf den Gepäckhaufen. Etwas fehlt. »Wo ist meine Reisetasche?«

Sie und Flora sehen sich erstaunt an.

»Was für eine Reisetasche?«, fragt Flora.

Das Herz rutscht mir in die Magengrube. »Die braune Ledertasche, die ich mit ins Büro gebracht habe. Die ihr für mich in den Kofferraum tun solltet.«

Wieder dieser verdammte Pfau.

Poppy macht den Mund auf und klappt ihn wieder zu. Verwirrung zeichnet sich auf ihrem Gesicht ab. »Aber ich dachte, du meinst die da«, sagt sie und zeigt auf die kirschrote Strohtasche. »Ich dachte, das ist deine Wochenendtasche.«

Meine Kehle ist ganz trocken. »Das ist meine Handtasche«, krächze ich.

Schweigen.

»Die ist aber wirklich groß für eine Handtasche«, versucht Flora zu vermitteln, was aber kein bisschen weiterhilft.

»Na so was!«, lacht Poppy verlegen und klopft mir etwas zu fest auf die Schulter. »Macht ja nichts. Du kannst dir ein paar Sachen von Flora und mir ausleihen. Wir finden bestimmt etwas für dich.«

Ich versinke in schwärzester Verzweiflung, und meine ganze schöne Anpassungsfähigkeit ist im Nu dahin.

»Ach komm, Louise! Guck nicht so niedergeschlagen!«, sagt Flora. »Das ist doch kein Weltuntergang. Ich kann dir bestimmt eine Unterhose leihen, und die Hose, die du anhast« – sie mustert meine »nicht zu abgerissenen« Jeans – »also, die ist doch ganz in Ordnung... das Abendessen ist nicht allzu förmlich, und solange du nicht darin reitest...« Ihre Stimme erstirbt, als ihr langsam klar wird, was es bedeutet, ein ganzes Wochenende in Lower Slaughter in nichts als einer Jeans und einer Strickjacke zu verbringen. Pfeif auf die Eleganz, Hygiene ist mir wichtiger.

Wortlos starren wir auf die leere Stelle der Auffahrt, wo meine Tasche stehen sollte.

»Es tut mir so Leid«, entschuldigt sich Poppy leise, legt einen Arm um mich und zieht mich sanft zur Haustür. »Wir werden uns was überlegen, ich verspreche es dir.«

Sie meinen es gut, aber ich kann nur daran denken, dass sie mindestens zehn Zentimeter größer sind als ich. Wie soll ich nur ohne meine geliehenen Gummistiefel und mein sorgsam zusammengelegtes knitterfreies Kleid zurechtkommen?

Poppy führt mich in ein Zimmer im Ostflügel des Hauses, das mit bedruckter Stofftapete aus der Vorkriegszeit dekoriert ist und die Art von schräger Decke und unebenen Fußbodendielen hat, die sich selbst gegen den sanftmütigsten Gast verschwören und ihm das Leben schwer machen. Das Bett knarrt protestierend, als ich mich darauf niederlasse.

»Am Ende des Flurs ist ein Bad, und Flora und ich wohnen gleich nebenan.« Ihre Stimme ist sanft und freundlich, als würde sie eine ältere Verwandte trösten. »Ruh dich doch ein bisschen aus, ich klopfe dann an deine Tür, wenn es Zeit zum Essen ist.«

»Gute Idee!« Ich zwinge mich zu einem Lächeln. »Dann leg ich mich mal für ein Weilchen aufs Ohr.«

Nachdem sie gegangen sind, lasse ich mich aufs Bett sinken. Ein leichter Wind weht zum offenen Fenster herein, und auf einmal strömt alle Energie aus mir heraus wie die Luft aus einem Ballon. Ich fühle mich schlaff und vollkommen erschöpft. Zu meiner Beschämung steigen auch noch brennende Tränen in meine Augen – die Tränen einer Achtjährigen, die wieder nach Hause möchte. Widerstand ist zwecklos. Ich überlasse mich ihnen, während meine Hoffnungen auf einen zweiten Triumph wie in Ascot dahinschwinden. Bei all meiner sorgfältigen Planung habe ich mit so etwas nicht gerechnet. Jetzt werde ich mich das ganze Wochenende unwohl und schlecht gekleidet fühlen und drei Tage lang in denselben Klamotten herumlaufen wie eine Obdachlose. Frustriert boxe ich gegen das Kissen, worauf ein Schneesturm aus Federn aufwirbelt, der sich auf der Bettdecke und einem Teil des Fußbodens niederlässt.

Das hat mir gerade noch gefehlt. Erbittert schluchzend hocke ich mich hin und versuche vergebens, die staubigen Federn einzusammeln, die um mich herumstieben.

Ich krieche auf allen vieren herum und ertrinke fast in Selbstmitleid und nicht wasserfestem Maskara, als ich langsam die Klaviermusik wahrnehme, die zum offenen Fenster hereinschwebt. Sie beginnt leise und zart und baut eine Reihe von komplizierten Themen ein. Dann gewinnt sie allmählich an Kraft und Nachdruck, um schließlich in sich überstürzende Oktaven auszubrechen und wieder abzuebben, schmelzend leiser zu werden und den Kreislauf von vorn zu beginnen.

Völlig gebannt knie ich auf dem Boden. Vielleicht ist es eine gute Aufnahme, oder jemand hört Radio. Doch nach einer Weile ist das Stück zu Ende, und eine besonders schwierige Stelle wird wiederholt und immer wieder gespielt, bis der Pianist Sicherheit und Klarheit gewinnt. Da wird mir mit freudigem Schrecken bewusst, dass die Musik live ist.

Ich höre auf zu weinen, das heißt, ich vergesse einfach, damit weiterzumachen. Wackelig stehe ich auf, öffne die Tür und schleiche mich nach unten, wo ich der Musik folge wie ein hypnotisiertes Kind dem Rattenfänger von Hameln und mich so leise wie möglich bewege, um den Zauber nicht zu zerstören.

Die meisten anderen Gäste sind draußen auf dem Rasen, spielen Krocket oder aalen sich auf Liegestühlen. Das Haus scheint verlassen zu sein. Der warme Sommerwind weht durch die Fenster und bewegt die hauchzarten Vorhänge mit leisen, unsichtbaren Händen, beinahe im Takt mit der Musik.

Am Fuß der Treppe biege ich um eine Ecke und gehe durch einen Korridor, bis ich zu einem langen, schlauchartigen Raum gelange, der auf der einen Seite von einer Fensterreihe begrenzt wird und auf der anderen von Bücherregalen, die vom Boden bis zur Decke reichen. Am anderen Ende steht ein eleganter Steinway-Flügel vom Anfang des zwanzigsten Jahrhunderts, und an ihm sitzt, unverkennbar, obwohl er mir den Rücken zukehrt, der junge Mann von der Treppe vor der Oper.

Er spielt unglaublich temperamentvoll und zugleich völlig selbstvergessen, und seine langen Finger gleiten mit einer unglaublichen Geschwindigkeit über die Tasten, hämmern auf sie ein und streicheln sie im nächsten Moment in einer atemberaubenden Demonstration technischer und interpretativer Brillanz.

Die vollkommene Sicherheit seines Spiels ist von geradezu heroischer Natur. Nichts daran ist gemäßigt oder zögerlich, und auch die langsameren Passagen zeigen ein Sicheinlassen und eine Hingabe, wie sie einem im Alltag kaum begegnen. Ich bleibe einen Moment unsicher an der Tür stehen. Nichts, noch nicht einmal höhere Gewalt würde ihn vermutlich ablenken können, also schlüpfe ich hinein.

Während ich dort lauschend in der Ecke stehe, geht eine wundersame Verwandlung mit mir vor. Meine Schultern lockern sich und sinken herab. Der dicke Knoten in meinem Hirn beginnt sich aufzulösen, und allmählich merke ich, wie ich wieder tief und regelmäßig atme. Die letzten Strahlen eines rosaroten Sonnenuntergangs liegen auf dem Rasen, lassen die Konturen seines Oberkörpers hervortreten und werfen Glanzlichter in seine dunklen Haare. Seine fein geschnittenen Züge leuchten im goldenen Licht, zu schön, um wahr zu sein.

Aber es ist wahr.

Sogar der alles durchdringende Hundegeruch verschwindet, und an seine Stelle tritt der zarte Duft der Spätsommerrosen, die sich um die offen stehenden Glastüren ranken.

Ich weiß nicht, wie lange ich dort gestanden habe, vielleicht nur ein paar Minuten, vielleicht eine halbe Stunde, doch nach einer Weile hört er auf zu spielen und dreht sich um.

»Oh, hallo«, sagt er lächelnd. »Wie kommen Sie denn hierher? Stehen Sie schon lange dort?«

»Ja, äh, nein, nicht lange genug. Ich meine, Sie spielen so wunderbar.«

»Danke.« Bescheiden neigt er den Kopf. »Vierte Ballade, Chopin, mein Lieblingsstück. Oder nein, stimmt nicht«, verbessert er sich, offenbar außerstande, eine solche Ungenauigkeit durchgehen zu lassen, »eigentlich mag ich Beethoven am liebsten, dann Chopin, Brahms und den unvergleichlichen Rachmaninow. Mögen Sie ihn?« Er spielt ein paar Takte aus Rachmaninows drittem Klavierkonzert. »Ist das nicht unglaublich? Und dieser Teil…« Er stürzt sich auf eine andere Passage. »Das ist überhaupt das Beste!«, schreit er über die donnernden Saiten hinweg. »Das muss man einfach lieben!«

»Ja, es ist großartig«, stimme ich lachend zu. Sein Eifer und seine Begeisterung sind ansteckend.

»Warten Sie, hören Sie sich diese Oktaven an!« Er hämmert weiter mit fliegenden Fingern. »Ich habe mal gesehen, wie sich jemand einen Finger dabei gebrochen hat – ist das nicht verrückt? Hat seine ganze Karriere zerstört«, sagt er strahlend, als wäre es die tollste Nachricht der Welt. »Kennen Sie etwas von Prokofjew?«

»Nur *Romeo und Julia* und *Die Liebe zu den drei Orangen*«, gestehe ich.

»Ich liebe *Romeo und Julia*!« Einen Augenblick lang fürchte ich, er könnte explodieren vor freudiger Erregung. »Mercutios Sterbeszene, so tragisch!« Wieder beginnt er zu spielen, erfüllt den Raum mit den Klängen des düsteren, verhaltenen Marsches, der das Ende des zweiten Akts bildet, und ersetzt ein ganzes Orchester mit seiner vielschichtigen Transkription für ein Klavier.

Ich mache es mir in einem Sessel bequem und sonne mich im hellen Licht seines Enthusiasmus und seines erstaunlichen Talents.

Wann habe ich zuletzt erlebt, dass jemand sich so überschwänglich und so offen für etwas begeistern kann? Vielleicht liegt es an meinem Alter oder an den Leuten, mit denen ich verkehre, aber fast alle, die ich kenne, sind auf dem besten Weg, abgebrühte Zyniker zu werden. Wir betrachten unsere Erfahrungen von außen, aus sicherer Distanz, rauchen Zigaretten und versuchen, uns gegenseitig davon zu überzeugen, dass wir das alles schon kennen, schon mal gemacht haben, und es sowieso nicht so toll ist. Es gilt als uncool, Leidenschaft für etwas zu zeigen, wenn nicht sogar als geradezu peinlich. Falls mit einem von uns doch einmal die Begeisterung durchgeht, erntet er nur strenge Blicke und allgemeine Verlegenheit. Solches Verhalten wird als unrealistisch betrachtet, als ein Anfall von Verrücktheit, für den man sich am nächsten Tag entschuldigen muss. Das »wirkliche Leben« ist schließlich eine ernste und ziemlich langweilige Angelegenheit, und je ernster und langweiliger es ist, desto »wirklicher«.

Keine Ahnung, wie wir zu dem kollektiven Schluss gekommen sind, dass Erwachsene sich so benehmen müssen, aber während ich ihm beim Spielen zusehe, spüre ich ein Ziehen in meiner Brust, ein intensives Bedürfnis, meinen ewigen Pessimismus über Bord zu werfen und Platz zu machen für die rückhaltlose Freude, die ich hier sehe. Für die Verzückung, die ich gerade höre.

Er beendet Mercutios Sterbeszene und geht zu den fließenden, Unheil verkündenden Passagen der Balkonszene über, als ich Schritte auf den Holzdielen höre.

»Hier bist du!« Ich hebe den Kopf und erblicke Flora in einem geblümten Kleid. »Ich habe dich schon überall gesucht. Es ist beinahe Zeit zum Abendessen.« Sie gibt mir die Hand und zieht mich mit einem festen, kameradschaftlichen Hockeyteam-Ruck in die Höhe. »Wie ich sehe, hast du meinen Bruder Eddie schon kennen gelernt. Eddie!«, brüllt sie. »Eddie, hör endlich auf, zum Teufel!« Er hört auf zu spielen und wirbelt verärgert herum.

»Ach so, du bist's nur, alte Schachtel«, sagt er mit einem Augenzwinkern.

»Ich freu mich auch, dich zu sehen, Klimperheini«, kontert sie grinsend. »Hoffentlich hat er dich nicht zu Tode gelangweilt, Louise. Er kann auf dem Klavier herumhämmern, bis man ihn nur noch totschlagen möchte, stimmt's?«

Ihr Bruder nickt fröhlich.

Flora sieht mich stirnrunzelnd an. »Liebes bisschen, Louise, was ist denn mit dir passiert? Du siehst ja furchtbar aus! Du bist voller Federn, und dein Gesicht ist mit Wimperntusche verschmiert! Was hast du mit ihr gemacht, du Ungeheuer?«, fragt sie Eddie, die Hände auf die Hüften gestemmt.

»Nichts, ich schwöre es!«, wehrt er sich. »Es ist die Musik! Mein Spiel hat schon so manch schöner Frau die Tränen in die Augen getrieben. Und hin und wieder sogar zur Mauser geführt«, fügt er trocken hinzu.

Ich hatte meinen Ausbruch mit dem zerfetzten Kissen ganz vergessen. Jetzt sehe ich mich in einem der großen Spiegel mit vergoldetem Rahmen, die zwischen den Terrassentüren hängen. Ich sehe aus, als wäre ich von einer Gruppe minimalistischer Aktionskünstler geteert und gefedert worden. »Ach du Scheiße!«

»Das trifft es«, sagt Eddie lachend.

Ich werde rot.

»Also, es sind nur noch ein paar Minuten bis zum Essen«, sagt Flora mit Blick auf ihre Uhr. »An deiner Stelle würde ich mich jetzt fix waschen. Ich habe dir einen Rock aufs Bett gelegt.«

»Danke«, murmle ich und renne zur Tür. Ich kann nicht schnell genug hier rauskommen.

Meine Gedanken überstürzen sich, als ich die Treppe hinaufspringe. Eddie, der Mann von der Operntreppe, ist Floras Bruder! Und er ist hier! Warum muss das ausgerechnet das Wochenende sein, an dem ich nichts Anständiges anzuziehen habe?

Ich stürze ins Badezimmer, klatsche mir Wasser ins Gesicht, um die Wimperntusche abzuwaschen, und pflücke die Federn aus meinen Haaren. Drei Minuten vor acht. Mist, Mist, Mist! Ich reiße mir die Jeans vom Leib, ziehe Floras Rock an und betrachte mich im Spiegel. Mit meinem nackten, ungeschminkten Gesicht, in T-Shirt, Blumenrock mit Gummizugbund und flachen Schuhen sehe ich aus wie eine entsprungene Bewohnerin eines Behindertenheims. Ich schluchze verzweifelt auf. Nur noch eine Minute. Verdammt! Ich ziehe das T-Shirt aus dem Rock, um den gesmokten Bund zu verbergen, hole den Lippenstift aus meiner Handtasche und male mir einen schönen roten Clownsmund, den ich schnell mit einem Papiertaschentuch wieder abtupfe. Die Standuhr in der Diele unten dröhnt mahnend. Acht Uhr! Scheiße! Ich schnappe mir meine Strickjacke, werfe sie über die Schultern und flitze aus dem Zimmer.

Nachdem ich die Haupttreppe hinuntergeschlittert bin, bleibe ich unten abrupt stehen, weil ich nicht weiß, in welche Richtung ich mich wenden soll. Irgendwo links von mir höre ich Gelächter, das lauter wird, während ich durch den Flur renne. Die offene Tür zum Salon ist nur noch drei Meter entfernt. Der letzte Schlag der Standuhr ertönt – ich könnte es gerade noch schaffen! Doch als ich durch die Tür eile und ein gewinnendes Lächeln für die versammelten Gäste aufsetze, stoße ich plötzlich gegen eine Wand aus springenden Hunden. Durch den Aufprall verliere ich das Gleichgewicht und lande auf dem Aubusson-Teppich, bedeckt von der Hundemeute.

»Im Haus wird nicht gerannt!«, brüllt Mrs. Simpson-Stock. »Wie oft muss ich das noch sagen! Platz, Jungs, Platz! Heel, sitz! Aus!« Sie gibt mir die Hand und hilft mir auf. »Sie sind zu spät. Hört mal alle her, das ist Poppys Freundin Eleanor.«

»Louise, Mummy.«

»Ja, ja, meinetwegen. Sie ist Amerikanerin«, sagt sie, als würde das alles erklären, und die anderen nicken wissend.

Poppy eilt mir zur Hilfe. »Komm, ich hole dir ein Glas Bowle. Später mache ich dich dann mit allen bekannt«, schlägt sie vor, nimmt meinen Arm und führt mich zum Tisch mit den Getränken.

»Danke, das wäre nett«, ächze ich mit schamesrotem Gesicht. Während wir durch den totenstillen Raum gehen, schiele ich diskret zur Seite auf der Suche nach Eddie. Sollte es mir erspart geblieben sein, mich ein zweites Mal vor ihm zu blamieren? Meine Stimmung hebt sich bei dem Gedanken. Zur Sicherheit lasse ich den Blick noch einmal durch den Raum schweifen, aber er ist tatsächlich nicht da. Ich bin so erleichtert, dass mir sogar ein

Lächeln gelingt, als Poppy mir ein randvolles Glas mit einer bernsteinfarbenen, zuckrigen Flüssigkeit reicht, in der Obstsalat und Gurkenstückchen schwimmen.

»Prost miteinander!«, ruft sie und hebt ihr Glas.

»Prost!«, schmettern die Anwesenden zurück und bewegen das Getränk so zum Mund, dass sie die Flüssigkeit schlürfen können, ohne den Früchtekorb zu zerstören. Es ist, als würde man einen Schluck aus einer vollen Blumenvase nehmen. Bei meinem Geschick beschließe ich zum Wohle aller, auf die Übung zu verzichten.

Ich stehe da mit meinem Glas in der Hand und versuche, mich unauffällig unter die Gäste zu mischen, als ein noch relativ junger Mann mit hellblonden Haaren und nicht erkennbaren Wimpern auf mich zustolziert kommt. Er trägt ein lila Hemd mit weißen Nadelstreifen und eine kanariengelbe Cordhose, die man, wie die Sonne, nicht direkt ansehen kann, ohne den Augen ernsthaften Schaden zuzufügen.

»Hallo, ich heiße Piers, Lavenders bessere Hälfte«, stellt er sich vor und zeigt auf eine erschöpft und zornig aussehende junge Frau in der Ecke, die ihr Glas so fest umklammert, dass man meint, es könnte jeden Augenblick zerspringen. »Sie sind also Amerikanerin«, sagt er mit süffisantem Grinsen, »dann verraten Sie uns doch mal, warum Ihre Präsidenten alle solche Dreckskerle sind!« Mit einem schnellen Schluck von seinem Drink will er dieser brillanten Eröffnungsbemerkung Nachdruck verleihen, doch er verschätzt sich und bekommt ein Stück Gurke aufs Auge.

Zögernd antworte ich: »Nun ja, ich interessiere mich nicht besonders für Politik …«

»Was ich gern mal wissen würde«, fährt er unbeirrt fort, »ist, wieso sie weiter im Amt bleiben können, wenn alle längst wissen, dass sie manische Lügner sind? Ich meine, die sind doch alle bloß ein wandelnder Haufen von Widersprüchen …«

»Ich verfolge die Torheiten unserer Präsidenten nicht«, unterbreche ich ihn und wünschte, er würde mir nicht so dicht auf die Pelle rücken. »Das ist kein Thema, zu dem ich eine Meinung habe.«

»Abgesehen davon« – er droht mir mit einem dicken, rosigen Finger – »ist es mir unbegreiflich, wie der mächtigste Mann der Welt, und wir reden hier von einem Staatsmann, der mehr Nuklearwaffen befehligt als alle anderen Regierungen der Welt zusammen, richtig?, einfach behaupten kann, was er will, sogar das höchste Gericht der USA anlügen kann, und das auch noch im bundesweiten Fernsehen! Als ob alles in Amerika nur noch eine einzige, verdammte Oprah-Winfrey-Show ist! Und da ist noch etwas, das mir gegen den Strich geht«, schimpft er, und seine Stimme hallt durchs ganze Zimmer, »nämlich dass unser Land Amerika immer ähnlicher wird! Wir haben schon vollkommen unsere nationale Identität verloren und sind nur noch ein schwacher Abklatsch Ihrer Heimat!« Er zeigt anklagend auf mich. »Als wären wir nichts weiter als ein inoffizieller 53. Bundesstaat! Ich meine, wie erklären Sie sich das?« Er wendet sich Beifall heischend an die anderen. »Besondere Beziehungen zu Großbritannien, wenn ich das schon höre. Besondere Beziehungen, für'n Arsch! Die beruhen doch nur darauf, dass wir tun müssen, was ihr uns sagt! Im Übrigen bin ich der Meinung ...«

»Ach, halt doch den Mund, Piers!«, fährt Lavender ihn an. »Du langweilst das arme Mädchen zu Tode. Und uns andere auch.«

Er verdreht die Augen. »Nein, das tue ich nicht, Liebling. Elsie und ich führen gerade ein nettes, zivilisiertes Gespräch über ihren Präsidenten. Und zu deiner Information: Politik ist nicht langweilig, klar? Sie ist nur für dich langweilig, weil du ein Gehirn von der Größe einer Erbse hast und keine zusammenhängenden Sätze begreifen kannst.«

Einen Moment lang sieht es so aus, als würde ihm Lavender ihr Glas an den Kopf werfen. »Piers! Wie kannst du nur so unverschämt sein!«, schreit sie. »Wenn du mich fragst, ist der Präsident der Vereinigten Staaten nicht der einzige Dreckskerl unter der Sonne!«

»Deine Ausdrucksweise, Lavender!« Mrs. Simpson-Stock sieht sie tadelnd an. »Eine Dame benutzt keine Schimpfwörter.«

»Aber Mummy!«

»Niemals«, knurrt ihre Mutter, worauf Lavender sich sofort hinsetzt, als wäre sie einer der Hunde.

Betretenes Schweigen. Die übrigen Gäste sind zu erschrocken, um etwas zu sagen, halten sich an ihren Gläsern fest wie an drittklassigen Trophäen und sehen mit vorgetäuschtem Interesse den Hunden zu, die mitten im Zimmer etwas zerreißen, das wie ein kleines Waldtier aussieht. Piers streckt Lavender die Zunge heraus, und sie revanchiert sich, indem sie ihm den Finger zeigt, als ihre Mutter gerade nicht hinsieht.

Mrs. Simpson-Stock zupft an ihrer Armbanduhr und blickt stirnrunzelnd darauf, wie manche Leute es tun, wenn sie ihre Brille nicht aufhaben. »Flora, also wirklich! Wo ist dein unmöglicher Bruder? Wir können doch nicht den ganzen Tag hier herumsitzen und höfliche Konversation machen!«

»Auf keinen Fall«, kichert Flora nervös, und Mrs. Simpson-Stock durchbohrt sie mit einem Blick, auf den Medusa stolz gewesen wäre.

»Ich gehe ihn holen«, erbiete ich mich, um endlich Piers' glühenden politischen Überzeugungen zu entrinnen. »Ich glaube, er ist im Klavierzimmer.«

»Schön, meinetwegen.« Die Hausherrin entlässt mich mit einem Handwedeln. »Aber nicht in den Fluren rennen, verstanden?«

Ich nicke gehorsam, gebe Poppy mein Glas und ergreife die Flucht.

Gemessenen Schritts gehe ich durch die langen Korridore bis zum Musikzimmer, das jedoch leer ist. Also trete ich durch die

Terrassentür hinaus auf den Rasen, und dort, schlafend in einem Liegestuhl, finde ich Eddie.

Noch nie zuvor habe ich einen Menschen gesehen, der mit einem Lächeln auf dem Gesicht schläft.

Blinzelnd schlägt er die Augen auf, und sein Lächeln wird noch breiter. »Ich komme zu spät zum Essen, stimmt's?«

Ich nicke, doch selbst diese Information scheint ihm ungeheures Vergnügen zu bereiten. Träge streckt er einen Arm über den Kopf. »Soll ich Sie entführen? Wir könnten uns in den Dorfpub verdrücken und endlich was zusammen trinken. Ich kaufe Ihnen auch eine Tüte Chips«, verspricht er.

Die Versuchung ist groß. »Ich traue mich nicht – ich habe auch so schon Ärger genug. Ich bin beim Rennen im Haus erwischt worden.«

»Nein!«, ruft er mit gespieltem Entsetzen. »Doch nicht im Haus! Sind Sie von der Polizei angehalten worden?«

»Schlimmer. Die Hunde sind über mich hergefallen.«

Er verzieht angewidert das Gesicht. »Iih, wie eklig. Diese stinkenden kleinen Racker.«

»Allerdings«, bestätige ich. »Sie wollten mich gar nicht wieder loslassen.«

Er beugt sich vor und senkt vertraulich die Stimme. »Böse Zungen behaupten, dass sie sich jedes Mal einen neuen anschafft, wenn *er* mal wieder eine Affäre mit einer anderen Frau hat. Die Biester sind eigentlich nur winselnde Ausformungen ihrer unterdrückten Wut und Eifersucht.«

»Das ist ja 'n Ding! Ich wusste noch nicht einmal, dass es einen Er gibt!«

»Ist aber nur ein Gerücht«, sagt er und reibt sich die Nase.

»Das mit den Hunden, meinen Sie?«

»Nein, das mit dem Ehemann«, entgegnet er augenzwinkernd. »Sehen Sie, was ich für ein Quell des Wissens bin? Wie schneidig und unterhaltsam, und was für eine giftige Klatschzunge! Wie können Sie mich abweisen? Wie können Sie sich die großartige Gelegenheit entgehen lassen, mit mir bei einem Strammen Max und einer Partie Darts allein zu sein?«

»Aber ich bin angezogen wie eine alte Schachtel«, gebe ich zu bedenken, verdattert und entzückt von seiner Hartnäckigkeit. »Außerdem ... es geht einfach nicht. Sie warten dort drin mit ihren Gläsern voller Obstsalat in Zuckerwasser. Wir können nicht einfach abhauen.« Selbst in meinen Ohren klingt das kleinmütig und memmenhaft.

Er mustert mich betrübt. »Ist das der Geist, der den Westen erobert hat? Der auf dem Mond spazieren gegangen ist? Vietnam in Schutt und Asche gebombt hat?«

»Nein«, muss ich zugeben.

»Nein, das denke ich auch nicht«, sagt er mit Grabesstimme. »Wie weit ist es mit der Welt gekommen! Na schön«, seufzt er. »Auf geht's. Hören wir auf die Stimme der Vernunft. Wenn die sich nur mal um ihren eigenen Kram kümmern würde!« Er steht auf. »Wollen wir?«, und mit übertriebener Förmlichkeit bietet er mir seinen Arm.

Ich nehme ihn, und wir gehen durch die leeren Flure zurück zum Salon. Kurz bevor wir eintreten, drückt er schnell meine Hand. »Ganz unter uns«, flüstert er, »ich finde, wir haben gerade die herrliche Chance verpasst, diese Leute so richtig vor den Kopf zu stoßen.«

»Ganz unter uns«, flüstere ich zurück, »ich finde, da haben Sie absolut Recht.«

Damit marschieren wir in den Salon und auf eine der qualvollsten Mahlzeiten meines Lebens zu.

Das Schlimmste ist nicht, dass massenhaft Besteck um meinen Teller herumliegt, mit dem ich nichts anzufangen weiß, oder dass die Gazpacho sich als kalte Tomatensuppe von Campbell mit hinzugefügten rohen Zwiebelstücken erweist, und auch nicht, dass eine Wolke von Hundehaaren auf jeden Gang niedersegelt.

Nein, das wirklich Qualvolle sind die stockenden, steifen Konversationsversuche, die noch unterträglicher gemacht werden durch das strikte Befolgen der Tischregel, dass man sich zuerst seinem rechten, dann seinem linken Nachbarn zuzuwenden hat, um ihn oder sie mit halbherzigen Erkundigungen nach Urlaubsplänen für den Sommer oder Bemerkungen über das Wetter zu überhäufen.

Im Speisezimmer, das die finstere Pracht eines italienischen Leichenschauhauses besitzt, ist es erstaunlich kalt für die Jahreszeit. Fröstelnd hocke ich zwischen Poppys taubem Großvater und einer zusehends betrunkener werdenden Lavender.

Unter ostentativer Wahrung des Anstands fährt sie zu mir herum. »Fahren Sie in Urlaub?«, blafft sie mich an, während ihr Blick fest auf die Flasche Weißwein gerichtet ist, die gerade um den Tisch gereicht wird. (Trotz der großen Zahl der Gäste gibt es nur zwei Flaschen Wein, einen roten und einen weißen, und die wachsende Anspannung, während sie von Hand zu Hand wandern, ist fast unerträglich.)

»Ich glaube nicht. Und Sie?«

»Wir fahren nie wohin«, spuckt sie erbittert aus. »Piers meint, wir sollten sparen. Er bildet sich ein, wir würden bald Kinder haben, wenn ich auch nicht weiß, wie die zustande kommen sollen.«

Ich bin ratlos, was ich darauf sagen soll, und beobachte, wie sie die Leinenserviette auf ihrem Schoß abwechselnd zerknüllt und wieder glättet.

»Wenigstens ist das Wetter hier auch schön«, höre ich mich plappern.

»Ja, scheißschön.« Mit beiden Händen schnappt sie sich die Flasche, als sie endlich bei ihr anlangt, und leert den Rest in ihr Glas. »Gott sei Dank!«, ächzt sie, während ihr ganzer Körper vor Erleichterung in sich zusammensinkt.

Auf die Gazpacho folgt etwas, das wie eine medizinische Probe auf einem Fischteller aussieht. Winzige Streifchen Räucherlachs liegen auf einem Berg geschnittenen Eisbergsalats verstreut, zugedeckt von einem großzügigen Schlag Mayonnaise und gehackten Gewürzgurken. In der Ecke jedes Tellers befindet sich ein kleines Dreieck aus Schwarzbrot mit welligen Seiten, dort, wo die Kruste abgeschnitten wurde. Danach gibt es ein paar Späne Lammfleisch, begleitet von Dosenerbsen und Bratkartoffeln, die die kulinarische Kuriosität aufweisen, sowohl verbrannt als auch noch halb roh zu sein. Jeder hat drei pro Teller zugeteilt bekommen, die wie Wächter um die grauen, lauwarmen Fleischstückchen stehen. Um die Soße entbrennt ein noch heftigeres Gerangel als um den Wein, mit dem Ergebnis, dass die Hälfte der Tischgesellschaft ihr Essen in dem Zeug ertränkt, während wir Übrigen den Horror ohne Hilfe bewältigen müssen. Wir stochern, sägen und zerren an dem Lamm herum, bis es in gummiartige Bröckchen zerreißt, auf denen man eine Viertelstunde herumkauen kann, ohne dass sie sich auflösen.

Poppys Großvater wendet sich lächelnd an mich. »Nun, fahren Sie dieses Jahr in Urlaub?«, brüllt er.

Seit ich einmal eine Anstellung in einem kleinen Gemeindetheater überlebt habe, wo die über Sechzigjährigen die Gewohnheit hatten, die Schauspieler anzuschreien, wenn sie sie nicht verstehen konnten, bilde ich mir einiges auf meine Erfahrung im Umgang mit Schwerhörigen ein. »Nein!«, brülle ich, ebenfalls lächelnd. »Dieses Jahr nicht!«

Er zuckt zurück und richtet beleidigt seinen Krawattenknoten. »Sie brauchen nicht so zu schreien«, dröhnt er. »Ich bin nicht taub, wissen Sie!«

Die ganze Tischgesellschaft erstarrt und richtet ihr kollektives Entsetzen auf mich.

»Oh, tut mir Leid«, stammle ich, »ich wollte Sie nicht kränken…«

»Was?« Er fummelt an seinem Hörgerät herum. »Nuscheln Sie

nicht so, Mädchen! Schrecklich, dieser amerikanische Akzent! Wie hat Churchill doch gesagt: Ein Volk geteilt durch eine gemeinsame Sprache! Ha, ha. Recht hatte er!«

Auf einmal trifft ihn eine grüne Weintraube am Kopf.

»Hey!«, ruft er empört.

Ich verfolge die Flugbahn der Traube zurück und erblicke Eddie, der mit höchster Konzentration die Erbsen auf seinem Teller herumschiebt. Er wagt nicht, zu mir aufzusehen, macht aber den Eindruck, als würde er gleich platzen vor Lachen.

»Was geht hier vor?«, will Poppys Großvater wissen. »Ist das eine Weintraube? Warum habe ich keine verdammte Weintraube? Ich habe im Krieg gekämpft! Ich verdiene eine Traube! Wer hortet die Weintrauben bei sich?«

»Vater«, mischt sich Mrs. Simpson-Stock ein und verdreht die Augen zum Himmel. »Niemand hortet die Trauben. Sie stehen mitten auf dem Tisch. Mitten auf dem Tisch!«, brüllt sie automatisch. »Und schrei nicht so, du machst die Hunde nervös.«

»Pfeif auf die Hunde!« Er beugt sich abrupt über den Tisch und eignet sich eine ganze Rebe an, die er beschützend an seine Brust drückt. »Der nächste Mistkerl, der eine Traube wirft, kriegt es doppelt und dreifach zurück!«, droht er und beäugt die versammelten Gäste argwöhnisch. »Hab im Krieg nie eine Weintraube zu Gesicht bekommen. Oder auch nur eine Tomate. Hier.« Er gibt mir eine Hand voll ab. »Wenn Ihre dreckbespritzten Landser nicht gewesen wären, würde keiner von uns hier sitzen, geschweige denn Trauben essen!«

»Danke.« Offensichtlich bin ich in seiner Achtung gestiegen, wenn es mir auch ein Rätsel ist, warum. Vielleicht gedeihen die »besonderen Beziehungen« zwischen Großbritannien und Amerika nur richtig, wenn sie unter Beschuss stehen.

Zum Nachtisch gibt es einen großen, breiigen Sherry-Trifle, gefolgt von Fingerhüten voll lauwarmem Nescafé. Um 21 Uhr 47 werden wir endlich erlöst. Mrs. Simpson-Stock erhebt sich und rauscht wieder in den Salon, eskortiert von ihrem vierbeinigen Hofstaat. Wir anderen stürmen hinterdrein und lassen nur ihren Vater zurück, der sich eine Weintraube nach der anderen in den Mund steckt, wobei er deren Besitz mehr genießt als den Geschmack.

Als wir im Flur sind, flüstert Poppy mir zu: »Wie wär's mit einer Kippe auf der Terrasse?« Flora hält kurz ihre Strickjacke auf und zeigt mir einen Flachmann, der im elastischen Bund ihres Rocks steckt.

»Komm mit«, kichert sie, und wir drei überholen den Rest der Gesellschaft und schlüpfen hinaus ins Mondlicht.

»Wer zuerst bei der Eiche ist«, raunt Poppy, worauf wir unsere Schuhe abstreifen und über den kühlen, feuchten Rasen auf die riesige alte Eiche in seiner Mitte zulaufen. Unter ihrem ausladenden Blätterdach werfen wir uns hin, keuchend und lachend.

»Mein Gott, was würde ich jetzt für eine Rolle Smarties geben!«, seufzt Flora und reicht den Flachmann herum.

»O ja, oder eine große Schachtel Schokoladenkekse von Cadbury!«, sagt Poppy.

»Aha, ich bin also nicht die Einzige, die noch Hunger hat«, bemerke ich grinsend.

»Eigentlich ist das der Hauptgrund, weshalb wir hierher kommen«, erklärt Poppy. »Wenn ich ein paar Pfund zugenommen habe, fahre ich einfach am Wochenende nach Hause. Das ist billiger als eine Beautyfarm und wesentlich effektiver.«

»Hey, Pops, vielleicht ist es die wahre Berufung deiner Mutter, chronisch Esssüchtige zu heilen«, meint Flora. »Ein paar Mahlzeiten im Kreise der Familie in Lower Slaughter, und man sieht alles Essbare mit ganz anderen Augen an. Sie könnte die Hunde nachts patrouillieren lassen, um die Patienten davon abzuhalten, sich zum nächsten rund um die Uhr geöffneten Minimarkt davonzustehlen.«

»Es gibt hier einen rund um die Uhr geöffneten Minimarkt?« Ich richte mich kerzengerade auf.

»Meilenweit weg«, antworten sie im Chor.

»Ach, schade.« Ich sinke wieder zurück. »Arme Poppy. Sag bloß nicht, dass du mit dieser Ernährung aufgewachsen bist.«

Poppy nimmt einen langen Schluck und reicht die Flasche weiter. »Was soll ich sagen? Ich war das einzige Kind im Internat, das das Essen dort köstlich fand. Ich habe immer vor Freude geweint über den gekochten Kohl, das zähe Rindfleisch und den Grießpudding. In den Ferien wollte ich nie nach Hause fahren.«

Wir lehnen uns zurück und blicken durch die Äste der Eiche zu den Sternen auf, während die Blätter im kühlen Windhauch rascheln. Ein Grillenorchester zirpt leise. Alles ist ruhig, außer unseren knurrenden Mägen.

Am nächsten Morgen wache ich zu den donnernden Akkorden von Beethovens Hammerklaviersonate auf. Eddie ist offenbar ein Frühaufsteher. Nach diesem viel versprechenden Tagesbeginn geht es jedoch erst einmal steil bergab. Ich taumle, noch ohne Koffein im Blut, ins Bad, nur um festzustellen, dass es kein heißes Wasser gibt. Mrs. Simpson-Stock ist vermutlich ein Morgenmensch, der bei Tagesanbruch aufsteht, sich mit einem kalten Guss erfrischt und kein Verständnis für verzärtelte Zeitgenossen hat, die morgens der extravaganten Ausschweifung eines warmen Bads oder einer Dusche frönen. Wie viele Briten, die während des Kriegs oder in der Nachkriegszeit aufgewachsen sind, betrachtet sie ein Bad als den Gipfel des Luxus und heißes Wasser als geradezu frivol. Wenn man sie richtig auf die Palme bringen will, braucht man nur den beunruhigenden Trend unter jungen Leuten zu erwähnen, sich jeden Tag die Haare zu waschen, dann bekommt sie einen Wutanfall, der nur ihren Ausbrüchen beim Thema Quarantänevorschriften für Tiere oder Niedergang der Frauenvereine nachsteht.

So hocke ich also nackt und frierend in der Wanne und bespritze mich mit eiskaltem Wasser aus einem Duschkopf, den man mit der Hand festhalten muss. Auch eine Methode, um wach zu werden.

Ich ziehe allerdings Kaffee vor.

Nachdem ich schnell in Jeans und T-Shirt geschlüpft bin, gehe ich auf der Suche nach etwas zu essen nach unten. Wenn es eine Mahlzeit gibt, bei der sich die Engländer hervortun, dann ist es das Frühstück. Ich träume von silbernen Schüsseln mit dampfendem Rührei, brutzelnden Würstchen, Speck, gegrillten Tomaten, Pilzen in Rahmsoße und stapelweise warmem Toast. Das Esszimmer jedoch ist verlassen, weit und breit kein Würstchen in Sicht. Zögernd mache ich mich auf den Weg in die Küche, wo ich eine enorm dicke Frau vorfinde, die sich durch hohe Abwaschberge kämpft.

»Hallo?«, sage ich vorsichtig. Wo kommen nur all diese Teller her?

»Hallo.« Sie macht sich nicht die Mühe, sich umzudrehen.

»Äh, wie bekommt man denn hier ein Frühstück?«

»Man erscheint rechtzeitig«, antwortet sie brüsk. »Spätestens um acht muss man unten sein.«

»Oh.« Ich sehe gerade noch, wie Reste von knusprigem Speck und weichen Eiern in den Müll gekratzt werden.

»Auf dem Tisch stehen Cornflakes, und im Kühlschrank ist Milch«, wimmelt sie mich ab.

Tja, das hätten wir geklärt.

Ich esse etwas und gehe dann ins Musikzimmer.

»Hallo«, rufe ich Eddie zu, der auf die Tasten einschlägt.

»Morgen!«, ruft er zurück, ohne das Tempo zu verlangsamen.

»Wo sind sie denn alle?«, schreie ich.

»Draußen, beim Tieretöten. Louise! Hör dir das an, dieses Thema hier ist das beste!«

»Beim Tieretöten?«

»Ja, das machen sie hier so auf dem Land, wenn sie sich amüsieren wollen«, strahlt er. »Du weißt schon, Jagen, Schießen, Angeln, Fallenstellen, auch bekannt als Freuden des Landlebens.« Als er meine Verwirrung bemerkt, unterbricht er sich. »Nicht alle sind weggegangen, um die Tierwelt abzuschlachten. Ich glaube, Flora und Poppy sonnen sich draußen im Garten. Zumindest nennen sie das so, aber wahrscheinlich haben sie einfach das Bewusstsein verloren bei dem Versuch, sich von einem unerklärlichen Kater zu erholen.«

»Dann gehe ich mal lieber zu ihnen, um Händchen zu halten.« Ich will ihn nicht länger stören. »Danke, Eddie.«

»Wir könnten aber auch einen Spaziergang zusammen machen«, sagt er und dreht sich ganz auf dem Klavierhocker herum.

»Bist du sicher?« Ob ich zu erfreut klinge?

»Na klar. Beethoven kann mich nur eine gewisse Zeit lang am Tag ertragen, und ich glaube, für heute hat er die Nase voll.«

»Dann gerne«, stimme ich zu. »Aber ich warne dich, ich bin nicht gerade der sportliche Freilufttyp.«

»Das macht nichts«, versichert er mir. »Allerdings – du hast wahrscheinlich keine Gummistiefel dabei, oder? Man weiß nämlich nie, in was man dort draußen alles treten kann.«

»Nein, hab ich nicht.« Ich denke an mein geliehenes Paar, das sicher verstaut im Büro liegt, unter meinem Kleid für abends, den frischen T-Shirts und den sauberen Unterhosen.

»Ja, so ein Glück«, grinst er erleichtert. »Es gibt einen gewissen Typ Frau, der seine eigenen Gummistiefel besitzt, und ich bin froh, dass du nicht dazugehörst.«

»Was ist das denn für ein Typ Frau?«

»Derselbe Typ, der immer ein sauberes Taschentuch dabeihat, abgezähltes Busgeld bereithält und zueinander passende Socken trägt. Eine Frau, die ihre eigenen Gummistiefel besitzt, hat Angst davor, lächerlich auszusehen und sich die Füße schmutzig zu machen, und das ist wirklich schlimm.«

»Aber hast du nicht gerade gesagt, dass wir welche brauchen?«

»Unbedingt, das ist der reinste Misthaufen dort draußen, Louise!« Er stellt sich an die Terrassentür und beschattet die Augen mit einer Hand: ein unerschrockener Entdecker, der zum Wald jenseits des Rasens hinüberblickt. »Aber nur weil wir sie brauchen, heißt das noch lange nicht, dass wir sie auch *wollen*. Wir werden sie unter Protest, unter Zwang anziehen, in dem stolzen Bewusstsein, dass wir nichts gegen Schlamm und Mist haben, niemals ein sauberes Taschentuch benutzen, wenn uns doch ein prima Hemdärmel zur Verfügung steht, und jederzeit lieber ein Taxi nehmen würden statt mit dem Bus zu fahren. Kurzum, mit unbeschadeter Selbstachtung.«

»Selbstachtung?«

»Ja, unsere Selbstachtung erfordert, dass wir Gummistiefel anziehen, aber keine besitzen.« Er führt mich durch einen Gang, den ich noch nicht kenne.

»Das ist ein bisschen widersprüchlich«, sage ich lachend, während ich neben ihm herstolpere. »Witzig, aber es ergibt wenig Sinn.«

»Da haben wir's wieder! Sinn, Sinn, Sinn! Was ist das immer für eine Besessenheit vom Sinn? Nichts, was auf dieser Welt von großer Schönheit ist, ergibt irgendeinen Sinn. ›Lass uns denn gehen, du und ich‹…«

Er zitiert Eliot, und ich stimme mit ein: »›… wenn der Abend vor dem Himmel ausgebreitet liegt wie ein mit Äther betäubter Patient auf einer Bahre.‹«

Wir kommen bei der Stiefelkammer an, einer Art riesiger Abseite, die von oben bis unten mit dreckigen, nicht paarweise zusammenstehenden Gummistiefeln in allen erdenklichen Farben und Größen voll gestopft ist. Zwischendrin hängen reihenweise gewachste Barbourjacken an hölzernen Kleiderhaken, und vom Gestank der Wachsschichten beginnen meine Augen zu tränen.

»Meine Güte, Eddie! Wie kann man diese Dinger nur tragen«,

keuche ich und halte mir die Nase zu. »Ich halte es ja noch nicht mal aus, nur neben ihnen zu stehen.«

»Die Barbour-Wachsjacke ist nun einmal *das* Emblem des englischen Landlebens«, verkündet er, während er ein paar aussortierte Stiefel durch die Kammer schleudert. »Sie weist nicht nur das Wasser ab, sondern auch jede Form von menschlichem Kontakt. Einfach perfekt!«

Wir finden einen schwarzen und einen grünen Stiefel für ihn und zwei linke rote für mich. Es ist nicht einfach, mit zwei linken Füßen zu gehen, weil eine deutliche Tendenz entsteht, im Kreis zu laufen. Nur indem ich den rechten Fuß um 90 Grad abwinkele, gelingt es mir überhaupt, vorwärts zu kommen.

Ich fange an zu schmollen.

»*Courage, mon amour*«, ruft er. »Denk an deine Selbstachtung.«

»Ich habe zwei linke Füße«, erinnere ich ihn. »Du nicht.«

Er wirft mir einen seiner gewinnenden, schrulligen Blicke zu. Schon bin ich dabei, mir die Palette seiner Gesichtsausdrücke zu merken, um sie mir in Erinnerung zu rufen, wenn ich nicht mehr mit ihm zusammen bin. »Besser zwei linke Füße als zwei linke Hände.«

Ich strecke ihm die Zunge heraus.

Wir stapfen – oder vielmehr, er stapft und ich humple – über den Rasen, bis wir zu einem Wiesenweg kommen, der zum Flussufer führt.

»Riech nur diese Luft!«, seufzt Eddie.

Jemand ist heute Morgen hier geritten, weshalb die Luft nach Pferdedung riecht.

»Sieh nur diese Aussicht!«, jauchzt er.

Wir bleiben einen Moment lang stehen, sehen uns um und schlurfen dann weiter.

»Spür nur die Sonne auf deinem Gesicht!«, ruft er überschwänglich.

Wir legen beide den Kopf zurück und laufen direkt in eine Wolke von Mücken hinein. Wir weichen den Pferdeäpfeln aus. Wir ducken uns unter den Mücken hindurch. Wir gehen vom Weg ab, um die Mücken zu vermeiden, aber die Pferde sind auch hier schon gewesen. Sowohl Mücken als auch Dung sind bemerkenswert anhänglich.

Piers, Lavenders selbst ernannte bessere Hälfte, steht am Flussufer und angelt. Irgendwie hat er es geschafft, sich das einzige zusammenpassende Paar Gummistiefel zu sichern. Seine kanariengelbe Cordhose hat er gegen eine Moleskinhose getauscht, und er trägt sogar eine Anglermütze aus Tweed. Ganz wie auf einem Bild von Constable. Offensichtlich hatte seine Herrenboutique eine »Alles für das Leben auf dem Land«-Abteilung. Mit einem barbourumhüllten Arm winkt er uns zu und bedeutet uns, leise zu sein. Das ist das Echte, das Wahre: ein Mann, ein Fluss, eine übel riechende Jacke. Ein Anblick von beinahe überwältigender ländlicher Schönheit. Einen Moment später zieht er einen Fisch an Land und schlägt ihn mit einem kleinen Prügel aus Leder tot, den er in seiner Jackentasche aufbewahrt.

Ich wusste nicht, dass Fische schreien können, aber sie tun es.

»So, das war jetzt sehr schön. Ganz reizend«, sagt Eddie. »Wollen wir zurückgehen?«

»Ja, kehren wir um«, stimme ich zu.

Eine Viertelstunde ländlicher Idylle ist mehr als genug.

Zurück im Haus, ziehen wir die Stiefel aus, gehen wieder nach draußen und werfen uns ins Gras. Bis zum Mittagessen ist es noch eine Ewigkeit hin. Auf dem Rasen findet eine hitzige Partie Krocket zwischen Mrs. Simpson-Stock, ihrem Vater und Lavender statt. Das Spiel wird allerdings durch die Teilnahme der Hunde behindert, die jedem Ball hinterherjagen, während der alte Mann sie als bewegliche Zielscheibe betrachtet und seinen Krockethammer wahllos, aber wirkungsvoll durch die Gegend schwingt. Im Gegenzug nehmen sie sich die Freiheit, sein Bein zu zerfleischen.

Unter der alten Eiche liegen die dösenden Gestalten von Poppy und Flora ungefähr immer noch so, wie ich sie gestern Abend verlassen habe.

»Und was machen wir jetzt?«, frage ich und zupfe träge an einem Grashalm.

»Machen wir ein Nickerchen«, schlägt er vor.

Das tun wir dann auch. Er zieht seinen Pullover aus, knüllt ihn zusammen und legt ihn als Kissen unter unsere Köpfe. Seite an Seite, mit geschlossenen Augen, genießen wir die warme Sonne. Nach einer Weile höre ich Eddie leise schnarchen. Es ist ein schönes Geräusch, ein sanftes, pfeifendes kleines Seufzen. Ich mache die Augen auf, um zu sehen, ob er wieder lächelt – und tatsächlich.

Da lächle ich auch und schließe die Augen.

Wie seltsam, denke ich, während ich langsam eindöse. Warum kann ich dicht neben Eddie schlafen und habe ein Bett von der Größe eines Fußballfeldes gebraucht, um neben meinem Mann zu liegen? Als ich mich an ihn schmiege, dreht er sich zu mir um und legt einen Arm um mich. Es muss die Landluft sein, überlege ich träumerisch, sie hat offenbar eine berauschende Wirkung.

Auf diese Weise habe ich erfahren, dass das große Geheimnis, wie man ein Wochenende auf dem Land überlebt, nicht darin besteht, die richtige Kleidung oder Ausrüstung oder eine große Notration an Essen dabeizuhaben. Es liegt einzig und allein darin, sich die richtige Gesellschaft zu suchen.

Am nächsten Abend fahren Poppy, Flora und ich zurück nach London. Ich sitze hinten, starre auf die vorbeifliegenden Abschnitte grüner Landschaft und bin merkwürdig melancholisch und aufgewühlt. Ich sollte überglücklich sein, dass ich in die Zivilisation zurückkehren darf, aber das bin ich nicht.

»Sag mal, du und Eddie, ihr wart ja ein Herz und eine Seele«, bemerkt Flora und sieht mich forschend im Rückspiegel an. »Du magst ihn wirklich, was?«

»Ach komm«, lacht Poppy. »Er ist zwar ein süßer Junge, aber viel zu jung für dich. Ich meine, er ist erst vierundzwanzig und hat noch nicht mal eine richtige Anstellung. Er interessiert sich nur für seine Musik. Das kann nicht dein Ernst sein, Louise!«

»Ich weiß. Sie will mich nur aufziehen, Poppy.« Mir ist sehr daran gelegen, das Thema zu wechseln. »Hey, können wir mal das Radio anmachen?«

»Klar.« Flora dreht am Sendersucher. Ich fange ihren Blick im Spiegel auf, und sie lächelt.

Nein, das kann nicht mein Ernst sein, denke ich, während wir mit dem Käfer über die Autobahn kriechen. Poppy hat vollkommen Recht.

Warum bin ich dann so traurig?

Zwei Tage später komme ich morgens zur Arbeit und finde auf meinem Schreibtisch drei weiße Rosen mit einer Nachricht von Eddie vor.

Du schuldest mir immer noch einen Drink, steht darauf.

Kurz darauf klingelt mein Telefon. Es ist Eddie.

»Hallo, Louise?« Stimmengewirr und Lautsprecheransangen von Zügen sind im Hintergrund zu hören. »Kannst du mich hören?«

»Ja, wo bist du denn?«

»Am Waterloo-Bahnhof. In ein paar Minuten steige ich in den Zug nach Paris. Hast du meine Blumen bekommen?«

»Ja, sie sind wunderschön! Ich wusste nicht, dass du heute wegfährst… Eddie? Hörst du mich?« Die Verbindung wird schlechter, seine Stimme knistert nur noch unverständlich. »Eddie?«

»Ich habe gesagt, ich wollte dir mehr kaufen, einen ganzen Tisch voller Rosen. Nächstes Mal, Louise! Wenn ich zurückkomme, werden wir…« Die Verbindung bricht ab.

Ich stelle die Rosen in ein Glas und auf meinen Schreibtisch. Als sie anfangen zu verwelken, hänge ich sie zum Trocknen auf.

Und als die Blütenblätter abfallen, sammle ich sie ein und stecke sie in einen Umschlag.

Ein Monat vergeht.

Ich werfe den Umschlag weg.

Das kann schließlich nicht mein Ernst sein.

X-mas

Weihnachten ist ein ganz besonderer Anlass. Wenn es eine Zeit im Jahr gibt, zu der man gut, liebevoll, warmherzig, nachdenklich und großzügig sein sollte, dann ist es die Weihnachtszeit.

Natürlich möchten wir unsere äußere Erscheinung dieser moralischen Hochgestimmtheit angleichen, was für die normal sterbliche Frau ein neues Kleid, eine hübsche Frisur und eventuell eine Schönheitsbehandlung bedeutet. Je nachdem, ob Sie auf eine festliche oder zwanglose Weihnachtsfeier eingeladen werden, ist ein langes oder kurzes Abendkleid ideal, und wenn Sie auch nicht so weit gehen sollten, den Weihnachtsbaum an Glanz zu übertreffen, ist es durchaus angemessen, sich besondere Mühe für eine strahlende Erscheinung zu geben.

Wichtig ist, daran zu denken, dass es sich um einen ganz besonderen Abend handelt, der es verdient, dass man sich zu seinen Ehren auf ganz besondere Weise kleidet und schmückt.

»Bist du sicher, dass du allein zurechtkommst?« Colin steht an der Wohnungstür, den Koffer in der einen Hand und seinen Mantel in der anderen.

»Natürlich«, sage ich. »Es ist doch nur für ein paar Tage.«

»Aber es ist Weihnachten, das sind nicht nur ein paar normale Tage, es sind ein paar Weihnachtstage!«, sorgt er sich.

»Ich mach's mir hier schön ohne euch«, versichere ich ihm.

Draußen ertönt eine Hupe, und Ria kommt aus ihrem Zimmer hervor, beladen mit einer prall gefüllten Reisetasche und zwei großen Plastiktüten mit liebevoll verpackten Geschenken.

»Das Taxi ist da, Col, wir müssen gehen! Bist du sicher, dass es dir gut gehen wird, Louise? Es ist noch nicht zu spät, mit mir nach Dorset zu kommen, meine Familie würde sich freuen, ehrlich. Je mehr, desto lustiger.« Ria hasst es zu reisen und steigert sich allmählich in einen Verzweiflungszustand hinein. Ich beobachte, wie sie ihren Mantel falsch zuknöpft, den Hut verkehrt herum aufsetzt und ihre Handschuhe fallen lässt. »Meine Schlüssel! Ich kann meine Schlüssel nicht finden! Verdammt, Colin! Das Taxameter läuft. Wir werden den Zug verpassen, und ich werde nicht in die Wohnung können, wenn ich zurückkomme!«

»Hast du schon in deinen Taschen nachgesehen?«

»Ach so, ja, hier sind sie! Auf jetzt, Col, das Taxameter läuft!«

»Schätzchen, es ist ein Kleintaxi, das hat kein Taxameter.« Er umarmt mich. »Tschüss, Süße, pass auf dich auf. Vergiss nicht, die Alarmanlage anzustellen, und ruf an, wenn du dich einsam fühlst. Die Nummern hängen neben dem Telefon. Ich komme mir immer noch mies vor, weil ich dich allein lasse, aber ich sollte die hier jetzt lieber zum Zug schaffen, ehe sie vor Nervosität völlig ausflippt.«

Ich küsse Ria auf die Stirn und drehe ihren Hut richtig herum. »Gute Reise, Liebes, und frohe Weihnachten.«

»Ich ruf dich an«, schreit sie, als sie ihr Gepäck und die Einkaufstüten die Treppe hinunterwuchtet. »Ich werde mich zu jeder vollen Stunde melden, um sicherzugehen, dass du keine Dummheiten machst!«

Ich sehe zu, wie sie ins Taxi steigen. Sie winken. Ich winke. Sogar der Taxifahrer winkt. Einen Augenblick später fahren sie in den trüben Dunst des eiskalten Morgens davon und sind verschwunden. Ich mache die Tür zu und lehne mich erschöpft dagegen. Endlich allein!

Solche Momente sind äußerst selten, wenn man in einer Wohngemeinschaft lebt. Man kann seine Mitbewohner noch so sehr mögen, es geht nichts über das köstliche, wunderbare Gefühl der Freiheit, das sich einstellt, wenn man allein ist. Ich gehe ins Wohnzimmer, mache die Lichter am Weihnachtsbaum an und schenke mir noch eine Tasse Tee ein. Dann kuschle ich mich aufs Sofa und stelle Betrachtungen über meine Ungebundenheit an.

Es ist der 23. Dezember, kurz nach halb neun Uhr morgens. Sehr kalt, aber trocken. Colin und Ria sind nun endgültig über Weihnachten weggefahren – Colin nach High Wycombe zu Andys Eltern, die er zum ersten Mal sehen wird, und Ria zum Cottage ihrer Eltern nach Dorset. Frisch geschieden und praktisch mittellos, wie ich bin, kommt ein Trip in die Vereinigten Staaten zur teuersten Reisezeit für mich nicht infrage. Aber das macht nichts. Das ist mein erstes Weihnachten allein, und ich bin richtig aufgeregt. Ich schlürfe meinen Tee und lasse mich von den Christbaumlichtern verzaubern. Ich kann tun und lassen, was ich will. Ich kann meine eigene Musik hören, kann fernsehen, wann und was ich will, und den Abwasch tagelang in der Spüle vergammeln lassen. Ich habe alle Zeit der Welt.

Drei Stunden später bin ich im Büro.

»Was machst du denn hier?«, will Flora wissen. »Du bist doch unser Glückspilz, weißt du nicht mehr? Du hast über Weihnachten frei!« Sie bastelt Papiergirlanden aus alten Programmen und hat Klebstoff im Haar.

»Ach, nichts«, lüge ich. Ich will ihr nicht gestehen, dass ich nichts zu tun habe und mich deshalb an meinem freien Tag im Büro herumdrücke. »Ich war gerade in der Nähe und dachte, ich seh mal in meine E-Mail. Soll ich dir helfen?« Ich kann mich nicht erinnern, wann ich zuletzt eine Papiergirlande gemacht habe. Eigentlich glaube ich, dass ich noch nie eine gemacht habe, aber es sieht aus, als ob sie Spaß dabei hat, und man glaubt gar nicht, wie schnell das Vergnügen, den Abwasch in der Spüle stehen zu lassen, seinen Reiz verliert.

»Klar, gern.« Sie gibt mir ein Bündel Papierstreifen und etwas Klebstoff. »Du spinnst doch. An deiner Stelle wäre ich nicht hier, sondern würde meine Weihnachtseinkäufe machen. Ich habe noch kein einziges Geschenk und weiß nicht, wann ich die Zeit finden soll. Ich habe versprochen, mit meiner Mutter, meiner Schwester und ihren beiden kleinen Mädchen heute Abend in den *Nussknacker* zu gehen, und morgen Abend muss ich auf einen Wohltätigkeitsball … Ich sollte mich besser gleich erschießen!«

»Stattdessen machst du lieber Papiergirlanden.«

Sie sieht mich tadelnd an. »Louise, ich nehme meine Arbeit sehr ernst. Gott bewahre, dass ich einfach blaumache, wenn ich die Verpflichtung habe, die Moral im Büro hochzuhalten und durch die alte Kunst des Papiergirlandenmachens Weihnachtsstimmung zu verbreiten. Oder besser des Papiergirlanden*kreierens*, wie wir traditionellen Kunsthandwerker es nennen. Ist dir klar, wie viele Selbstmordversuche über die Feiertage verhindert werden können, indem man eine schlichte Papiergirlande in der Umgebung der deprimierten Person aufhängt? Mindestens fünf, würde ich schätzen. Deshalb mache ich das hier.«

»Das wären dann also du, ich, Poppy, und wer noch? Zwei schlecht gelaunte Schaulustige?«

»Seien wir ehrlich, niemand besucht je unsere Abteilung. Wir werden wohl ein paar Depressive hier herauflocken müssen.«

»Wir könnten auch Crispin und Terrance aus der Buchhaltung einladen.«

Wir basteln eine Weile schweigend vor uns hin.

»Ein Wohltätigkeitsball, ja? Klingt ziemlich vornehm!«

Sie rutscht unbehaglich auf ihrem Stuhl herum. »Na ja, es ist kein richtiger Ball, eher … ein *Event*!«

»Kannst du dich noch ein bisschen unklarer ausdrücken? Mein Prittstift ist alle.«

Sie reicht mir ihren. »An der Verwendung eines Prittstifts kann man jederzeit den Profi vom Amateur unterscheiden.«

»Okay, könntest du jetzt mal Klartext reden?«

»Nur noch ein blöder Witz, ja?«

»Nein.«

»Ich hab üüüberhaupt keine Lust hinzugehen«, stöhnt sie. »Poppy hat mich zu der ganzen Sache gedrängt, indem sie mir letzten Februar ständig mit der ausufernden Kommerzialisierung von Weihnachten in den Ohren lag, bis ich es nicht mehr ertragen konnte und mich durch die bloße Fülle ihrer Argumente zu einer übereilten und drastischen Handlung hinreißen ließ!«

»Beruhige dich, Mädchen.«

»Du hast ja keine Ahnung! Sie hat mir ›Do they know it's Christmas Time at all‹ vorgesungen, bis ich die Wände hoch gegangen bin. Sie ist im Büro herumgehumpelt, als wäre sie Tiny Tim, und hat mir Post-it-Zettel auf meine Frühstücksdose geklebt, auf denen stand: ›Gib mir was zu essen!‹ oder ›Kümmere dich nicht um mich, ich werde schon irgendwie überleben!‹«

»Flora, du hyperventilierst ja! Wozu hat sie dich gezwungen?«

»Ich habe versprochen, mit ihr zu einer Obdachlosenspeisung zu gehen.« Sie lässt beschämt den Kopf hängen.

»Aber das ist doch sehr bewundernswert«, versichere ich ihr.

»Das wäre es, wenn ich nicht bereit wäre, meinen rechten Arm zu opfern, um nicht hingehen zu müssen. Ich bin ein schlechter Mensch! Ich bin schlecht!« Ihre Unterlippe zittert, und sie schlägt die Hände vors Gesicht.

Ich sehe sie misstrauisch an. »Hast du etwa wieder alte *Dallas*-Folgen gesehen?«

Zwischen zwei Fingern hindurch blinzelt sie mich an. »Vielleicht ein kleines bisschen.«

»Jedenfalls macht es doch bestimmt Spaß, wenn ihr beide zusammen hingeht«, argumentiere ich, wobei ich versuche, einen Papierstreifen als Armband um mein Handgelenk zu kleben.

»Ha, das ist genau das Problem. Poppy musste nämlich zu einer Beerdigung nach Hause fahren.«

Der Papierstreifen schnellt von meinem Arm und segelt durchs Zimmer. »Zu einer Beerdigung? Mein Gott, was ist denn passiert?«

»Einer der Hunde ihrer Mutter ist am Wochenende gestorben. Poppy sagt, eines natürlichen Todes, aber ihre Mutter ist davon überzeugt, dass es Mord war. Erinnerst du dich an Terrance, den Terrier mit dem Überbiss und der Blasenentzündung? Offenbar hatte Poppys Opa es in letzter Zeit auf ihn abgesehen, weil er immer in seine Hausschuhe gepinkelt hat.« Sie seufzt. »Aber das ist jetzt alles vorbei.«

Ich starre sie ungläubig an. »Sie halten eine richtige Beerdigung ab? Für den Hund?«

Sie nickt. »Aufbahrung im offenen Sarg. Ich wollte einen Kranz schicken, falls du dich beteiligen möchtest.«

Über die enge Bindung zwischen den Engländern und ihren Hunden können Ausländer wie ich nur verwundert den Kopf schütteln. Ich beschließe, auf vertrauterem Terrain zu bleiben.

»Jetzt musst du also allein zu dieser Obdachlosenspeisung gehen«, komme ich wieder aufs Thema zurück.

Sie wirft mir einen verstohlenen Seitenblick zu. »Ja, es sei denn, du hast zufällig nichts Besseres vor …«

»Du bist wirklich schlecht.« Ich werfe ihr eine Büroklammer an den Kopf.

»Ach komm, Louise! Es macht bestimmt Spaß, das verspreche ich dir. Und es ist auch gleich um die Ecke, im Souterrain von St. Martin in the Fields. Wir würden die erste Schicht machen, von acht bis zehn, und dann hättest du den ganzen Rest des Abends für dich. Bitte, bitte!«

Ich denke an den Abwasch zu Hause in der Spüle. Was wartet sonst auf mich?

»Na gut.«

Sie quietscht vor Freude und wirft ihre Arme um mich. »Du

bist ein Engel! Was mich daran erinnert, dass es einen alljährlichen Kostümwettbewerb unter den freiwilligen Helfern gibt – es muss zu Weihnachten passen, und ich dachte, wir könnten als Engel gehen. In der Papierwarenhandlung um die Ecke gibt es kleine silberne Engelsflügel aus Plastik, die man einfach über den Rücken zieht, und dazu passende Diademe, und ich habe ein paar alte weiße Nachthemden zu Hause, die wir über unsere Jeans ziehen können.«

»Ausgezeichnet. Warum gehst du nicht los und kaufst uns ein paar Flügel, dann kannst du auch gleich einige Posten auf deiner Weihnachtseinkaufsliste abhaken. Ich halte hier so lange die Stellung.« Ich schwinge meinen Prittstift wie einen Zauberstab. »Also lauf, und sei frei!«

Es geht doch nichts über ein bisschen Wohltätigkeit, um sich rundum gut und weihnachtsselig zu fühlen.

Am nächsten Abend treffen wir uns in der Oper und steigen im Klo in unsere improvisierten Engelskostüme, ziehen also die verblichenen Nachthemden über unsere Jeans und legen die Diademe und die Flügel an. Wir sind in festlicher Stimmung, als wir durch Long Acre auf den Trafalgar Square zugehen. Es regnet mehr als dass es schneit, wir schlurfen im Gleichschritt unter einem Schirm dahin und haben einander die Arme um die Taillen gelegt. Als wir im Souterrain der Kirche ankommen, herrscht dort schon reger Betrieb. Elfen verteilen Putenbraten, Rentiere schöpfen Suppe in Schüsseln, und Ochs und Esel sind eifrig dabei, dicke Stücke Plumpudding abzuschneiden. Vom Geist der diesjährigen Weihnacht, einem Mann namens Reg in einem beeindruckenden purpurnen Samtkaftan und mit rötlich gelbem Bart, werden wir dem Kaffee- und Teeausschank zugeteilt.

Während der nächsten zwei Stunden kommen wir kaum zum Verschnaufen. Wir kochen unzählige Kannen Tee und Kaffee, schenken nach, singen Weihnachtslieder und waschen stapelweise Geschirr ab. Wir helfen, den scheinbar unaufhörlichen

Nachschub an Lebensmitteln und anderen Spenden auszuladen, der von den Geschäften des Viertels herbeiströmt: Berge von Sandwiches, frisches Obst und Gemüse, ganze Truthähne, Kleider, Decken, Dosenkonserven, Zigaretten und Schuhe. Kaum sind sie zu großen Haufen aufgeschichtet, werden sie von einer ganzen Armee weiterer freiwilliger Helfer abgeholt und verteilt, manchmal an andere Suppenküchen in weniger zentral gelegenen Stadtteilen, wo sie noch dringender benötigt werden. Neugierig gewordene Passanten kommen von der Straße herein und bleiben, um zu helfen: Studentengruppen, Touristen und Einzelpersonen, die zwar nicht obdachlos sind, aber nirgends dazugehören. So wie ich. Für ein paar Stunden sind wir Teil eines großen Ganzen.

Mir wird ein Gefühl von unglaublicher Fülle bewusst, nicht nur an Essen und Vorräten, sondern an Energie, Freude und Hoffnung. Während ich herumwirbele, eine Tasse nach der anderen voll schenke und mit Menschen scherze und lache, die ich normalerweise auf der Straße nicht ansehen würde, merke ich, dass ich glücklich bin. Das ist der Stoff, aus dem das Glück gemacht ist. Dumm nur, dass er sich mir in der Vergangenheit immer entzogen hat.

Auf einmal taucht in dem Meer unrasierter Gesichter ein vertrautes Lächeln auf.

»Du glaubst also, du kannst mit mir schlafen und dann einfach spurlos verschwinden!«, sagt Eddie grinsend. »Eine Tasse Tee, bitte, wenn du schon dabei bist. Aber ein bisschen dalli, mein Publikum wartet!«

Er trägt ein Geschirrtuch auf dem Kopf und hat eine große blaue Reisedecke um seinen Körper gewickelt.

»Eddie!« Mir ist klar, dass ich beobachtet werde, vor allem von einem kichernden, zahnlosen Opa in der Ecke, der schon den ganzen Abend versucht hat, mit mir anzubandeln. »Erstens, was machst du hier? Ich dachte, du wärst in Paris. Und zweitens, was hast du denn da an?«

»Wir sollen uns doch kostümieren, oder? Ich bin das liebe Jesuskind, und das sind meine Windeln.«

»Du hast ein Geschirrtuch auf dem Kopf. Moment mal, das ist ja unser Geschirrtuch! Eddie, du hast es geklaut!«

Er richtet sich kerzengerade auf. »Ein Mann meines Kalibers klaut keine Geschirrtücher, er unterschlägt sie höchstens. Aber du hast Glück. Ich bin bereit, es dir für eine kleine Gegenleistung auszuleihen. Obwohl du dich dafür vielleicht von deinem Heiligenschein trennen müsstest.«

Ich werde rot. »Wie lange bist du schon zurück? Nimmst du ein oder zwei Stück Zucker?«, frage ich und werfe ein paar Würfel nach ihm.

»Kein Werfen mit Essen!«, donnert Reg durch den Saal.

Eddie beugt sich über den Tisch und sieht sich verstohlen um. »Hör mal, ich bin das Jesuskind, und du bist offensichtlich ein Engel – was hältst du davon, wenn wir uns mal zusammen in die Krippe legen?«

»Hi, hi, hi!«, kichert der alte Opa.

»Genau mein Gedanke«, sagt Eddie.

Ich sehe in seine großen, lächelnden schwarzen Augen. »Eddie!« Mir fehlen total die Worte.

»Ja, mein Engel?«, flüstert er.

»He, ich dachte, du bist hier, um Klavier zu spielen!«, ruft Reg.

»Wie gesagt, mein Publikum erwartet mich!« Er tritt zur Seite, um die Anstehenden weiterrücken zu lassen, und verschwindet in der Menge.

Flora beugt sich zu mir. »Ich sollte dir das wahrscheinlich nicht sagen, aber er hatte überhaupt keine Lust, heute Abend hier zu helfen, bis er hörte, dass du auch kommst. Ich glaube, er mag dich wirklich, Louise. Du bist gewarnt!«

Ich werde schon wieder rot. »Aber Flora, wann ist er denn zurückgekommen? Und was will er bloß von einer alten Schachtel wie mir?«

»Er ist gestern gekommen, mit einem Berg Schmutzwäsche von vier Monaten, und ich will noch nicht einmal daran *denken*, was er von dir wollen könnte!«

Mein Herz fängt an zu rasen. »Aber ich bin *neun Jahre* älter als er!«

»Er steht auf ältere Frauen, Louise.«

»Ach, vielen Dank.« Ich hatte bisher noch nie das zweifelhafte Vergnügen, mich als ältere Frau zu betrachten, und bin nicht sicher, was ich davon halten soll.

»Na ja«, meint sie und wischt eine warme Pfütze verschütteten Tees auf, »wenn er dir nicht gefällt, kann ich das verstehen. Aber ich muss sagen, ich habe ihn nicht mehr so aufgeregt gesehen seit Lara.«

»Lara?« Ein unerwarteter Stich der Eifersucht macht sich bemerkbar. »Wer ist Lara?«

Sie lächelt wissend. »Nur eine Cellospielerin, die ihm im vergangenen Frühjahr das Herz gebrochen hat.«

»Oh.« Ich sehe eine schöne, talentierte Frau vom Typ Jacqueline Du Pré vor mir.

»Eine ziemliche Kuh, wenn du mich fragst«, sagt Flora und wringt ihren Lappen über der Spüle aus.

Ich sehe hinüber zum anderen Ende des Saals, wo Eddie einen Stuhl an ein altes Klavier in der Ecke zieht. Dann ertönen die munteren Klänge eines Ragtime, so ansteckend fröhlich wie Eddie selbst.

Als um zehn die nächste Schicht eintrifft, hebt Reg eine Hand und bittet um Ruhe. »Hallo, alle mal herhören! Danke! Um diese Zeit findet traditionell die Abstimmung über das beste Kostüm statt!«

Allgemeiner Jubel bricht aus.

»Die Helfer stellen sich jetzt bitte in einer Reihe auf, und wenn ich meine Hand über den jeweiligen Kandidaten halte, soll das Publikum per Applaus entscheiden.«

Wir Helfer bilden eine krumme, unförmige Reihe, die Reg jetzt langsam abschreitet. Eddie spielt ein paar Takte eines passenden Weihnachtslieds für jeden Teilnehmer, und als Reg zu Flora und mir kommt, stimmt er »Must be talking to an angel« von den Eurythmics an.

Am Ende gewinnt Reg selbst den Wettbewerb. Mit seiner wallenden roten Robe und dem dröhnenden Lachen ist er der perfekte Geist der diesjährigen Weihnacht, aber wir halten ihn auch ganz schön auf Trab dafür.

»Tja, ich schätze, das war's«, seufzt Flora, als wir kurz darauf aus dem Untergeschoss von St. Martin kommen. »Jetzt sind wir offiziell gute Menschen.«

»Was haltet ihr davon, wenn ich euch zwei Hübschen einen Drink spendiere?« Eddie legt seine Arme um uns.

»So, wie wir aussehen?«, sage ich. »Es ist zwar Heiligabend, aber ich wette, noch nicht mal ein Engel wird in diesem Aufzug bedient.«

»Du vergisst, dass ich das Jesuskind bin. Ich habe Verbindungen. Taxi!« Er winkt eines herbei. »Zum Ritz, guter Mann.«

»Nein, Eddie. Das geht nicht. Nicht ins Ritz!«, protestiere ich. »Nicht *so*!«

Flora kichert. »Reg dich ab, Louise. Das wird bestimmt lustig.«

»Nein, nein, ohne mich. Ich glaube, ich mache Schluss für heute und gehe nach Hause. Ehrlich gesagt bin ich ziemlich müde.«

»Ich ziehe auch meine heiligen Windeln aus, wenn du mitkommst.« Eddie zerrt mich zur offenen Taxitür. »Ich ziehe mich sogar ganz aus, wenn du mitkommst!«

Auf einmal bin ich nervös und ratlos. Was will dieser hübsche, talentierte junge Mann von mir? Warum ist er so beharrlich? Mich überkommt der Drang wegzulaufen, schnell zu flüchten, ehe ich die wunderbaren Illusionen, die er sich über mich macht, zerstören kann.

»Hey, dort fährt ein Nachtbus! Wenn ich laufe, kann ich ihn noch kriegen. Gute Nacht und fröhliche Weihnachten!« Ich drücke den beiden einen Kuss auf die Wange und renne los über den Trafalgar Square, wobei meine Plastikflügel im Wind flattern.

»Warte doch mal!« Eddie läuft mir hinterher, was nicht so ganz einfach ist in einer großen Wolldecke. Er packt meine Hand. »Ich veranstalte nächstes Wochenende eine kleine Party auf meinem Boot. Kommst du?«

»Auf deinem Boot?« Ich weiß nicht, was ich sagen soll.

Der Bus rumpelt vorwärts und stöhnt unter dem Gewicht eines besonders festlich gestimmten Oberdecks.

Eddie hält meine Hand fester. »Bitte komm, Louise, und lauf jetzt nicht weg. Wir können dich nach Hause fahren, wenn du möchtest.«

Mein Magen zieht sich vor Furcht zusammen. Ich mag ihn. Ich mag ihn mehr, als gut für mich ist. Das ist das Problem.

Der Bus kommt quietschend zum Stehen und beginnt, sich mit Passagieren zu füllen. »Nein, keine Umstände, ich kann hier einsteigen.« Ich sehe ihm in die Augen. »Frohe Weihnachten, Eddie. Du bist ein wunderbares Jesuskind, du bist überhaupt … wunderbar!«

»Heißt das, du kommst?«

Der Schaffner läutet die Glocke, und der Bus entfernt sich langsam vom Randstein. Ich befreie meine Hand und springe schnell auf. »Mal sehen … ich rede mit Flora und sag dir Bescheid. Fröhliche Weihnachten!«, rufe ich.

Als der Bus schlingernd Whitehall entlangfährt, drehe ich mich um und sehe Eddie verloren mitten auf dem Trafalgar Square stehen, das Geschirrtuch immer noch auf dem Kopf.

Ich stolpere hinauf zum Oberdeck und ergattere einen Platz neben einem Mann mit einer roten Papiermütze, der sabbernd mit dem Kopf an der Fensterscheibe schnarcht. Ich reiße mir das

Diadem vom Kopf und winde mich aus den Flügeln heraus. Alle schreien, lachen und brüllen in ihre Handys.

Wir schaukeln an Big Ben und den Houses of Parliament vorbei, und dann an der Straße, wo ich so viele Jahre lang mit meinem Exmann gewohnt habe. Ich frage mich, was er gerade macht und ob die Wohnung immer noch genauso aussieht. Soll ich bei der nächsten Haltestelle aussteigen und hingehen? Was würde er wohl tun, wenn ich plötzlich in einem alten Nachthemd vor seiner Tür stünde? Würde er mich überhaupt erkennen, oder wäre ich ihm so fremd wie er mir an jenem Abend im Theater? Die nächste Haltestelle kommt und geht, aber ich steige nicht aus. Noch nicht einmal für einen Blick. Der Bus fährt über die Brücke nach Lambeth hinein, und der Moment liegt hinter mir.

Als ich nach Hause komme, lasse ich mir ein Bad ein und lege eine von Rias CDs auf, Chopinballaden, die mich an Eddie erinnern. Ich mache mir eine Suppe heiß, tunke Kräcker in die Tomatencreme und betrachte die Lichter am Weihnachtsbaum.

Es ist eine stille Nacht.

Ich denke daran, wie es gekommen ist, dass ich am Heiligabend hier sitze und allein meine Suppe esse, und dass ich noch nicht einmal aus dem Bus steigen wollte, und an die Leute von St. Martin, und ich frage mich, was Reg wohl macht, wenn er nicht der Geist der diesjährigen Weihnacht ist, und ob ich ihn wiedererkennen würde, wenn ich ihm auf der Straße begegnete, und an Flora und Eddie, und ob sie noch ins Ritz gegangen sind und sich dort jetzt amüsieren. Und dann denke ich an Oliver Wendt und wie sicher ich war, dass er der Mann meines Lebens ist, und wie er auf dem Rücksitz des Taxis ausgesehen hat, als es davonfuhr, und an meine Arbeit und wie viele Ängste ich ausgestanden habe, und dann an Colin und Ria, wie sie Weihnachten mit ihren Lieben feiern, und an unser komisches kleines Zuhause hier in London.

Eine unvermutete Welle des Glücks schwappt über mich hinweg.

Ja, das war es alles wert.

Es war es wert, jetzt, in diesem Moment, hier zu sitzen, allein.

In dieser Nacht schlafe ich in himmlischem Frieden.

Yacht

Das Einzige, was an Bord einer Jacht im Wind flattern sollte, sind die Segel. Röcke oder Kleider, die es ihnen gleichtun wollen, sind ganz und gar unangebracht, weshalb ein einfacher, sogar etwas maskuliner Kleidungsstil zu empfehlen ist. Die Gelegenheit zu einem Abenteuer auf hoher See bietet sich nur selten im Leben, also nutzen Sie sie. Verwerfen Sie Abendkleider und hochhackige Schuhe, aber bewahren Sie sich Ihren Sinn für Humor und beweisen Sie Sportsgeist, indem Sie ein gutes Crewmitglied sind.

Das ist Ihre Chance, allen zu zeigen, dass Sie keine Angst davor haben, ohne Make-up gesehen zu werden, dass Sie grundsätzlich keine Unordnung hinterlassen, dass Sie ein ausgeglichenes Wesen besitzen und dass Ihre Eleganz auf äußerster Schlichtheit beruht. Wenn Ihnen das gelingt (und wenn Sie schwimmen können und nicht dazu neigen, seekrank zu werden), steht Ihnen ein wunderbares, unvergessliches Erlebnis bevor.

Als ich in der darauf folgenden Woche zur Arbeit komme, wartet auf meinem Schreibtisch eine Karte auf mich.

EINLADUNG

Sie sind herzlich eingeladen zu einer kleinen Feier anlässlich der Taufe von Edward James' Boot.
Am kommenden Samstag, 14.00 Uhr, Chelsea Pier.

U.A.w.g. 07771283112

Flora und Poppy kichern, als ich die Karte an meinen Computerbildschirm lehne.

»Geht ihr beiden auch zu dieser Fete?«, frage ich.

»Wir sind nicht eingeladen«, sagt Poppy, worauf sie wieder kichern.

Als ich abends nach Hause komme, rufe ich Ria an, die noch in Dorset ist.

»Was soll ich tun?«

»Was möchtest du denn tun?«

»Ich weiß nicht. Er ist halt so… jung. Meine Güte, *vierundzwanzig*! Wieso will er sich überhaupt mit mir verabreden?«

»Das ist doch nicht dein Problem, er ist schließlich erwachsen. Du musst einfach darauf vertrauen, dass er weiß, was er will. Wieso spielt der Altersunterschied für dich überhaupt so eine große Rolle? Sieh dir Colin und Andy an.«

Ich denke einen Augenblick nach. »Es liegt wohl daran, dass ich bisher immer fand, der Mann sollte älter sein. Älter und möglichst nicht ganz so attraktiv. Wenn ich ehrlich bin, will lieber ich die Junge und Attraktive sein und die Zügel in der Hand halten. Ich meine, was soll das für eine Zukunft zwischen uns haben, und warum soll ich mich auf etwas einlassen, von dem ich überzeugt bin, dass es keine Zukunft hat? Überleg mal, wenn er vierunddreißig ist, bin ich *dreiundvierzig*! Er ist dann immer noch jung und agil, während ich nach meinen Hormonersatzpillen krame!«

»Immer schön langsam, Cowboy. Du wiederholst ständig diese Zahlen, als würden sie irgendetwas bedeuten. Fangen wir doch mal von vorn an: Magst du ihn überhaupt?«

Ich muss lächeln. Ich kann noch nicht mal an Eddie denken, ohne zu lächeln. »Ach, er ist toll. Total intelligent und supertalentiert, aber das Beste an ihm ist seine Begeisterungsfähigkeit. Mit ihm wird alles zum Abenteuer. Und wie er Klavier spielt – Ria, du würdest ihn lieben!«

Sie lacht aus vollem Halse. »Du solltest dich mal hören, Louise! Warum gibst du dich nicht einfach damit zufrieden, lässt es laufen und siehst mal, was passiert?«

Immer noch aufgewühlt verabschiede ich mich von ihr und beschließe, eine zweite Meinung einzuholen. Colin liegt auf dem Sofa und blättert in einem Bodybuilding-Magazin namens *Pump*. (Zumindest hoffe ich, dass es sich um ein Bodybuilding-Magazin handelt.) Ich lasse mich in einen Sessel fallen.

»Col, was würdest du an meiner Stelle tun?«

»Mit ihm vögeln natürlich, er klingt hinreißend.«

»Col, jetzt mal im Ernst. Was würdest du tun?«

Er sieht mich ganz ernsthaft an. »Mit ihm vögeln. Wieso glaubst du, dass ich Witze mache?«

Diese Schwulen! Oder vielmehr: diese Männer!

»Aber was ist, wenn ich mich auf ihn einlasse und er mich wegen einer jüngeren Frau verlässt?«

Colin zieht die Augenbrauen hoch. »Und?«

»Verdammt, Col. Ich wäre am Boden zerstört!«

»Aber das ist doch kein Grund, sich vorm Leben zu verkriechen, Süße. Okay, du könntest verletzt werden. Na und? Dieses Risiko gehen wir alle ein. Was haben wir davon, lebendig zu sein, wenn wir uns so vorm Verletztwerden fürchten, dass wir die seltenen Prachtexemplare, die unseren Weg kreuzen, nicht zu schätzen wissen?« Er klappt seine Zeitschrift zu. »Natürlich wollen wir uns alle vor Schmerz schützen, aber es läuft immer wieder darauf hinaus, dass wir das nicht können. So einfach ist das.

Du kannst entweder die Zeit mit diesem wunderbaren, aufregenden jungen Mann genießen, oder du kannst dich verstecken und auf einen durchschnittlichen Langweiler warten, der dir ein Gefühl von Sicherheit gibt.« Er fängt an zu lachen. »Erinnerst du dich an Oliver Wendt?«

»Du bist gemein! Es ist doch nichts falsch daran, sich sicher fühlen zu wollen, oder?«

»Mein Schatz, es gibt keine Sicherheit in der Liebe.«

»Von Liebe kann bislang keine Rede sein«, sage ich errötend. »Dazu ist es noch ein bisschen früh.«

Er lächelt. »Na, wie du meinst. Aber glaub mir, Ouise, wenn du diese Chance nicht ergreifst, wirst du es dein Leben lang bereuen.«

Den Rest der Woche verbringe ich in einem Zustand der Benommenheit, starre die Einladungskarte an und zerbreche mir den Kopf, wie ich antworten soll.

Eine Bootstaufe. Ich mag keine Boote, und vor dem Meer habe ich schon immer Angst gehabt. Ich hasse den Gedanken, nur von Wasser umgeben zu sein und das Ufer aus den Augen zu verlieren.

Außerdem, was soll eine Frau mitten im Winter auf einem Boot anziehen?

»Es wird kalt sein«, warnt mich Ria. »Ich würde etwas richtig Warmes nehmen, wie einen Troyerpulli und eine dunkelblaue Marinejacke.«

»Nicht gerade mein bevorzugter Look«, entgegne ich mit einer Grimasse. »Als Nächstes sagst du mir wahrscheinlich, dass ich eine Kapitänsmütze brauche.«

»Nein, aber eine hübsche kleine Wollmütze und vielleicht eine wollene Hose wären nicht fehl am Platz.«

»Wie soll ich denn jemanden verführen, wenn ich aussehe wie eine Komparsin aus *Peter Grimes*?«

Sie zuckt die Achseln. »Draußen auf dem Wasser wird es eiskalt sein. Ich würde auf die Verführerinnenrolle verzichten und mich darauf verlegen, Sportsgeist zu zeigen.«

Sportsgeist zeigen – schon wieder dieser Ausdruck, zuerst von Madame Dariaux und jetzt von Ria. Er hallt in meinem Kopf wider. Jemand, der Sportsgeist zeigt, kennt seinen Platz, akzeptiert die Dinge, wie sie sind, ist ein guter Verlierer, gibt sich Mühe, ist kein Spielverderber, schnappt nicht ein und rennt mit seinen Spielsachen nach Hause. Jemand mit Sportsgeist ist nicht dasselbe wie ein Gewinner.

Habe ich den Mut, Sportsgeist in der Liebe zu zeigen? Oder ist es besser, lieber gar nicht erst mitzuspielen?

Am Donnerstag rufe ich endlich die Nummer auf der Karte an.

»Hallo, Eddie?«

»Hallo, Louise.«

»Hier ist Louise.«

»Ich weiß«, sagt er.

»Ich wollte dir nur sagen, danke für die Einladung, und ich komme gern zu deiner Party.« Meine Hände zittern. Klingt meine Stimme einigermaßen ruhig?

»Wunderbar!« Ich höre das Lächeln in seiner Stimme. »Du hast meinen Tag gerettet! Möchtest du, dass ich dich abhole?«

»Nein, nein!« Ruhig bleiben, befehle ich mir. »Du bist schließlich der Gastgeber und hast sicher alle Hände voll zu tun. Ich komme zum Pier wie alle anderen. Aber woran werde ich dein Boot erkennen?«

»Oh, das wirst du schon«, sagt er lachend. »Es ist nicht besonders groß, es ist rot, und es heißt *Hammerklavier*.«

Ich lege auf. Rot ist eine sehr merkwürdige Farbe für eine Jacht.

Es ist Samstag. Ich bin in eine schwarze Wollhose und einen dicken, naturweißen Pullover verpackt, den ich mir von Colin geborgt habe. Furchtbar unförmig, aber auch sehr warm. Meine Haare habe ich zu einem Pferdeschwanz zusammengebunden, und ich bin nur leicht geschminkt, falls der Wind meine Augen tränen lässt. Nicht unbedingt meine Vorstellung von einer Frau beim ersten Rendezvous. Ich sehe total unscheinbar, geradezu anonym aus. In einem Anfall von Panik will ich schon in schwarzen Stiefeletten mit Pfennigabsatz aus dem Haus gehen, als Ria mich an der Tür abfängt.

»Du kannst auf einem Bootsdeck keine Absätze tragen«, erklärt sie. »Sie würden es beschädigen.«

Sie schickt mich zurück in mein Zimmer wie ein ungezogenes Kind. Kurz darauf komme ich in alten Turnschuhen wieder heraus, setze meine Wollmütze auf, ziehe meine Jacke an und gehe mit ihrem Segen davon, obwohl ich eher wie das Michelinmännchen aussehe als wie ein schicker Gast auf einer Bootsparty.

Es ist ein klarer, sonniger Tag mit kräftigem Wind. Ich mache unterwegs bei Woolworth Halt, kaufe das Video *Titanic* und eine Flasche Jahrgangssekt. Um zehn nach zwei streife ich über den Chelsea Pier, suche nach einer roten Jacht und hoffe, dass ich nicht die Älteste dort sein werde.

Aber das bin ich dann doch.

Ich finde die *Hammerklavier* eingekeilt zwischen zwei riesigen Motorjachten und hätte sie wahrscheinlich übersehen, wenn nicht zuvor schon Klaviermusik an mein Ohr gedrungen wäre. Ich sehe hinunter, und da liegt sie: ein schlanker Rumpf von etwa siebzehn Metern Länge, geschmückt mit Weihnachtslichtern und kleinen britischen Flaggen. Eddies Kanalboot. Es scheint noch nicht viel los zu sein, und ich werfe einen Blick auf meine Uhr. Vielleicht bin ich zu früh dran. Es gibt keine Türklingeln an Kanalbooten, jedenfalls keine, die ich entdecken kann, also brülle ich mehrere Minuten lang aus voller Lunge Eddies Namen, bis das Klavierspiel aufhört und er an Deck erscheint. Er trägt einen schön geschnittenen dunkelblauen Anzug mit einer rosa Seidenkrawatte.

»Du bist gekommen! Du siehst toll aus!«, sagt er.

Ich muss lachen. »Ich weiß zufällig ganz genau, dass das nicht stimmt. Irgendwie muss ich deine Einladung wohl missverstanden haben. Wie du siehst, bin ich für einen Ausflug auf hoher See angezogen.«

»Würde dir das gefallen?« Er reicht mir die Hand.

»Ich weiß nicht, ich habe ein bisschen Angst vorm Wasser. Tut mir Leid, dass ich so früh bin, vielleicht kann ich dir noch beim Tischdecken für die anderen Gäste helfen.«

»Ach ja«, lächelt er und blickt zur Seite. »Das ist noch so eine Sache. Aber komm doch erst mal rein ins Warme.« Ich nehme seine Hand und steige hinunter in den warmen Schiffskörper.

Innen ist es genau wie in einem kleinen Haus. Es gibt eine Kombüse, die in ein helles, erstaunlich geräumiges Wohnzimmer führt, und eine weitere Tür dahinter, die (wie ich vermute) zu einem Schlafzimmer an der Vorderseite gehört. Das Wohnzimmer ist gemütlich eingerichtet, und die Wände sind mit Regalen voller Bücher und Notenblätter bedeckt. An einer Wand steht ein Klavier, auf dem weitere Noten lagern, und auf dem Fußboden liegen Schichten von abgetretenen Orientteppichen. Seine umfangreiche CD-Sammlung ist auf den Fensterbänken, auf Büchern und jedem verfügbaren Plätzchen verteilt. Die einzige freie Stelle im ganzen Zimmer ist ein kleiner, runder Mahagonitisch, auf dem, ansprechend arrangiert, für zwei Personen gedeckt ist.

»Oh!« Überrascht betrachte ich den Tisch. »Ist das für mich? Für uns, meine ich?«

Er grinst schüchtern. »Ja, wenn du bleiben möchtest.«

Ich kapiere nicht ganz, was hier vorgeht. »Es kommt also niemand sonst zu deiner Party?«

»Nein, Louise. Nur du. Ich hoffe, es macht dir nichts aus.«

»Verstehe.« Ich setze mich auf die Sofalehne. »Nur ich.«

Er nickt.

Ich will es nicht sagen, habe aber das Gefühl, es tun zu müssen. Ich sehe auf meine Hände, auf die Stelle, wo ich meinen Ehering getragen habe. »Eddie, du weißt doch, wie alt ich bin, oder? Ich bin dreiunddreißig. Das heißt, neun Jahre älter als du.«

»Ist das nicht toll?« Er strahlt mich an.

»Das ist noch nicht alles. Ich bin geschieden. Ich bin seit Jahren mit niemandem mehr zusammen gewesen. Ich bin ... ich bin aus Pittsburgh! Es tut mir Leid, wenn ich dich irgendwie glauben gemacht habe, ich sei jünger oder ... ich weiß nicht, eben anders, als ich bin. Du bist ein ganz außergewöhnlicher Mensch, Eddie, und ich bewundere dich sehr.«

Hier unterbricht er mich. »Machst du mit mir Schluss? Noch vor unserer ersten richtigen Verabredung?«

Von meiner Magengrube her breitet sich ein hohles, hoffnungsloses Gefühl der Einsamkeit aus, pochend, dumpf und vertraut.

»Nein, ich wollte nicht so arrogant klingen. Es ist nur ... ich bin ein bisschen verwirrt darüber, warum du dich überhaupt für mich interessierst. Ich meine, ich weiß nicht, für was oder für wen du mich hältst, aber ich bin nicht ... ich bin ...« Meine Stimme versagt. »Ich bin ... Kartoffel.«

Er sieht mich verwundert an. »Entschuldige, hast du gerade gesagt, dass du eine Kartoffel bist?«

Ich nicke. Es geht nicht, ich kann das nicht machen. Plötzlich bin ich wieder in der Galerie des zwanzigsten Jahrhunderts, ein aufgedunsenes, asexuelles Wesen von Anfang dreißig in einem unförmigen grauen Kleid, das sehnsüchtig auf eine schwarz-weiße, unerreichbare Welt aus Schönheit und Glamour starrt. Eddie ist schöner, begabter und eleganter als all diese berühmten Gesichter zusammen.

Mein Hals ist wie zugeschnürt, meine Augen brennen und fließen vor Tränen über. »Kartoffel, Eddie, Kartoffel!«

Es gibt keine eleganten Kartoffeln.

»Beruhige dich, Louise.« Er kommt auf mich zu. »Was soll das heißen – was bedeutet Kartoffel?«

Ich stehe auf und will nur noch weg hier. »Kartoffel heißt, dass ich nicht kann. Dass ich weg muss, dass es mir Leid tut … Ich muss gehen …«

Er nimmt mich in die Arme. »Ist das so eine Pittsburgh-Geschichte? Komm her, sei ganz ruhig, ist ja gut«, flüstert er.

Er riecht nach Blumen und Wärme, genau wie an dem Tag, als wir eng umschlungen auf dem Rasen geschlafen haben, und ich werde weich aus dem überwältigenden Bedürfnis heraus, mich selbst zu verlieren und immer tiefer in seine Umarmung zu sinken.

Aber es ist einfach zu viel.

Du bist verrückt, sagt eine Stimme in meinem Kopf immer wieder. Das ist ein Fehler. Und auf einmal ertrinke ich von innen heraus. Ich habe das Ufer aus den Augen verloren, und um mich herum ist nichts als Wasser. Panik überkommt mich, ich stoße ihn weg.

»Es tut mir Leid, Eddie, wirklich.« Ich stürze an ihm vorbei und klettere zurück auf sicheren Boden.

Er läuft mir nicht nach.

Erst als ich weinend im Taxi sitze, merke ich, dass ich immer noch das Video und die Flasche Sekt in der Hand halte.

Colin und Ria sind ausgegangen, als ich nach Hause komme, aber ein Päckchen aus den Staaten ist für mich eingetroffen und liegt auf dem Esszimmertisch.

Es ist ein verspätetes Weihnachtsgeschenk von meiner Mutter. Schön verpackt in Goldpapier und mit einer weißen Schleife zusammengebunden. Sie hat eine kleine Karte unter die Schleife gesteckt:

Hallo Kleines,
hab das hier neulich auf dem Dachboden gefunden und an dich gedacht.
Weißt du noch?
Du hattest schon immer deinen eigenen Stil!
Du bist sehr mutig, Louise, und das hat mich immer stolz gemacht.
Gib jetzt nicht auf. Das Beste kommt erst noch.
In Liebe, Mom

Ich packe es aus.

Und da, gut erhalten unter mehreren Schichten durchscheinenden Seidenpapiers, liegt die cremefarbene Marabujacke, die sie mir gekauft hatte, als ich zwölf war.

Zippverschlüsse

Zippverschlüsse sind der Anfang und das Ende. Jeder Abend beginnt damit, dass eine Frau ihren Mann bittet, den Reißverschluss ihres Kleides zuzumachen, was er eilig und lustlos tut. Doch wenn sie Glück hat und klug ist, wird der Abend damit enden, dass er es kaum erwarten kann, denselben Reißverschluss wieder aufzuziehen!

»Eddie! Hallo! Eddie!«

Es ist dunkel inzwischen, und der Wind hat noch mehr aufgefrischt und treibt das Wasser in kabbeligen schwarzen Wellen klatschend gegen die Bootswand. Innen brennt Licht, aber es ist keine Musik mehr zu hören. Vielleicht ist er ausgegangen, möglicherweise mit jemand anderem, und ich bin zu spät.

»Eddie, bist du da drin? Eddie!«

Aber es kommt keine Antwort. Mir schießt der Gedanke durch den Kopf, dass er da ist und mich auch hören kann, aber nicht mit mir sprechen will. Nie wieder.

Ich habe alles kaputtgemacht.

Es gibt nichts mehr, was ich tun kann. Ich mache kehrt, gehe zurück über den Pier, den Kopf gegen den brausenden Wind gesenkt, und kämpfe mich vorwärts gegen die unsichtbaren Hände, die mich zurückdrängen wollen. Überall klappert Takelage, knirschen Taue, schwingen Lampen und Zugwinden hin und her, als könnten sie jeden Moment in die Nacht davongerissen werden.

Eine starke Bö rüttelt mich, sodass ich das Gleichgewicht verliere, im Dunkeln vorwärts stolpere und hinfalle. Ich lande unsanft, als hätte der Untergrund sich plötzlich gehoben und mich ins Gesicht getroffen. Beim reflexhaften Abstützen schürfe ich mir die Hände auf, meine Handtasche öffnet sich durch den Aufprall, und der Inhalt rollt in sämtliche Richtungen davon.

Verdammt! Ich verfluche mich, weil ich andere Schuhe angezogen habe, und taste wie eine Blinde auf dem Boden nach Kleingeld, Lippenstift und Schlüsseln. Blöd von mir, überhaupt zurückzukommen. Welche Idiotin läuft vor ihrem Verehrer davon, um ein paar Stunden später wieder aufzutauchen und zu erwarten, dass er noch da ist und auf sie wartet? Meine Haare lösen sich aus der Spange und wirbeln um meinen Kopf herum, sodass ich nichts sehe. Ich stopfe, was ich finden kann, in meine Tasche zurück, rapple mich auf und bin dabei, mich abzuklopfen, als ein Mann in einer Kapuzenjacke durch den Sturm auf mich zukommt.

»Alles in Ordnung? Hast du alles?«, ruft er.

Diese Stimme kenne ich. Wir stehen uns gegenüber. »Nein, nichts ist in Ordnung. Überhaupt nichts.«

Er sieht auf seine Füße hinunter. Der Wind peitscht um uns herum und heult und flüstert mit tausend Stimmen.

»Ich war furchtbar dumm und habe einen schrecklichen Fehler gemacht«, rede ich dagegen an.

Einen bangen Moment lang sagt er nichts.

Dann blickt er endlich auf. Sein Gesicht ist traurig. »Ich kann nicht aus meiner Haut heraus, Louise, ich kann nichts anderes sein, als ich bin. Wenn das ein Problem für dich ist, bin ich machtlos dagegen. Es liegt an dir. Ich kann nichts tun oder sagen, was dir ein Gefühl von Sicherheit gibt.«

»Aber Eddie, ich will mich nicht mehr sicher fühlen! Das war ein Irrtum! Es war ganz und gar falsch!«

Ich lege die Arme um ihn, vergrabe mein Gesicht an seiner Brust und drücke ihn an mich. »Bitte verzeih mir. Auch wenn du nicht mehr mit mir zusammen sein willst … auch wenn du nur mit mir befreundet sein willst. Hauptsache, du bist ein Teil meines Lebens, egal, unter welchen Bedingungen!«

Es kommt mir vor, als würde ich eine Ewigkeit dastehen und ihn festhalten, ehe er mich ebenfalls in die Arme nimmt. Wir stehen im Dunkeln und klammern uns aneinander.

Dann hebt er mich hoch und trägt mich nach Hause.

»Ich will nicht, dass in unserer Beziehung je wieder die Rede von Kartoffeln ist.« Er küsst mich auf die Schulter und zieht mich an sich.

»Nein, nie wieder.« Ich schmiege mein Gesicht an seine Brust. »Was soll das überhaupt heißen?«

»Nichts. Es ist ein Codewort und bedeutet, dass es Zeit ist zu gehen.« Ich küsse seine Hand und nacheinander seine schlanken, kunstfertigen Finger.

Er entzieht sie mir, lehnt sich gegen das Kopfende des Bettes und sieht mich unverwandt an. »Pastinake«, flüstert er. »Pastinake, Louise Canova.«

Ich lache. »Und was soll das heißen?«

»Bleib.« Er küsst mich sanft auf den Mund. »Bitte bleib.«

Ein halbes Jahr später bin ich gerade dabei, meine Bücher auszupacken und sie irgendwo zwischen Eddies CDs zu verstauen, als mir ein alter Freund in die Hände fällt, ein schmales graues Bändchen mit dem Titel *Elégance*.

Ich hocke mich aufs Sofa und schlage es auf. Der Rücken ist abgestoßen, der Umschlag an den Rändern ausgerissen. Das Buch blättert sich von selbst bei einer der ersten Seiten auf, die vielleicht passenderweise diese Überschrift trägt:

Alter

In Frankreich haben wir das schöne Sprichwort »Eleganz ist ein Privileg des Alters«, welches sich, Gott sei Dank, immer wieder bewahrheitet. Zwischen Kindheit, Jugend, Reife und Alter gibt es jedoch keine bestimmten Geburtstage, an denen eine Frau automatisch von einem Lebensabschnitt zum anderen überwechselt, und sie bewahrt sich ihre Jugend gewöhnlich in dem Ausmaß, in dem sie die gleichen Interessen hegt wie junge Leute.

Natürlich sollte man energisch gegen überflüssige Pfunde, Falten und Doppelkinn ankämpfen, aber dies ist ein Kampf, den man idealerweise mit philosophischer Gelassenheit unternimmt, denn auch der geschickteste Schönheitschirurg kann uns unsere Jugend nicht wiedergeben. Viel klüger ist es, ohne sinnloses Bedauern in ein Alter hineinzuwachsen, in dem wir die Früchte vergangener Mühen ernten und uns daran erfreuen können, unsere Erfahrungen an andere weiterzugeben, statt in kindisches Schmollen zu verfallen wie kleine Mädchen.

Eleganz kann nur um den Preis zahlreicher Irrtümer erlangt werden, auf die wir am besten mit einer guten Portion Humor zurückblicken. Am schönsten sind wir schließlich immer dann, wenn wir uns selbst einmal völlig vergessen.

Ich klappe das Buch zu.

Hier ist der beste Platz dafür, zwischen einer Biographie von Glenn Gould und einer Aufnahme der achtundvierzig Präludien und Fugen von Bach.

Ich glaube, Madame Dariaux wäre damit einverstanden.